De bronzen spiegel

bruna science-fiction

87

Edgar Pangborn

De bronzen spiegel

roman

1978
A. W. Bruna & Zoon Utrecht/Antwerpen

Oorspronkelijke titel A Mirror for Observers
©1954 Edgar Pangborn
Vertaling David Brisk
©1978 A.W. Bruna & Zoon
Omslagillustratie Karel Thole
Omslagontwerp Dick Bruna
Druk Tulp, Zwolle
ISBN 90 229 9087 7
D/1978/0939/170

... Maar, Atheners, dezelfde fout die de dichters hadden, ontdekte ik bij de handwerkslieden ook. Omdat zij hun kunst goed uitoefenden, meenden zij allen ook in allerlei andere gewichtige zaken zeer wijs te zijn en deze dwaling verduisterde die andere wijsheid. Dus stelde ik mij in naam van het orakel de vraag of ik moest aanvaarden te zijn zoals ik ben – noch wijs in hun wijsheid, noch onwetend in hun onwetendheid – of moest kiezen beide dingen die zij hebben ook zelf te hebben. Ik gaf mijzelf en het orakel ten antwoord dat het voor mij maar beter was te zijn zoals ik ben.

Plato, *Apologie*

N.B. Alle personages in deze roman zijn denkbeeldig, behalve wellicht de Martianen.

Voorspel

Het bureau van de directeur Noordamerikaanse Diensten is een blauw verlicht vertrek in Noordstad, vijfentachtig meter onder de toendra van het Canadese Northwest Territory. Al ettelijke duizenden jaren bestaat er een ingang aan de oppervlakte, maar die zal men nog deze eeuw wellicht moeten afdanken als het klimaat warmer blijft worden. Achter de warwinkel van rotsblokken heeft deze ingang qua uiterlijk en geur veel weg van een flink berehol. Ben je geen Salvayaan – of Martiaan, om de algemeen aanvaarde menselijke benaming te gebruiken – dan zul je in dat hol nooit het scharnierende rotsblok ontdekken waaronder een lift verborgen zit. Tegenwoordig is het slot elektronisch en reageert alleen op het juiste Salvayaanse wachtwoord, dat we van tijd tot tijd wijzigen.

Namir de Uitgetredene was van dat nieuwtje niet op de hoogte geweest. Een paar dagen lang had hij kleumend en steeds knorriger in die kopie van een berehol moeten rondhangen totdat een officiële bewoner, die van een dienstopdracht terugkeerde, hem daar aantrof en met het gebruikelijke ceremonieel naar het bureau van de directeur bracht, die hem vroeg: 'Wat kom *jij* hier doen?'

'Vrijgeleide, volgens de wet van 27 140,' zei Namir de Uitgetredene.

'O juist,' zei directeur Drozma en belde om verversingen. Een eeuw geleden zou Drozma de gegiste paddestoelendrank zelf hebben gehaald, maar nu was hij aandoenlijk oud en aandoenlijk dik geworden, en daarom had hij recht op een zekere dienstverlening.

Hij was nu over de zeshonderd jaar, een leeftijd die weinig Martianen bereiken. Volgens de Westerse aardse kalender was hij geboren in 1 327, het sterfjaar van Edward II van Engeland, die het in 1 314 tijdens een strafexpeditie bij Bannockburn tegen de Schotse koning Robert Bruce had opgenomen en het er niet te best afbracht. In zijn netwerk van rimpels had Drozma littekens van een chirurgische ingreep waardoor hij zo'n vijf eeuwen geleden een aanvaardbaar menselijk gezicht had gekregen. Zijn eerste opdracht in de mensenmaatschappij was hem verleend in 1471 (30471), toen hij de status van bevoegd waarnemer kreeg tijdens de oorlogen tussen York en Lancaster. Later maakte hij een studie van drie Zuidamerikaanse volksstammen die aan aardse antropologen nog onbekend waren. In 30854 voltooide hij de geschiedschrijving over de Tasmaniërs, die voor Martianen nog steeds het erkende standaardwerk vormt. Maar de periode van dienstopdrachten had hij nu ver achter zich liggen. Vóór het tijdstip van zijn dood zou hij zijn bureau niet meer verlaten. Niet alleen was hij directeur Diensten maar ook raadsheer van Noordstad; hij was verantwoording verschuldigd aan de paar honderd burgers ervan en in tweede instantie aan de Hoge Raad in Oudestad in Afrika. Die eer drukte hem niet zwaar, hoewel er op Aarde maar drie andere raadsheren waren – die van Aziatisch Centrum, van Olympus en van Oudestad zelf. Nog maar kort geleden waren er vijf steden geweest. Zo herinneren we ons Oceaanstad maar we kunnen de gedachten beter bepalen tot het heden of tot het verdere verleden. Binnenkort zou een opvolger Drozma's last overnemen. Intussen was zijn gedachtengang even onverstoorbaar als de loop van de kanalen die zich onder het oppervlak van de Aarde voortkronkelen. Namir de Uitgetredene keek toe terwijl Drozma het knoefje aanhaalde dat zich aan zijn voeten genesteld had, behalve wij zelf de enige diersoort die dertigduizend jaar geleden de uittocht uit het langzaam afstervende Mars heeft overleefd. Het beestje knorde van genoegen, likte zijn rossige pels, waste zich en viel weer in slaap.

'Er is onlangs rapport over jou binnengekomen, Namir.'

'Dat weet ik.' Ondanks zijn eveneens hoge leeftijd ging

hij er met het glas in de hand bevallig bij zitten. Hij wachtte totdat het meisje dat de drankjes had binnengebracht Drozma's kussen had opgeschud, even met een glimlachje was blijven staan en toen het vertrek had verlaten. 'Iemand van jullie waarnemerskorps heeft me herkend. Ik ben dan ook mede gekomen om je te waarschuwen voor inmenging in mijn doen en laten.'

'Meen je dat nu werkelijk? Wij laten ons door jullie uitgetredenen niet afschrikken. Ik hecht veel waarde aan de rapporten van Kajna – zij is een scherp waarncemster.'

Namir gaapte. 'Nou? En heeft ze het over Angelo Pontevecchio gehad?'

'Allicht.'

'Ik hoop dat je je niet verbeeldt iets met die jongen te kunnen beginnen.'

'Wat we over hem te horen krijgen, komt ons interessant voor.'

'Poeh! Een mensenkind, en dus vatbaar voor verderf.' Namir haalde een sigaret van menselijk fabrikaat uit zijn kostuum van menselijk fabrikaat te voorschijn en hulde zijn grote mensengezicht in een rookwolk. 'Ook hij leidt een bestaan dat door een ander menselijk dier treffend als "akelig, beestachtig en kortstondig" is omschreven.'

'Ik geloof dat je je alleen maar over de mensheid komt beklagen.'

Namir lachte. 'Integendeel, ik beklaag die wezens, maar dat medelijden is op zichzelf zoiets vervelends.' Hij ging terloops op Amerikaans Engels over. 'Nee, Drozma, ik kwam alleen even goedendag zeggen.'

'Na honderdvierendertig jaar! Ik kan me nauwelijks . . .'

'Is het zó lang geleden? Waarachtig, ik heb me in 30 829 teruggetrokken.'

'Ik merk dat je je de conversatiestijl van de mens hebt eigen gemaakt.'

'Ik viel je inderdaad in de rede, neem me niet kwalijk. Gaat u alstublieft door, heer.'

Niet bij wijze van berisping maar omdat hij er behoefte aan voelde, bleef Drozma een kwartier lang mediteren, met de handen gevouwen op zijn buik, die ten slotte opschokte toen hij een gniffelend lachje uitbracht. 'Begint de omgang met andere uitgetredenen je te vervelen?'

'Nee. Daar zijn er niet veel van. Ik kom hen zelden tegen.'

'Als Salvayanen onder elkaar: hoe breng je je tijd eigenlijk door?'

'Met over de hele Aarde rond te struinen. Ik ben een hele kei geworden in het vermommen. Als ik niet al een tijd geleden mijn deodorant had verbruikt, was die Kajna van jullie er nooit in geslaagd mijn gesprek met dat jongetje Pontevecchio af te luisteren.'

'Het is bij de wet van 27 140 geregeld dat Salvayaanse stadsbewoners geen hulp mogen verlenen aan uitgetredenen.'

'Kom nou, Drozma... dit was geen stille wenk om aan deodorant te komen. Het kost me niet veel moeite om uit de buurt van paarden te blijven; die zijn tegenwoordig zo zeldzaam geworden. Vreemd, hoe blijkbaar geen enkel ander dier zich iets van de Martiaanse geur aantrekt; of de Salvayaanse geur, want jij geeft immers zelfs wanneer je Engels spreekt de voorkeur aan de ouderwetse benaming? Het moet vroeger lastig zijn geweest, toen die geurverdrijver nog niet was uitgevonden. Maar aangezien het menselijk dier dat luchtje niet kan waarnemen, heb ik het spul niet nodig, behalve om uit de buurt te blijven van jouw waarnemers met hun scherpe neus... Vijf- of zesduizend jaar geleden zouden we er slim aan hebben gedaan om een epidemie onder de paarden te ontketenen, om van die verdomde beesten af te komen.'

Drozma vertrok zijn gezicht in afgrijzen. 'Het begint me duidelijk te worden waarom jij bent uitgetreden. In heel je leven heb je geloof ik nog steeds niet leren inzien dat met geduld alles te bereiken is.'

'Geduld is een narcoticum voor de zwakken. Ik bezit er voldoende van om in mijn behoeften te voorzien.'

'Als je voldoende geduld had, zou je jezelf van allerlei wrokgevoelens afhelpen. Maar laten we daar niet over in discussie treden – we denken er volkomen verschillend over. Nogmaals: Wat kom je hier doen?'

Namir tipte as op het mozaïek van de vloer. 'Ik wilde erachter komen of jullie nog steeds het idee hebben dat menselijke wezens ooit iets positiefs zouden kunnen betekenen.'

'Dat idee hebben we.'

'O. Zelfs na Oceaanstad te zijn kwijtgeraakt. Dat heb ik althans vernomen.'

'Namir, over Ocenaanstad spreken we niet meer. Noem het een taboe, of alleen een hoffelijkheid tegenover mij . . . Wat heb je ooit met je uittreding hopen te bereiken?'

'Bereiken? Ach, Drozma! Nou ja, misschien de geneugten die voor een toeschouwer zijn weggelegd. Te zien hoe die sloebers een strop aan het strikken zijn om zichzelf mee op te hangen.'

'Nee, ik geloof niet dat het dat is geweest. Daarom zou je je niet tegen ons hebben gekeerd.'

'Ik ben niet bepaald tegen jullie,' verklaarde Namir en zette zijn oorspronkelijke gedachtengang voort: 'Ik dacht dat ze die strop in 30 945 zouden gebruiken, maar ze hebben zich nog steeds niet opgehangen.'

'Ben je het wachten beu?'

'Hmm . . . ja. Maar als ik hun einde niet meer mag beleven, dan zal mijn zoon het zeker nog meemaken.'

'Een zoon . . . Zou ik mogen weten wie jouw Salvayaanse vrouw is?'

'Is geweest, Drozma. Ze is tweeënveertig jaar geleden gestorven, in het kraambed. Het was Ajona, die in 30 790 was uitgetreden maar nog steeds onder idealistische bevliegingen gebukt ging, totdat ik haar er gedeeltelijk van had genezen. De jongen is tweeënveertig – bijna volwassen.

11

Je ziet dus dat ik er ook als vader belang bij heb het einde van *Homo quasi-sapiens* mee te maken ... Mag ik vragen hoe hoog jullie bevolkingscijfer op dit ogenblik is?'

'Ongeveer tweeduizend, Namir.'

'In alle ... eh ... vier steden?'

'Ja.'

'Hm. Het is uiteraard meer dan de enkele tientallen van ons die tot inzicht zijn gekomen. Maar dat is misleidend, want jullie zijn allemaal dromers.'

'De mensen zullen verdwijnen, en jullie willen uitgaande van enkele tientallen de Aarde opnieuw bevolken?'

'Ik geloof niet dat ze volledig zullen verdwijnen. Er zijn er zo verdomd veel ...'

'Hebben jullie plannen met degenen die het overleven?'

'Hoor eens, ik voel me niet gerechtigd je de bijzonderheden daarvan te vertellen, beste kerel.'

'De wet van 27 140 ...'

'Die uitdrukking ligt jullie Salvayanen plechtig in de mond bestorven. Maar daarmee kom je bij ons geen stap verder. We hebben trouwens een wapen in handen. Stel je eens voor dat de mens – met een beetje hulp – de nog overgebleven steden zou ontdekken?'

'Jullie kunnen je soortgenoten niet zo maar verraden!' Namir ging er niet op in. 'Vind jij de uitgetredenen zo bijzonder van inzicht?'

'Ten gevolge van leed, verveling, scherpe waarneming, teleurstelling, realistische contacten, ja. Wat kan er meer tot kennis en inzicht bijdragen dan verliezen en eenzaamheid en verijdelde hoop? Dat kun je zelfs aan Angelo Pontevecchio vragen, die nog maar twaalf jaar oud is. Hij droeg zijn vader die nu dood is op handen, zijn jeugdige leeftijd houdt hem opgesloten in een kooi waarbuiten het leven zich afspeelt. Het resultaat: hij begint al aardig ontwikkeld te raken. Natuurlijk is hij nog een stuurloos jong katje, een katje in een jungle vol wolven. En ook die wolven zullen tot zijn ontwikkeling bijdragen.'

'Excuseer me het gebruik van de uitdrukking, maar liefde draagt meer bij tot iemands ontwikkeling.'

'Die misvatting zal bij mij nooit voet aan de grond krijgen. Ik heb gezien hoe menselijke wezens met de liefde omspringen. In hoofdzaak eigenliefde, maar ook de liefde voor hun milieu of hun werk, voor bepaalde ideeën; liefde voor vrienden, tussen man en vrouw, ouder en kind. Ik kan me geen koddiger menselijke illusies voor de geest halen dan die van de liefde.'

'Mag ik weten wat je uitvoert, in de buitenwereld?'

Namir wendde zijn blik af. 'Ik ben nog steeds waarnemer, op mijn manier.'

'Hoe breng je daar iets van terecht, nu je zo door haat bent aangetast?'

'Ik observeer scherp, Drozma.'

'Je haspelt scherpte en nauwkeurigheid door elkaar. Zoals iemand achter een microscoop die de relatieve grootte uit het oog verliest en een amoebe even groot noemt als een olifant ... Naar ik me herinner, ben je na je uittreding voor het eerst door ons op de Filippijnen gesignaleerd, in 30896.'

'O ja?' grinnikte Namir. 'Niets van gemerkt. Jullie zitten ook overal.'

'Ze zeiden dat je er als een echte Spanjaard uitzag. In Manila, een dag of wat na de moord van hogerhand op José Rizal. Heb jij daar soms de hand in gehad?'

'De bescheidenheid gebiedt me ... Nee hoor; zijn menselijke moordenaars konden het best zonder mij af. Rizal was een idealist. Daardoor werd hij bijna automatisch afgeslacht; een menselijke reflexhandeling.'

'Maar andere idealisten ... Ach, ik geloof dat ik aan de eeuwigheid nog te kort zou komen als ik met jou in discussie ga. Dus geen enkel goed woord voor de mensheid?' Namir glimlachte. 'Zelfs niet voor Angelo Pontevecchio?'

'Maak je je werkelijk zo bezorgd om die jongen? Belachelijk. Zoals ik al zei, is hij nog een katje, maar ik zal een tijger van hem maken. Zelfs hier, waar jij je rozige dromen koestert, zul je de schapen met bloedende keel horen blaten.'

'Misschien toch niet.'

'Wedden van wel?'

De directeur greep naar een primitieve telefoon. 'Als je dat graag wilt. Het zal alleen aan het resultaat niets veranderen. En degene die ik er als waarnemer op afstuur misschien ook niet. Hoewel . . . .' Hij gaf een paar keer een draai aan de slinger. 'Wie ik er ook voor uitkies, Namir, je eigenlijke tegenstrever zal niet die waarnemer zijn, of ik, maar Angelo zelf.'

'Uiteraard . . . Een telefoon! Jullie gaan wel met de tijd mee.'

Belerend merkte Drozma op: 'Toevallig hadden wij al in 30 834 de telefoon uitgevonden. Toen Bell dat stomme ding in '876 onafhankelijk van ons ontdekte, had hij er een paar verbeteringen in verwerkt. Wij zijn niet zo op allerhande apparaten ingesteld. En zijn opvolgers, gottegot! Gelukkig hebben wij al die kunstmiddelen niet nodig. In ieder geval hebben we moeten wachten totdat de mens zijn telefoonlijnen tot benoorden Winnipeg doortrok eer we geschikte verbindingen tussen onze verschillende steden tot stand konden brengen. Nu zou je ons waarschijnlijk kunnen bestempelen als . . . eh . . . onofficiële abonnees. We hebben in Toronto een volledig bezette communicator zitten. Het spijt me, ik kan je zijn naam niet noemen. Hallo . . .? Hallo . . .?' Namir gniffelde. Drozma klaagde: 'De telefoniste is zeker in gepeins verzonken. Maar is dat zo erg? Ik kan het altijd nog een keer proberen. Weet je, Namir, ik heb dit . . . eh . . . apparaat louter laten installeren omdat ik niet meer goed ter been ben. Eigenlijk hou ik niet van zulke dingen. Ik . . . o, hallo? Nou, dank je, beste meid, en de vrede der wetten zij met je. Als je gelegenheid hebt, wil je dan doorgeven dat ik Elmis wil spreken? . . . Ja, de geschiedschrijver. Hij zal wel in de bibliotheek zitten, of anders in de muziekzaal, als het zijn oefenuurtje is, dat weet ik nooit precies. Dank je, beste meid.' Met een gewriemel van zijn dikke vingers hing hij de hoorn aan de haak. 'Technisch speelgoed . . .'

'Ik wacht met spanning af tot jullie rijp zijn voor radio.'

'Radio? Van het moment af dat de mens die had uitgevonden, hebben we uitstekende ontvangers gehad. Uiteraard moeten we ons niet aan uitzendingen wagen, maar we vangen ze wel op. Radio was op Salvay al bekend; het was een van de technieken die onze voorouders links hebben laten liggen – omdat ze er niet zo'n bijzondere behoefte aan hadden, veronderstel ik – tijdens de eerste eeuwen van hun ellendige bestaan in de wildernis hier. Denk je nooit aan vroegere tijden terug, Namir? De dreun die ze hadden gekregen, de eenzaamheid, geen enkel uitzicht op terugkeer, zelfs als Salvay geen afstervende planeet was geweest, behalve voor de Amoerai, vermoedelijk. Die konden zich ingraven en het leven onder de grond aanvaarden, dat wij hadden verworpen. En toen moesten wij ons hier er toch in schikken! Bedenk ook eens wat een bezoeking die aanpassing geweest moet zijn. Volgens de geschiedschrijving duurde het tweehonderd jaar voordat de eerste geslaagde geboorten zich voordeden, en zelfs toen schoten de moeders er meestal het leven bij in. Wat een tijd van beproevingen was dat !'

'De geschiedenis is dode taal.'

'Ik vind van niet. Enfin, onze mathematici bestuderen de radiouitzendingen van de mens. Het gaat mijn verstand te boven, de mathematica, maar ik geloof zeker dat radio uitermate nuttig is.'

'Uitermate walgelijk . . . Zou je, terwijl we op die geweldenaar van jou zitten te wachten, naar een woord van goede raad willen luisteren?'

'Zeker . . . Televisie ook . . . verdomd, ik ben gek op televisie. Wat wilde je dan zeggen?'

'Onderweg heb ik in het noorden van Manitoba en het district Keewatin zes nederzettingen aangetroffen, die allemaal dateren van nadat ik hier in 30 920 voor het laatst ben geweest. De ijskap dooit steeds sneller weg. Jullie raken de beschutting van het poolgebied kwijt. Niet dat ik me er druk om maak, maar ik vond dat ik het even moest zeggen.'

'Bedankt. Onze waarnemers houden een oogje in het zeil. De watersluis zal voltooid zijn eer we voor de noodzaak staan de landingang af te sluiten. En wist *jij* al dat de kunststoffenindustrie van de mens bijna toe is aan het leveren van kaswoningen waarvan de grootte alleen van de behoeften afhankelijk is? Binnen enkele decennia krijg je overal in het Noordpoolgebied tuindorpen die los staan van het klimaat en over een eeuw zal de bevolking van Canada waarschijnlijk even groot zijn als die van de Verenigde Staten, als ze dan nog officieel afzonderlijke landen vormen. Persoonlijk mag ik dat wel. Kom binnen, Elmis.'

Elmis stond hoog op de benen en was mager en sterk. Zijn teint kwam dicht in de buurt van de kleurrijke bleekheid die door menselijke wezens blank wordt genoemd. Aan de akelige chirurgische ingreep die hij lang geleden had doorstaan, had hij een gezicht en handen overgehouden die er zeer menselijk uitzagen. De bruine haardos en de kunstmatige pinken vormden nu al meer dan tweehonderd jaar vrijwel normale onderdelen van zijn lichaam. Als hij zich op blote voeten zou moeten vertonen, konden die voeten met hun vier tenen voor een menselijke afwijking doorgaan.

Drozma verklaarde: 'Het spijt me dat ik je moet weghalen uit het werk dat je bij voorkeur doet, Elmis. Ik weet dat je hoopte nooit meer als waarnemer te hoeven worden uitgestuurd. Maar jij bent veel capabeler dan alle anderen die me ter beschikking staan, dus ik kan er niets aan doen. Dit is Namir de Uitgetredene.'

Met zijn menselijk klinkende stem zei Elmis in het Engels: 'Ik heb u geloof ik wel eens gezien.' Namir knikte zonder veel aandacht aan hem te besteden. 'Komt u bij ons terug?'

'Het idee! Nee, alleen maar even aanwippen. Ik moet nu

weer opstappen. Het was me een waar genoegen. O ja, Drozma, voel je er iets voor om wat in te zetten om die weddenschap aantrekkelijker te maken? Een menselijke ziel bijvoorbeeld?'

'Nou, aangenomen dat iemand zo maar over een menselijke ziel zou kunnen beschikken...'

'Sorry. Even had ik de indruk dat je voor God wilde spelen.' Hij wurmde zich in zijn pooluitrusting. 'Tot ziens, jongens. Hou je haaks.'

'Hm,' zei Elmis en begon met het hoofd op de knieën te mediteren.

Drozma slaakte even later een zucht 'We hebben weinig tijd, Elmis, anders zou ik je niet storen. Voel je iets voor de naam "Benedict Miles"?'

' "Miles"... ja, een leuk anagram. Is het erg dringend, heer?'

'Misschien. Een mensenkind wordt sneller volwassen dan je een gedicht kunt schrijven. Hoe staat het met je werk; kun je het aan anderen overlaten?'

'Er kan altijd iemand anders mee doorgaan, Drozma.'

'Vertel me er eens wat meer over.'

'Nog steeds ethische concepten aan het natrekken om ontwikkelingslijnen te ontdekken. Proberen door de schuimlaag van conflicten, oorlogen, migraties, maatschappelijke scheuringen, ideologieën heen tot de kern door te dringen. Ik was juist Confucius weer eens aan het bestuderen toen jij me opriep.'

'Voorlopige conclusies?'

'Een stuk of wat, die jouw eigen intuïtie van honderd jaar geleden bevestigen: dat omstreeks 31000 een werkelijke ethische omwenteling – qua belang te vergelijken met de ontdekking van het vuur, van de landbouw, van sociaal bewustzijn – op gang zou kunnen komen en voor haar ontwikkeling de nodige eeuwen zou vergen. De kiemen zijn aanwezig. Moeilijk precies aan te wijzen, maar ze zijn er, net als de kiem van de samenleving ingebed was in de gezinsgroepen vóor de ontwikkeling van de taal. Uiteraard kun je hierbij geen rekening houden met onvoorspelbare factoren als atoomoorlogen, epidemieën of een te plotselinge stijging van het waterpeil. Gelukkig is de droom van een beschut leven een menselijke zwakheid die wij niet hoeven te delen. Om er een grove slag naar te slaan, Drozma, ik voorspel dat mijn zoon tegen het einde van zijn leven misschien de eenwording zal meemaken.'

'Is het waarachtig? Het lijkt me erg spoedig, maar het is een opwekkend idee. Enfin, dit wordt jouw dienstopdracht. Waarneemster Kajna is gisteren teruggekeerd. Ze was al aan de late kant en ze had het moeilijkste deel van de reis nog voor zich, toen ze op een trein moest wachten in Latimer. Dat is een stadje in Massachusetts. Om de tijd te korten, wandelde ze een park in. Een vriendelijke oude heer was er de duiven aan het voeren en was in gesprek met een jongen van een jaar of twaalf. Kajna ving de Martiaanse geur op. Ze gebruikte voor alle zekerheid nog wat deodorant en ging op een andere bank het gesprek zitten afluisteren. De oude man was Namir. Ze had jaren geleden meegemaakt dat hij eenzelfde vermomming had gebruikt – in Hamburg. Je weet dat we de uitgetredenen in het oog proberen te houden zolang de belangrijker taken er geen hinder van ondervinden. Kajna is nogal op hen gebeten. Ze wilde Namir achterna, ze moest zo vlug mogelijk naar huis, en terwijl ze zat af te luisteren deed er zich nog een derde noodzaak voor. Toen de oude man en de jongen uiteengingen, draaide het er op uit dat Kajna de jongen en niet Namir volgde. Ze kwam in een kosthuis terecht, waar hij woont. Daar vroeg ze naar een kamer ... genoeg om een gesprek op gang te krijgen en een paar dingen aan de weet te komen. De jongen, Angelo Pontevecchio, is het enige kind van de hospita. Volgens Kajna is die hospita "een goede ziel". Weinig ontwikkeling en van een heel ander psychofysisch niveau; een dikke vrouw die met haar gezondheid sukkelt. Kajna heeft genoeg gezien en aangevoeld om een hartkleppenaandoening te vermoeden, maar helemaal zeker is ze er niet van. Enfin, daarna is Kajna thuisgekomen. Ze is op haar eigen oordeel afgegaan. Dat zul jij ook moeten doen.'

'En Namir?'

'O, die heeft haar toch herkend. Dat zei hij toen hij hier was.'

'Waarom kwam hij eigenlijk hier? Hij is al meer dan een eeuw geleden uitgetreden.'

'Ik geloof, Elmis, dat hij een paar vuile plannetjes voor Angelo in petto heeft en dat hij erachter wilde komen wat wij eventueel gaan doen. Wij hebben geen plannen, behalve wat er bij jou als goede waarnemer mocht opkomen. De jongen kan van potentieel belang zijn, zoals Kajna meende, maar dat staat niet vast. Ik hoop van wel: je weet dat ik je er niet voor een wissewasje op uit zou sturen. Je moet naar dat Latimer toe om onder de naam Benedict Miles in dat kosthuis of daar in de buurt je intrek te nemen. In je eentje. Ik wil jouw onbevooroordeelde mening vernemen. Daarom zeg ik je verder niets over het kind en ik heb dan ook liever niet dat je met Kajna over je opdracht spreekt voordat je weggaat. Wat Namir betreft – je kent de wet van 27 140. Er moet niets tegen de uitgetredenen worden ondernomen zolang ze geen werkelijk kwaad doen.'

Drozma aaide de knoef, die overeind kwam om zijn logge poten te strekken. Zijn stem trilde. 'Ik kan me situaties indenken waarin je de definitie van zo'n vaag begrip als "kwaad" zou moeten herzien. Je weet ook dat een waarnemer niet moet riskeren de menselijke wet te overtreden, tenzij hij, tenzij hij . . . beslist het geheim van de Salvayaanse fysiologie wil bewaren.'

'Heer, wij hoeven geen van beiden onze toevlucht tot eufemismen te nemen. Ik zal Bevoorrading vragen mijn zelfmoordgranaat nog eens te keuren. En, lijkt me, een reserve-exemplaar mee te geven – of jij moet er bezwaar tegen maken.'

Drozma kauwde op zijn lip. 'Daar heb ik geen bezwaar

tegen. Ik heb Bevoorrading al opgedragen alles voor je klaar te leggen . . . Elmis, die verbittering die ik zoëven bij Namir constateerde . . . het was me bijna ontschoten dat er zich zulke gevoelens kunnen voordoen. Wees voorzichtig. Ik veronderstel dat hij voortdurend pijn lijdt. Zijn eigen gedachtenwereld keert zich tegen hem en vreet hem aan als een kanker. Salvayaanse pijn, bedenk dat wel. Hoe menselijk hij zich ook gedraagt, verlies nooit uit het oog dat hij ons grotere uithoudingsvermogen bezit maar ook onze lagere incasseringsdrempel. Ik geloof vast dat hij nog altijd mediteert, hoewel hij dat misschien zal ontkennen. En als hij zich in zijn woede iets in het hoofd zet, wijkt hij alleen maar voor overmacht.'

Drozma wurmde zorgelijk op zijn kussen heen en weer. 'Het is een langdurige taak, Elmis. Als je van mening zou zijn dat je die jongen gedurende zijn hele leven moet begeleiden, dan heb je bij voorbaat mijn toestemming. Laat je niet door onkosten afschrikken – zorg ervoor dat je al het menselijke geld uittrekt dat je nodig hebt. Ik zal de communicator in Toronto machtigen elk dringend verzoek van jou te honoreren. Maar zelfs als je tamelijk spoedig mocht terugkomen, zal ik er misschien niet meer zijn en daarom vind ik dat ik je dit moet geven.'

Onder zijn kussen vandaan haalde hij een pakje te voorschijn. Het was klein maar zwaar. 'Een spiegel, Elmis. Als je hem wilt uitpakken en bekijken, doe dat dan later en niet nu. Een waarnemer – zijn naam is in vergetelheid geraakt – heeft hem in 23 965 meegenomen van het eiland dat tegenwoordig Kreta heet. Van brons; we hebben ervoor gezorgd dat er zich op het beste spiegelvlak geen aanslag vormde. Ik geloof niet dat het de allereerste spiegel is die door mensenhanden is gemaakt, maar toch wel één van de eerste exemplaren. Je zou er behoefte aan kunnen krijgen dat die Angelo er zijn gezicht in bekijkt. Weet je, we achten het mogelijk dat hij zo iemand is die goed in een spiegel kan leren kijken.'

'O juist...! Ben ik dan wel goed genoeg voor zo'n op-dracht?'

'Probeer het. Doe je best. De vrede der wetten zij met je.'

Deel een

Het vraagstuk van de duisternis doet zich niet voor aan iemand die naar de sterren tuurt. Zonder twijfel is de duisternis aanwezig, fundamenteel, overheersend en ongenaakbaar, op de speldeprikken na waar de sterren fonkelen. De vraag is echter niet waarom er zo'n duisternis heerst maar wat het licht is dat zo opvallend doorbreekt en, gegeven het bestaan van dit licht, waarom we ogen hebben om het te zien en een hart dat daardoor wordt verblijd.

George Santayana, *Orbiter scripta*

Aanvaard, Drozma, de verzekering van mijn onverflauwde toewijding. Om veiligheidsredenen schrijf ik in het Salvayaans in plaats van in het Engels, dat jouw voorkeur heeft. Voor het begin van het rapport heb ik meer tijd kunnen uittrekken dan op het ogenblik. Het is gegoten in een verhalende vorm, die bij de mens zo in zwang is. Ik heb het daarmee onderhoudend willen maken, wetende hoe jij geniet van het werk van menselijke vertellers, en het ware te wensen dat ik over hun vaardigheid beschikte. Ik heb steken laten vallen, zoals je zult merken. De toekomst is in nevelen gehuld, en mijn oordeel ook. Mocht hetgeen ik heb gedaan en nog moet doen niet je goedkeuring wegdragen, wil dan het een en ander door de vingers zien van iemand die wat te veel bewondering voor menselijke schepsels koestert.

1

In het Latimer van 30 963 doen de cafés sympathiek aan.
Er heerst op straat een vriendelijker vertier dan zeventien
jaar geleden, toen ik voor het laatst in de Verenigde Staten
was. De mensen kuieren meer rond en razen niet zo veelvul-
dig in auto's voorbij. Het was een zaterdag in juni toen ik
in Latimer aankwam en er een stadje trof dat zich in zijn
weekeinde koesterde. Er heerste vredige rust. Een rust
doordrenkt van de tradities van Nieuw-Engeland, die mij
zo goed liggen. Als ik een menselijk wezen moest zijn, zou
ik graag in deze omgeving opgroeien.

Latimer ligt te ver van Boston af om sterk onder invloed
te staan van het naamloze waarop Artemus Ward zo vaak
zijn spotlust heeft botgevierd. Latimer heeft een eigen
sfeer: vijf flinke fabrieken, een bevolking van meer dan
tienduizend zielen, een redelijk welvarende wijk tegen de
heuvel op, een volksbuurt, twee of drie parken. Een paar
jaar geleden woonden er meer mensen. Naarmate de fabrieken tot automatisering overgaan, trekken ze verder van
de centra weg; de groei voltrekt zich in de voorsteden en
op het platteland. Dit decennium bevindt Latimer zich in
een weldadig statische periode. Helemaal weldadig eigenlijk niet, want er spreekt iets troosteloos uit de dichtgetimmerde huizen, een soort sluimerend leed waar maar weinig
mensen bij stilstaan. Zoals ook elders in Nieuw-Engeland,
vind je in Latimer de twintigste eeuw (van de menselijke
tijdrekening) zij-aan-zij met de achttiende en de negentiende. Een half huizenblok van de modernste bioscoop vandaan staat een standbeeld van gouverneur Bradford. Een
gerestaureerd koloniaal herenhuis kijkt over Main Street uit
op een volkomen eigentijds spoorweg-bus-helikoptersta-
tion.

Op het station kocht ik een science-fictiontijdschrift.

Daar komen er steeds meer van. Dit exemplaar bracht in hoofdzaak akelige verhalen, en ik las het dan ook om eens te kunnen lachen. Melkwegen zijn nog te klein voor de mensheid. En toch, soms... Was de verschrikkelijke uittocht van onze voorouders dertigduizend jaar geleden nog maar een voorproefje van wat ons te wachten staat? Naar ik heb vernomen, zal de mens zeer binnenkort zijn eerste satelliet in de ruimte hebben; over een jaar of vier, vijf. Dat noemen ze een 'middel ter voorkoming van oorlog'. Rust in de ruimte, Salvay – rust in vrede...!

Calumet Street 21 is een oud bakstenen huis van twee verdiepingen en een souterrain, gelegen op een hoek niet ver van de onvermijdelijke Main Street, die van de villawijk naar de volksbuurt loopt. Nummer 21 bevindt zich in de volksbuurt, maar zijn directe omgeving is zo kwaad nog niet, een wat saaie woonwijk voor fabrieksarbeiders, laagbetaald kantoorpersoneel en passanten. Vijf blokken ten zuiden van nummer 21 gaat Calumet Street over in een achterbuurt, waar de droesem van de bevolking een krottensamenleving vormt die niet minder erbarmelijk is dan de omvangrijke mensenmoerassen in New York, Londen, Moskou, Chicago of Calcutta.

Ik ontdekte een kaartje 'kamer te huur' voor het raam van het souterrain. Er werd opengedaan door degene in wiens leven ik zou moeten ingrijpen. Ik herkende hem meteen, die jongen met zijn goudbruine huid en met ogen zo intens donker dat iris en pupil samenvielen in één enkele flonkering. Misschien kende ik hem toen al zo goed als ik hem ooit zal leren kennen; in dat tere moment van taxeren voordat hij een woord had gezegd of me meer dan een terloopse vriendelijke blik had toegeworpen. Als we onderschrijven dat zelfs de eenvoudigste geest een voortdurend mysterie is, dan is het wel het toppunt van arrogantie te beweren dat ik Angelo ken!

Hij had een boek in de hand en hield zijn wijsvinger op de passage die hij aan het lezen was. Ik merkte dat hij kreupel was en een beugel om zijn linker enkel had. Hij bracht me naar de woonkamer in het souterrain om mij met zijn moeder te laten praten die met haar lichaam zo aan alle kanten overbloesde dat er van de schommelstoel waarop ze zat weinig meer te zien was. Ik constateerde bij Rosa Pontevecchio de verwarring zaaiende ogen, het brede voorhoofd en de zinnelijke mond die ook haar zoon bezat. 'Twee kamers vrij,' zei ze me. 'Bel-etage achter, met wastafel, en het bad een etage hoger. Achter op de bovenste etage ook een, maar kleiner en misschien minder rustig; ja, dat komt van het akelige lawaai van de helikopters. Ik verzeker u dat ze proberen hoe dicht ze over het dak kunnen scheren.'

'Die op de bel-etage lijkt me wel wat.' Ik wees op de draagbare schrijfmachine die ik in een opwelling in Toronto had gekocht. 'Ik ben een boek aan het schrijven, en ik heb het dan ook graag rustig.' Ze was niet nieuwsgierig of onderdanig geïmponeerd. De jongen legde het boek neer, met het omslag omhoog. Het was een paperback, een bundel werken van Plato; zo te zien opengeslagen bij de *Apologie* of de *Crito*.

'Ik heet Benedict Miles.' Ik hield mijn verzonnen biografie aan de eenvoudige kant, om me niet de ellende van het herinneren van vele bijzonderheden op de hals te halen. Ik was leraar geweest, zei ik, in een (niet nader genoemde) stad in Canada. Dankzij een erfenis had ik een jaar verlof kunnen opnemen voor het (niet nader omschreven) boek, en ik wilde een sober leven leiden. Ik deed mijn best een wat professorale houding aan te nemen die zou passen bij mijn schrale type van middelbare leeftijd. Een kale maar nette schoolvos.

Ik kreeg te horen dat ze weduwe was en in haar eentje het huis exploiteerde. Het inkomen hieruit was duidelijk te gering voor haar om er een betaalde hulp op na te houden. Ze was een jaar of veertig en had de helft van haar korte leventje al achter zich. De tweede helft zou belast worden met zwaar werk, aanzienlijk lichamelijk ongemak en eenzaamheid in allerlei vorm. Toch was ze in haar gebabbel opgewekt, belangstellend en vriendelijk. 'Ik beweeg me niet zo kwiek.' Haar levendige handen maakten een humoristisch gebaar van verontschuldiging voor haar enorme omvang. ''s Ochtends het huis aan kant maken, is alles wat ik kan opbrengen. Angelo, breng jij meneer Miles eens naar die kamer.'

Hij hobbelde voor me uit een smalle ingesloten trap op. Het huis was gebouwd toen de Amerikanen nog niet verzot waren op zonlicht. De kamer op de bel-etage achter was ruim en het zou er betrekkelijk stil zijn. Er keken twee ramen op een binnenplaats uit, waar in het laatste licht van die junidag een kleine Boston-terriër lag te dommelen. Toen ik een raam openzette, floot Angelo. De teef ging op haar achterpoten staan en sloeg haar voorpoten naar hem uit.

'Bella is een uitsloofster,' zei Angelo met onomwonden genegenheid voor het jonge dier. 'Ze is niet erg blafferig, meneer Miles.'

Je weet nooit hoe honden op de Martiaanse geur zullen reageren. In ieder geval hebben ze nooit iets tegen de radicale geurverdrijver. Namir had geen deodorant meer... 'Hou je van honden, Angelo?'

'Ze zijn oprecht.' Een algemeenheid, maar niet uit de mond van een twaalfjarige.

Ik beproefde de ene fauteuil die er stond; de vering was stevig. Door de vage indrukken van andere lichamen had hij iets uitnodigends en gaf me het gevoel dat ook ik menselijke eigenschappen had. Ik probeerde Angelo door de ogen van een ander menselijk wezen te zien. Twee dingen waren duidelijk: verlegen was hij niet, en hij borrelde niet over van energie.

Zijn vader was dood, zijn moeder niet sterk en gezond. Zijn beheerste houding kon toe te schrijven zijn aan de verantwoordelijkheid die al zo vroeg op hem rustte. Wat zijn zwijgzaamheid betrof, ik hield hem in het oog terwijl

hij zachtjes rondschuifelde en een gordijn in de hoek wegtrok om me de wasbak en het tweepits gaskomfoor te laten
zien, en ik moest mijn oordeel gedeeltelijk herzien. Er was
wel degelijk een overschot aan energie, en waarschijnlijk
intens ook, maar het werd geleidelijk verstookt en vloeide
niet af via willekeurige spierinspanningen of luidruchtig gepraat. 'Bevalt de kamer u, meneer Miles? Twaalf dollar per
week. Soms verhuren we haar aan twee personen.'

'Best.' Een gemeubileerde kamer als vele andere. Maar
in plaats van de gebruikelijke kalenders en platen met veel
tandengeblikker en blote borsten hing er maar één ding aan
de muur: een olieverfschilderij in een strakke lijst, een
dromerig zonnig landschap. Even verrassend als een gesle-
pen smaragd in een driestuiverswinkel. 'Ik betaal vast voor
een week, maar je kunt tegen je moeder zeggen dat ik langer hoop te blijven.'

Hij nam het geld in ontvangst en beloofde de sleutel en
de kwitantie te brengen. Ik waagde een slag in de lucht:
'Heb je veel van zulke schilderijen gemaakt, Angelo?' Er
joeg een blos over zijn wangen en zijn keel. 'Dat is toch van
jou?'

'Van mij, ja. Van een jaar geleden. Waarom ik het heb
gedaan, weet ik niet.'

'Hoezo?'

'Zonde van de tijd.'

'Dat ben ik niet met je eens.' Hij zag er verschrikt uit,
alsof hij zich schrap had gezet voor een heel ander antwoord. 'Ik geef toe dat de moderne jongens er niet ondersteboven van zouden zijn, maar wat dan nog?'

'O, die lui.' Hij herstelde zich en grinnikte. 'Maar het is
wel erg lief. Kinderwerk.'

Ik zei 'kletskoek' en keek hem aan.

Hij begon een beetje zenuwachtig te doen en had nu meer
van een jongen van twaalf weg. 'Trouwens, ik vind dat ding
daar niet zo best. Ik kan die berkeboom niet eens horen.'

'Ik wel. En het gras eronder ook. Er zitten veldmuizen

in het gras.'

'O ja?' Hij was er niet door gevleid en geloofde het ook niet helemaal. 'Ik zal de kwitantie halen.' Hij ging er haastig vandoor, alsof hij bang was dat hij anders nog meer zou zeggen of te horen zou krijgen.

Ik was aan het uitpakken toen hij terugkwam. Ik liet hem zien wat ik aan doodgewone spullen bij me had. De verf om mijn haar grijs te houden kon voor een pot inkt doorgaan. Op de geurverdrijver zat een etiket 'after-shaving lotion' en ik meen te weten dat hij er voor een menselijke neus ook naar ruikt. De spiegel was nog ingepakt. De platte granaatjes droeg ik natuurlijk op mijn lichaam.

Angelo bleef plakken, nieuwsgierig, bereid om nader kennis te maken, misschien gekrenkt omdat ik uit mezelf niets meer te berde bracht over zijn schilderij. Als was hij ook nog zo schrander, met zijn twaalf jaar zou hij nog niet over zijn ijdelheid zijn heengegroeid. Met een onschuldig gezicht vroeg hij:

'Kan uw manuscript er ook nog bij in dat schrijfmachinekoffertje?'

Daar had hij me te pakken. Toen ik had bedacht dat meneer Miles aan een boek zou zitten knutselen, was ik zo nonchalant geweest alleen maar voor een schrijfmachine en een paar nog niet geopende pakken papier te zorgen. 'Voorlopig wel, ja. Ik heb mijn boek grotendeels hierin zitten.' Ik tikte op mijn hoofd. Ik besefte dat ik een hele woordenbrij zou moeten bedenken, en met spoed. Het leek me niet toe dat hij of zijn moeder in mijn spullen zou snuffelen, maar zelfs de kleine risico's moet je uit de weg proberen te gaan. Een roman? Filosofie?

Ik liet me in de fauteuil zakken en stak een sigaret op. (Ik wil nogmaals sigaretten aanbevelen voor waarnemers die zich niet aan onze dertigurige slaapperiode kunnen houden. Roken vervangt de meditatie niet, maar ik vind dat het de behoefte eraan vermindert). 'Is je schooljaar afgelopen, Angelo?'

'Ja, vorige week al.'

'In welke klas zit je? Als het me niets aangaat, zeg je het maar rustig.'

Een opkomend glimlachje, dat meteen weer vervaagde. 'Tweede van de bovenbouw.'

De gemiddelde leeftijd in zo'n klas is een jaar of zestien. Hij hield zich vast en zeker uit zelfbehoud een beetje op de vlakte. 'Hou je van de *Crito*?

Ondanks het uitgestreken gezicht dat hij bewust zette, was hij duidelijk op zijn hoede. 'Hm . . . ja.'

Hij zou bepaald moeilijk te overtuigen zijn dat ik het niet neerbuigend bedoelde en me niet in stilte vrolijk maakte over zijn vroegwijsheid. Ik probeerde het op luchtige gesprekstoon: 'Die arme Crito! Hij had echt zijn best gedaan, maar ik geloof dat Socrates *wilde* sterven. Vind jij ook niet dat hij het meer tegen zichzelf dan tegen Crito had toen hij beredeneerde waarom hij in leven zou moeten blijven?'

Geen ontspanning bij hem; met moeite opgebrachte beleefdheid tegenover een oudere: 'Misschien wel.'

'Hij had met het argument kunnen aankomen dat hij Athene niets verschuldigd was; dat je een onrechtvaardige wet mag overtreden om een hogere wet te dienen. Maar dat deed hij niet. Hij was het moe.'

'Waarom zou iemand dood willen?' zei Angelo.

'O, levensmoeheid. Hij was over de zeventig.' Wat had ik anders moeten zeggen? Het was voorlopig voldoende, leek me; of misschien zelfs te veel. In ieder geval was het een poging om hem duidelijk te maken dat ik zijn intelligentie naar waarde schatte, en dat kon me later van pas komen. Het zou gemakkelijker zijn geweest een zeepbel in mijn lompe handen te moeten houden, want een zeepbel is niet meer dan een parel van schone schijn en wanneer ze barst, is het geen ernstig verlies. Meer in de geest van die vervelende meneer Miles zei ik: 'Zouden de andere huurders last van mijn typen hebben? Het is een lawaaiige oude machine.'

'Niks hoor.' Angelo was kennelijk opgelucht door de prozaïsche wending die het gesprek nam. 'Tussen de kamers in zitten het bad en de w.c. van meneer Feuermann. De kamer hierboven staat leeg, en de mensen op de bovenverdieping, de oude dames en Jack McGuire, die horen er niets van. Wij beneden ook niet. Je zit hier boven de keuken. Maakt u zich daar geen zorgen over.'

'Zelfs niet als ik van dik hout planken ga zagen?'

Hij stak een wijsvinger in zijn mond en liet hem er met een plofje uitkomen, als een kurk uit een fles. 'Zelfs niet als u met een spondeus over een jambe struikelt.'

'Oei! Dat hebben we op school nog niet geleerd.'

Hij grinnikte innemend en maakte zich uit de voeten. En dat, bedacht ik, is het kind dat Namir in het verderf wil storten. Op dat moment, Drozma, begon het raadsel van Namir zelf werkelijk een kwelling voor me te worden en dat is het nog steeds. Ik moet als vaststaand feit aanvaarden dat een wezen, menselijk of Martiaans, iets moois kan zien, onderkennen dat het iets moois is, en onmiddellijk het verlangen in zich voelen om het te gronde te richten. Ik weet dat het zo is, maar begrijpen kan ik het niet en ik zal het ook nooit begrijpen. Je zou zo denken dat je er alleen al door de kortstondigheid van het leven aan wordt herinnerd dat je met het vernietigen van schoonheid ook jezelf schade berokkent.

Ik rommelde wat rond, zoals een menselijk wezen doet bij het betrekken van een nieuw nest. Ik liet de Voorschriften voor Waarnemers aan mijn geest voorbijtrekken. Het risico dat me het meest zorgen baart, is dat bij het geringste wondje de oranje kleur van ons bloed zichtbaar zal worden. Ik heb gauw last van schrammen en van vingers die in de knel raken. Onze hartslag van één-per-minuut is niet alleen een risico maar ook een betreurenswaardig feit. Het ergert me dat ik met elk fysiek contact zo voorzichtig moet zijn, en het is jammer dat ik uit de buurt van artsen moet blijven: die zouden juist interessant kunnen zijn. Afgezien van het

32

probleem met de paarden, moet het waarnemerswerk leuker en minder riskant zijn geweest in vroeger dagen, toen er een veel grovere magie en bijgeloof bestonden en als zodanig geaccepteerd werden.

Terwijl ik me afvroeg wat je met sommige dingen voorhebt, Drozma, keerde ik het pakje met de bronzen spiegel in mijn handen om en om. Ik maakte het niet open. Had ik het maar wel gedaan, of had ik het maar in Noordstad onderzocht. Ongetwijfeld had je verondersteld dat ik dat zou doen, maar er moesten op het laatste moment allerlei zaken worden afgehandeld en ik heb al zoveel menselijke antiquiteiten bestudeerd dat ik er maar matige belangstelling voor had. Ik kwam pas achter de ware aard ervan toen ik ermee werd geconfronteerd.

Vroeg in de avond stopte ik het pakje onder wat kleren in de toilettafel en ging de deur uit om in het stadje rond te neuzen.

Zo leerde ik Sharon Brand kennen.

Ik was eigenlijk op boter, brood en wat ham uit, hoewel ik van plan was elk waarnemerswerk te verrichten dat zich als bijprodukt van mijn dienstopdracht zou voordoen. Een delicatessenwinkel op zaterdagavond kan een luisterpost zijn. De mensen blijven er hangen om te kankeren op het weer en het over de politiek te hebben. Ik kwam er al metcen een tegen toen ik naar het armzaliger gedeelte van Calumet Street afzakte. Het was een zaakje op de hoek, drie blokken van nummer 21 verwijderd. Er stond in neon EL CAT SEN op.

Er was niemand anders aanwezig dan een meisje van een jaar of tien, dat bijna schuilging achter de toonbank, waar ze een stripboek zat te lezen. Haar linkervoet rustte op een andere stoel en ze had het rechterbeen om het linker geslingerd alsof er geen botten in zaten; een gymnastisch experimentje of een houding die ze wel gemakkelijk vond. Ik bekeek de vitrines en wachtte op enig teken van leven, maar ze was met haar aandacht ver weg. Uit haar mond stak het houten stokje van een lolly met een parmantigheid die goed strookte met haar mopneus en het donkere haar dat ze tot op de schouders had hangen.

'Zit je helemaal alleen?'

Zonder op te kijken, knikte ze en zei: 'Ahum. Houwuosovawowwies?'

'Ja, nogal.' Het was niet het gebrabbel van een peuter. Ze vond het alleen niet zo nodig die onafscheidelijke zuigstang uit haar mond te halen en ze wilde weten of ik ook zo van lolly's hield.

Toen keek ze me aan – verbazend diepblauwe ogen, die me doordringend opnamen – en gebaarde naar een doos. Geleidelijk wurmde ze haar brede mond leeg en zei: 'Tjeempie, pak er dan toch eentje. Kosten maar een stuiver, hoor.' Ze deed haar benen nu andersom en slingerde het linker om het rechter. 'Dat kan u vast niet.'

'Wie zegt dat?' Achter de toonbank stond nog een derde stoel, waar ik op ging zitten om haar het tegendeel te bewijzen. Met onze elastischer botten had ik natuurlijk een streepje voor, maar ik zorgde wel binnen de mogelijkheden van het menselijk skelet te blijven. Toch zette ze een beteuterd gezicht.

'Dat is heel behoorlijk,' gaf ze toe. 'Mannetje van elastiek. U vergeet uw lolly.' Ze gooide me er eentje uit de doos toe, citroensmaak. Ik stopte hem meteen in mijn mond en sindsdien zijn we dikke vrienden.

'Tjeem, moet u eens kijken,' zei ze. 'Kan dat orgeneel ook? In het echt, bedoel ik.' Ze hield me het stripboek voor. Ik zag een ruimtevaarder met een schone juf in nood. De juf was aan een meteoor gekluisterd – vast en zeker door de boze machten – en de ruimtevaarder behoedde haar voor vernietiging door andere meteoren. Dat deed hij door er met een straalpistool op te schieten. Zo te zien een heel karwei.

'Daar riskeer ik mijn goede naam niet aan.'

'Ach, gekkerd. Ik heet Sharon Brand. En u?'

'Benedict Miles. Ik heb net een kamer gehuurd, hier in de straat. Bij de Pontevecchio's, die ken je misschien wel.'

'Tjeem.' Ze begon iets diep ernstigs uit te stralen. Ze wierp het boekje terzijde en haalde haar sprietige onderdanen uit de war. Toen ging ze op haar voeten zitten en stak haar ellebogen over de leuning naar achteren. Met eeuwenoude ogen keek ze me aandachtig aan. Angelo is toevallig mijn beste vriendje, maar niet verder vertellen, hoor.

Dat zou heel onverstandig zijn. Dan zou ik razend op u worden.'

'Dat zal ik nooit doen.'

'Ik zou u waarschijnlijk een been afhakken en ermee op uw kop timmeren. Als u gaat kopiëren.'

'Kopiëren?'

'Bent u niet op een goede school geweest? Dat betekent doorslaan. Sommige mensen vinden hem bekakt omdat hij altijd boeken leest. U vindt hem toch niet bekakt, hè?' Haar hele gezicht zei: Haal het niet in je hoofd om te kopiëren.

'Dat vind ik helemaal niet. Hij is alleen maar heel erg pienter.'

'Ik zou waarschijnlijk met een straalpistool op u schieten. Bzzzt! Hij is toevallig al jarenlang mijn vaste vriend, maar denk aan wat u beloofd hebt. Tjeem, ik heb de pest aan klikspanen... Zeg, raad eens...'

'Nou?'

'Gisteren heb ik voor het eerst pianoles gehad. Mevrouw Wilks heeft me de toonladder voorgedaan. Ze is blind. Ze deed me meteen de toonladder voor. Ze hebben gezord dat ik van de zomer op de piano van school kan oefenen.'

'Meteen al de toonladder, hè? Dat is geweldig.'

'Alles is geweldig,' zei Sharon Brand. 'Alleen zijn sommige dingen geweldiger dan andere.'

2

Later (ik hoopte dat mijn vriendinnetje Sharon al sliep,
maar ik stelde me zo voor dat beide kinderen in bed stiekem
een lampje aan hadden; Sharon met haar ruimteavontu-
riers, en Angelo die het ingewikkelde geheel van Plato's
dromen doorvorste) ging ik er nogmaals op uit om midden
op de avond een indruk van de stad op te doen. Ik stak door
het viaduct over naar de 'dure' kant van de spoorweg en
slenterde samen met andere figuren achter maskers langs
etalages, biljartzalen en danstenten. Ik speelde met mezelf
het kijkspelletje: Met die daar zou ik wel willen kennis maken, een sprankje intelligentie ... Ach, het gezicht van een
reiziger in rukwinden! ... Een gezicht vol verering, een
bange wezel ... Draagt de jaren met waardigheid ... Gaat
er met de jaren steeds verwilderder uitzien ... Een school-
juf(?), een zakkenroller, een rechercheur in burger, een
verkoper, misschien een kassier bij de bank ...' In dat spelletje doen hun stemmen ook mee, met flarden van gesprek;
'Dus hij richt zijn revolver op die andere vent, weet je wel,
maar die Ranger zit achter een struik verborgen ...' Ik zeg
tegen haar, als ik nou nog niet weet welke maat korset ik
heb, zeg ik ...' 'Ik zou hem nog niet geloven al had hij een
boksbeugel ...'

Ik volgde een weg omhoog. Vrijstaande huizen met gazons, uitgestreken heren die door hun hondjes werden uit-
gelaten. Boven had je een uitzicht op de lichtjes van de stad;
een fantastisch rustig beeld. Met mijn gezichtsvermogen,
dat vooral in het donker zoveel doordringender is dan dat
van de mens, ving ik ook op wat verderop lag; weilanden
en bossen, die zelfs bij daglicht hun geheimpjes hebben, met
een heerlijk wereldje van kleine dieren in het gras en het
struikgewas. De maan kwam op. Ik kuierde in die rustige
wijk rond, bewonderde een paar villa's en bedacht dat de

36

bewoners daarvan dezelfde aspirientjes slikten als hun plaatsgenoten in het centrum. Langs een andere weg keerde ik naar de winkelwijk terug en ik vroeg me af of ik inderdaad door iemand gevolgd werd.

Slinkse voetstappen die ik nooit echt te horen kreeg, een schaduw die ik nooit werkelijk onderscheidde tegen de achtergrond van een haag of een deur. Tja, ik had me ernstiger zorgen gemaakt dan ik besefte: over Namir. Daar zat het hem in, daarin en in mijn vermoeidheid.

De bioscopen waren al uit. Er bevonden zich minder mensen op straat, en andere mensen: minder opgewekte figuren, meer figuren die het ergens op hadden gemunt. Ik kocht een avondblad en stopte het na een vluchtige blik op de koppen in mijn zak. Zo te zien leven we nu in een periode van betrekkelijke rust, maar tegenwoordig zijn de mensen te uitgeslapen om te veronderstellen dat de vulkanen onder de oppervlakte voorgoed uitgeblust zijn. Ik weet nog dat ze zich daar lelijk in hebben verkeken in de jaren '880 en '890. Sindsdien hebben ze het een en ander bij geleerd. Het Verenigde Europa komt redelijk op gang, al piept en kraakt het nog een beetje, maar iedereen schrikt terug voor de logische volgende stap van een Atlantische federatie. Zoals meestal verdoezelen de jongelui van de beweging voor een wereldregering met hun welgemeende enthousiasme de punten waar het om gaat.

Er zijn tegenwoordig drie ijzeren gordijnen: dat van Rusland, van China, en een merkwaardig nieuw ijzeren gordijn dat sinds de dood van Stalin steeds onverbiddelijker dicht blijft – dat tussen Rusland en China onderling. Maar de zeven of acht grootste beschavingsgebieden van de wereld houden zich staande. Met uitzondering van de twee die door klassiek despotisme worden overschaduwd, zullen die beschavingen wellicht geleidelijk aan een duurzaam compromis weten te vinden. In de krantekoppen zoek je niet naar veelbelovende kleine aanwijzingen voor een ethische revolutie; de oceaanstromingen worden niet veroorzaakt door de stormen die over zee jagen.

Eisenhowers opvolger lijkt me een redelijke figuur. Ik krijg de indruk dat maar weinig mensen een echte hekel aan hem hebben, hoewel het bepaald geen sinecure is om in zijn schoenen te staan. Omstreeks '964 krijgt hij waarschijnlijk het getij tegen, met de gebruikelijke sprong een beetje te ver naar links. Maar daar maak ik me geen zorgen over.

Toen ik in de volksbuurt terug was, liep ik een park in dat aan een zijweg bij Calumet Street lag. Het was niet meer dan een overgeschoten ruimte tussen twee elkaar schuin snijdende straten. Klinkerpaden die te hobbelig waren om erop te rolschaatsen; daartussen gazons met stug gras. Twee oude mannen zaten er onder een lantaarn te dammen. Op een bank in de maanschaduw van een esdoorn rustte ik uit en vroeg me af of dit soms het park was waar de waarneemster Kajna een bepaald gesprek had afgeluisterd.

Een honderdtal meters verderop stonden twee groepjes banken, waar niemand op zat behalve een uitgemergelde figuur die het hoofd in de handen steunde. Dronken, beroerd of aan lager wal geraakt, dacht ik. Twee soldaten met hun meisjes kwamen bij hem in de buurt zitten. Hij stond op en maakte zich slingerend uit de voeten, een pad op dat hem langs mij zou voeren. Hij kwam echter niet opdagen en ik keek nogmaals. Struikelend ging hij de andere kant op en stak een grasveld over, alsof hij de lamp bij de damspelers wilde vermijden.

Mijn bank stond in de dichte schaduw. Met menselijke dronkemansogen had hij mij nauwlijks kunnen onderscheiden. Ik ving geen Martiaanse geur op, maar het zachte windje waaide de verkeerde kant uit. Ik had pas opnieuw deodorant opgedaan, maar sinds Namir me in Noordstad had ontmoet, had ik geen veranderingen in mijn gezicht aangebracht.

Ik zette het gevoel van onbehagen van me af en stortte me nu weer in het lauwe nachtleven van Main Street. Ik ging een café binnen (niet mijn eerste die avond) en hoorde de woordenvloed aan. Variaties op dwaze, wijze en onzedelijke thema's. Dat werkte kalmerend.

Het pleitte voor mijn manier van doen en mijn voorkomen dat niemand speciale aandacht besteedde aan de magere vent die rye aan het drinken was, totdat ik er zelf om vroeg door met een loodgieter in discussie te treden over de wereldbrandstofsituatie. Het is de gewoonte geworden je daarover zorgen te maken. We lieten drie keer een rondje aanrukken. Ik had het over zonneënergie, wind- en waterkracht en alcohol, maar uiteindelijk gunde ik hem zijn atoomenergie, waarom ook eigenlijk niet.

'Je moet het zo bekijken,' zei hij, 'dat je iets groots in de gaten moet blijven houden. Als ik bedenk wat mijn koters nog allemaal zullen meemaken! Geloof jij dat er leven op Mars is?'

'Geen atmosfeer,' merkte een dikzak op, die door de loodgieter Joe werd genoemd.

'Je moet het zo bekijken,' zei de loodgieter. Hij bonkte op een natte plek op de bar en verontschuldigde zich voor de spetters die ik op me kreeg. 'Met sterrenkijkers hebben ze er groene plekken op gevonden, waar of niet? Wat zeg je daar dan van?'

'Mossen,' zei Joe. 'Ik bedoelde geen atmosfeer *genoeg* snap je?'

'Hou jij die mossen van jou maar,' zei de loodgieter. 'Enne ... nou, je moet het zo bekijken: waarom zouden ze niet onder de grond kunnen leven ... de atmosfeer afgrendelen ... nou?'

'Niks voor mij,' zei Joe. 'Ik krijg altijd last van kloosterfobie.'

'Maar die mossen plant je maar achter je huis ...'

Voor middernacht was ik in mijn kosthuis terug, in mijn schik met de maan die op de rustige huizen scheen, in mijn schik met iemand die achter zijn toegetrokken gordijnen zachtjes op een mandoline zat te pingelen, in mijn schik met het gemak waarmee wij Salvayanen alcohol weten te ver-

39

stouwen. Mijn loodgieter was naar huis gegaan onder escorte van Joe en nog iemand anders. De drie bewogen zich voort als een mijnenveger met een eenogige loods aan boord.

Er was een waaklampje in de hal aan en uit de open deur van de kamer aan de voorkant op de bel-etage viel nog meer licht. Dat zou van meneer Feuermann moeten zijn, wist ik me nog te herinneren. Toen kreeg ik hem ook te zien: een oude heer met een witte kop, die in een leunstoel zat en zijn voeten op een krukje liet rusten. Hij lurkte genoeglijk aan zijn meerschuimen pijp in de vorm van een paardekop. Ik struikelde met opzet. Hij kuchte en kwam de kamer uit gestommeld. 'Pijn gedaan?'

'Nee, dank u, alleen mijn enkel een beetje verzwikt.'

We namen elkaar op, met de taxerende blikken van mensen die elkaar niet kennen. 'Dat is pech,' zei hij en bekeek wat wrokkig de loper, kennelijk beducht dat mevrouw Pontevecchio er last mee zou krijgen. 'Ik kan er niets aan ontdekken.'

'Het kwam niet van die loper. Om u de waarheid te zeggen, heb ik er eentje te veel op.'

'O.' Een stevige oude man, lang en niet dik. 'Soms,' zei hij, 'is het wel eens goed je binnenwerk flink door te smeren in plaats van alleen maar een beetje vochtig . . .'

Dus ging ik met hem mee naar binnen. Hij haalde een fles bourbon te voorschijn en we bleven nog een uurtje zitten praten. Hij beweerde dat hij de deur had opengelaten om de rooklucht te verdrijven, maar daarna gaf hij toe dat hij altijd de hoop koesterde dat er iemand bij hem zou aanlopen. Tot twaalf jaar geleden was hij machinist bij de spoorwegen geweest, toen hij met pensioen had gemoeten omdat de diesellocomotieven het stoomtijdperk uitfloten en hij te oud was geworden om nog een herscholing te ondergaan. Hij was al zes jaar weduwnaar; zijn enige kind, een dochter, was getrouwd en woonde in Colorado. Vroeger had hij door zijn werk de hele Verenigde Staten gezien. Hij

40

vertelde lyrische verhalen over dat rondzwerven over de rails, maar hij hoorde in Latimer thuis en wilde er niet meer vandaan.

Ik deed geen poging om het gesprek op de zoon van de hospita te brengen; daar begon de oude man uit zichzelf over. Jacob Feuermann zat al sinds de dood van zijn vrouw in dit huis. Zonder dat hij het met zoveel woorden zei, maakte ik uit zijn uitlatingen op dat de Pontevecchio's een pleeggezin voor hem waren gaan vormen. Hij deelde in hun zorgen en misschien besefte hij dat er iets van Angelo's uitzonderlijkheid op hem afstraalde.

Hij herinnerde zich Angelo nog als een jochie van zes dat met grote ogen de wereld in keek, niet spraakzaam maar uitermate oplettend, onderhevig aan felle driftbuien – naar Feuermann meende, veroorzaakt door frustraties waarover normale kinderen zich niet erg zouden hebben opgewonden. Achteraf ging Feuermann een beetje prat op die driftbuien. Angelo was nooit een stoute jongen geweest, zei hij. Angelo aanvaardde het wanneer hij straf kreeg en haalde zelden voor de tweede keer iets verbodens uit. Maar wanneer er een stuk speelgoed was waar hij niet bij kon, wanneer een blokkenhuis instortte of een stukje aan een legpuzzel ontbrak, kon hij van nijd paars aanlopen. 'Zelfs tegenwoordig, nu hij er overheen is, zou je hem nog niet een gelukkig kind kunnen noemen, en ik geloof niet,' zei Feuermann, 'dat zijn kreupele been er veel mee te maken heeft . . .'

Toen Feuermann hier introk, was Rosa ten prooi geweest aan de diepste wanhoop over die driftbuien. Steeds liet ze haar gedachten naar het woord 'krankzinnigheid' afdwalen en dan wendde ze zich er schielijk van af. (Die vage term, Drozma, jaagt nog steeds ieder menselijk wezen dat niet nauwkeurig heeft leren definiëren de doodsschrik op het lijf). Ze had vaak haar hart bij Feuermann uitgestort. Ook wist hij zich haar man nog voor de geest te halen.

Zo te horen, is Silvio Pontevecchio een alcoholische

zwakkeling geweest die zich altijd in de nesten werkte. Intelligent was hij wel, vond Feuermann, maar hij zag geen kans er gebruik van te maken. Silvio had twaalf ambachten en dertien ongelukken gehad en al die mislukkingen had hij met dezelfde zachtmoedige verbazing en een paar schielijk tot zich genomen borrels aanvaard. Feuermann was tot de conclusie gekomen dat Rosa al voor de geboorte van Angelo met de kamerverhuur de kost voor hen had verdiend. Silvio stookte wel de kachel maar hij kreeg last van zijn rug wanneer hij as en sintels moest wegscheppen. Enzovoort.

Uiteindelijk gleed Silvio (misschien wel even deemoedig als bij zijn andere ongelukken) op de beijzelde straat uit voor de wielen van een slippende vrachtauto, nadat hij het geld had verbrast dat voor een levensverzekeringspremie bedoeld was geweest. 'Arme donder,' zei Feuermann met oprecht medelijden. 'Zelfs van zijn eigen dood bracht hij niet veel terecht.'

Toen dat gebeurde was Angelo zeven jaar. Hij had van zijn vader gehouden, die prachtige verhalen kon vertellen en in de kleine dingen van het leven een vriendelijk man was. Een jaar na de dood van Silvio had Rosa haar vriend Feuermann verteld hoe Angelo tegen haar had gezegd: 'Ik zal nooit, werkelijk nooit meer driftig worden.' En hij had woord gehouden. Ze maakte zich geen zorgen meer over zijn geestvermogens maar richtte haar bezorgdheid nu op zijn kleine postuur en zijn hekel aan schoolgaan. ('Speeldwang', maar dat was een uitdrukking die Angelo zelf, en veel later, tegenover mij gebruikte).

'Op de middelbare school heeft hij drie keer een klas overgeslagen,' vertelde Feuermann. 'Ze voelden er niets voor. Dat joch heeft er achterheen gezeten, Miles, die lui zo in het nauw geredeneerd dat ze hem de overgangsexamens wel moesten laten doen, en daar draaide hij zijn hand niet voor om. Daardoor kwamen zij in hun hemd te staan en gingen ze zich druk maken over zijn "gedrag" en zijn "instelling" en – hoe noemen ze dat ook weer? – sociale aanpassing of zoiets flauwekulligs. Poeh! Die knaap is snugger, dat is de hele kwestie, maar hij was niet snugger genoeg om te verbergen hoe snugger hij was.'

'Geniaal?'

'Vertel me eerst maar eens wat dat wil zeggen; *ik* weet het niet.'

'Laten we zeggen: meer dan normale capaciteiten op allerlei gebied.'

'Die heeft hij zeker.'

'Ik vraag me wel eens af waar de scholen het tegenwoordig op aansturen.'

Hij had het door dat ik werkelijk zijn mening wilde horen en begon omstandig zijn meerschuimen pijp te stoppen. 'Mijn Clara . . . 't is bijna twintig jaar geleden dat zij op de middelbare school zat. Ik weet nog dat ik me suf prakkizeerde over het onderwijs dat ze *haar* gaven. Zo te zien, wilden ze niets anders dan haar bijbrengen hoe ze net zo als Jan en alleman kon worden. Toen ze van school af kwam – bij de tijd, hoor; Clara was heus geen sufferd – kon ze zo'n beetje een rij getallen optellen en als het moest ook een beetje lezen. Ze had een hekel aan boeken, en dat is nog steeds zo. Zelf ben ik altijd een verwoed lezer geweest; anders zou ik tegenwoordig niet weten wat ik moest beginnen. Maar ik mag doodvallen als ik weet wat zij geleerd heeft. Zelfexpressie, voordat ze iets had om tot expressie te brengen. Maatschappelijk bewustzijn, wat dat ook mag betekenen. En dan te bedenken dat ze zelfs nu nog niet voldoende de taal beheerst om je duidelijk te maken wat volgens haar de maatschappij is. Een beetje van dit en een beetje van dat, en geen logica om er een samenhangend geheel van te maken. Alles wordt gemakkelijk gemaakt, en hoe maak je het onderwijs gemakkelijk? Je kunt net zo goed van iemand een atleet proberen te maken door hem de godganse dag in een hangmat te laten liggen en hem vol te stoppen met roomsoezen en bier. Nou, Miles, ik heb er zeventig

43

jaar aan besteed om mezelf te onderrichten, en dat is nog maar een halfbakken karwei geworden. Ik denk dat het met de school van Angelo ongeveer net zo is. Alleen heeft hij goddank langzamerhand geleerd het als een scherts te beschouwen en die scherts verdomd goed vóór zich te houden.'

'Misschien zijn de scholen het onderwijs als een soort bijprodukt gaan beschouwen, als iets dat wel leuk is om te hebben als het met niet te veel moeite gepaard gaat.'

'O,' zei de vriendelijke oude man. 'Dat zou ik niet willen beweren, Miles. Ik geloof dat ze hun best doen.' Hij voegde er, naar het me leek zonder humoristische bedoeling, aan toe: 'Als ze eens begonnen de leerkrachten goed onderwijs te geven, zou het misschien al een heel stuk helpen. En er zijn er nog een paar die hoge maatstaven aanleggen. Dat heb ik pas ondekt toen het te laat was om er voor Clara nog van te profiteren . . . In ieder geval is Angelo een goede jongen, Miles, aardig . . .' Nu had hij zelf moeite met het vinden van de juiste woorden. '. . . Gezond van opvattingen, met zijn hart op de juiste plaats. Ik wil maar zeggen dat hij geen miserabel gedrocht is. Als hij niet zo'n kleine opdonder was en met zo'n lam pootje moest rondlopen . . .'

'Polio?'

'Ja, toen hij vier was. 't Is gebeurd voordat ik hier introk. 't Trekt wel wat bij wanneer hij opgroeit. De dokter heeft Rosa gezegd dat hij misschien die beugel wel kan afschaffen zodra hij volwassen is. Daardoor wordt hij van heel wat dingen verstoken, maar daar lijkt hij zich nooit veel van aan te trekken.'

'Het kan wel eens tot de ontwikkeling van zijn verstand hebben bijgedragen.' 'Mogelijk.' Daar lieten we het bij, want mijn gespreksgenoot moest zijn gegaap onderdrukken. Ik zocht mijn eigen kamer op en ging uitgeteld naar bed, als een vermoeid menselijk wezen.

Ik werd nevelig wakker van een hevig gesnurk; mijn polshorloge wees half vijf aan. Het was niets voor mij of voor

44

welke Salvayaan ook om met een dof hoofd wakker te worden. Het gesnurk kwam van mijn verdieping en moest dus van Feuermann zijn, maar het klonk overdadig luid. Ik rook een gemene zoetige stank en mijn voorhoofd was éen bonk zeurderige pijn. Er viel iets van mijn kussen op de grond en ik werd met een schok klaar wakker van iets anders dat ik rook: de Martiaanse geur, persoonlijk als hij altijd is – en deze was zeer zeker niet van mij afkomstig.

Ik knipte het licht aan. Het ding dat van mijn kussen was gevallen, was een prop watten, die nog steeds naar chloroform stonk.

Mijn eerste indruk was dat ik niets kwijt was. Toen graaide ik naar mijn flacon geurverdrijver. Voor tweederde leeg.

Mijn deur stond aan. Op de gang merkte ik dat het gesnurk zo luid klonk omdat ook de deur van Feuermann open was. Bij het licht van een straatlantaarn zag ik zijn bed staan. Hier was niets van chloroform te merken. Ik stelde vast dat de oude man ongedeerd was en dat hij een natuurlijke slaap sliep, al maakte hij daarbij veel lawaai. Toen ik in mijn kamer terugkwam, zag ik dat er gerommeld was in mijn kleren, die over een stoel hingen. De bronzen spiegel lag veilig en wel in de toilettafel. Ook mijn portefeuille had ik nog. Het geld was niet aangebroken maar er was een briefje tussen de bankbiljetten gestoken. Een briefje in ons Salvayaanse miniatuurschrift, dat er voor mensenogen als een willekeurige verzameling stippeltjes uitziet. Het was niet ondertekend en deed nogal vluchtig aan:

Ik wil er de aandacht op vestigen dat ik het in het redelijke houd. Je deoflesje is niet helemaal leeg.

Er was me niets onnozelers dan een inbraak naar menselijk patroon overkomen. Maar Namir had zich alleen maar aan het oudste voorschrift voor waarnemers gehouden: *handel als een mens*. Ik hield op met lachen toen me een niet-menselijk element te binnen schoot: Ik kon Namir niet aan de politie overleveren zonder ons volk te verraden. Van die omstandigheid zou hij profiteren en hij zou haar nooit uit het oog verliezen. Het was zoiets als met twee torens minder een partij spelen tegen een schaker van gelijke sterkte.

Het ene raam stond verder open dan ik het had achtergelaten. Daardoor was Namir van de binnenplaats af binnengekomen. Vlakbij mijn raamkozijn stond een ladder tegen de muur – een gemakkelijke klim. Gisteren had ik die tegen de schutting zien liggen, vermoedelijk kort geleden gebruikt voor het schilderen van de vensters. En hoe stond het met die hond? Het was kort voor zonsopgang. In de houten schutting van de binnenplaats zat een deur die uitkwam op de zijstraat, Martin Street. Ik keek bedenkelijk naar een hoopje vodden dat daarbij lag, want ik kon me niet herinneren dat ik het al eerder zou hebben gezien.

Met een badjas over mijn pyjama ging ik snuivend opnieuw de gang op. Ik hoorde boven vaag het gesnurk van nog iemand anders. Niets te ruiken. Namir was er natuurlijk al vandoor. Hij zou geen deodorant verspillen maar op de gelegenheid wachten om zich uit te kleden en zich op de plekken waar de geurverspreidende klieren zitten ermee te deppen. Ik probeerde op de bovenverdieping iets wijzer te worden. De badkamer was leeg en de onverhuurde kamer boven de mijne ook. Van de twee wel verhuurde kamers stond de deur op een kier. Uit de middelste kwam het rustige gesnurk en een vleugje gedroogde lavendel. Geen chloroform. Angelo had het over oude dames gehad. Met hen was er dan waarschijnlijk niets aan de hand. Ik ging in de voorkamer kijken.

Daar rook ik wel chloroform. Ik knipte het licht aan, griste de dot watten van het kussen van de jonge man weg en schudde hem wakker. Hij kwam moeizaam overeind en greep naar zijn hoofd. 'Wie ben jij in jezusnaam?' Jack McGuire had het postuur om dergelijke vragen te stellen: een prachtige reus van een kerel, zo te zien één en al schouders. Hij had rood haar, blauwe ogen en was heetgebakerd.

'Ben hier gisteren op kamers gekomen. Op de bel-etage. Er is een inbreker aan de gang geweest, maar niemand...' Nog voordat ik mijn woorden had afgemaakt, schoot Mac zijn broek aan en baste iets over de oude dames. Meteen daarop stond hij op de gang te roepen: 'Hé, mevrouw Mapp! Mevrouw Keith!'

Aardige kerel. Nam geen blad voor de mond. Binnen een paar minuten zou hij het hele huis in rep en roer hebben. Intussen liet ik een fotografische blik door de kamer gaan. Nette armoede, met zelfrespect. Een werkhemd met olievlekken: een monteur? Op de toilettafel een fotostudie van een knappe meid met een hartvormig gezicht; daarnaast een portret van een potige dame, ongetwijfeld zijn moeder. Scheerapparaat, tandenborstel, kam en handdoek, keurig klaargelegd alsof er een tweede-luitenant op inspectie zou komen. Ik legde de tandenborstel diagonaal omdat ik vond dat het geheel er dan fraaier bijlag, en ging op de kreten af die ik hoorde.

Het waren lieve oude dames in een overvol nest. Een dubbel raam keek op Martin Street uit. Daar zouden ze onder normale omstandigheden hun stellingen betrekken, maar nu stond de magere rechtop in bed te schreeuwen terwijl de dikke haar vroeg of alles in orde was. Mac zei van wel. Nu hij de vulkanische uitbarsting had ontketend, was hij de lava aan het terugduwen, met blote handen. Ik mocht die Mac wel.

Agnes Mapp was gezet, Doris Keith schraal. Later ben ik te weten gekomen dat ze uit New London afkomstig waren en niet veel op hadden met Massachusetts, waar ze al zesentwintig jaar van hun weduwenpensioen leefden. De inbraak was de eerste keer dat deze staat tegenover hen van zich afgebeten had. Mevrouw Keith liet zich terugzakken naar een horizontale stand en nu nam mevrouw Mapp het geschreeuw over. Ze zwaaide naar de toilettafel. 'Helemaal ondersteboven gehaald!' Ik vroeg me af hoe ze dat zo gauw had kunnen ontdekken in die overdadige massa meubilair,

47

korsetten, naaimandjes, porseleinen beeldjes en – waarachtig! – antimakassars. 'Wij laten nooit de rode vaaz sjtaan naast de roze haarborsjtels, *nooit!* O, Dorrie!' bracht ze er huilend uit. 'Kijk eens! Hij heeft ons *album* gesjtolen!'

Ik mompelde dat ik de politie erbij zou halen. Mevrouw Keith was weer bij haar positieven aan het komen en eiste met een strenge baritonstem van Mac tekst en uitleg. Hij en ik keken elkaar aan met een wederzijds begrip dat de kloof tussen Salvayanen en mensen volkomen overbrugde. Ik ging naar beneden.

Ik kwam Angelo tegen, die in gele pyjama uit het souterrain kwam aanhobbelen. Feuermann, die van het geschreeuw was wakker geworden, slofte achter me aan. Ik vroeg hem de politie te bellen en hij schoof zonder vijven en zessen op de telefoon in de gang af. Angelo mompelde: 'Bespaar mama dat ze de trap op moet.'

'Tuurlijk. Dat hoeft ze niet. Kom maar met mij mee naar beneden. Alleen maar een inbreker. Misschien een paar dollar meegepikt. Ladder onder mijn raam. Chloroform.'

'Oei!' riep Angelo uit. Natuurlijk haalde hij een beetje zijn hart op aan de opwindende situatie. 'Maar Bella . . .' Hij vergat Bella weer toen we de woonkamer in het souterrain binnengingen en snelde op zijn moeder af. Met een grauw gezicht zat ze in haar schommelstoel en hield haar blauwe peignoir om zich heen geklemd. Ik betwijfelde of ze kon opstaan en deed mijn best mijn relaas een beetje oubollig te laten klinken.

'Nog nooit niet is me zoiets overkomen, meneer Miles, nog nooit.'

'Mama,' drong Angelo aan, 'niet gaan tobben! 't Is heus niets ergs.'

Ze trok zijn hoofd tegen zich aan. Hij maakte zich voorzichtig los en begon haar handen te wrijven, die doelloze gebaren maakten. Ze kreeg weer wat kleur in haar gezicht en toen Feuermann bij ons binnenkwam was haar ademhaling vrijwel normaal geworden. Geruststellend en met een gevoel van belangrijkheid over zich zei hij dat de politie dadelijk zou komen en dat wij het best intussen konden gaan vaststellen wat er verdwenen was. Zijn gezond verstand kwam uitstekend van pas en de aartsvaderlijke wijze waarop hij alle aandacht aan Rosa besteedde, haalde meer uit dan mijn pogingen. Angelo prevelde iets over Bella en glipte de kamer uit. Ik vertelde dat het album van de oude dames weg was.

'Dat is gek,' zei Feuermann. 'Als zij zeggen dat het weg is, dan is het weg; er raakt geen speld zoek in die kamer. Rosa mag er niet eens stof afnemen. Weet je nog, Miles, dat ik een kiekje heb laten zien van de vroegere 509 toen die splinternieuw van de fabriek kwam, en eentje van mij en Susan met Clara toen ze twaalf jaar was? Waar heb ik die naderhand neergelegd?' 'Boven op de boekenkast.'

'Precies. Dat doe ik altijd. Ik geloof dat ze verdwenen waren toen ik het licht aandeed. Nu vraag ik je: Wat zou een inbreker met foto's moeten? Nou?'

Dat vroeg ik me ook af . . .

De anderen hoorden het kreetje van buiten niet. Mijn uitermate scherpe Martiaanse gehoor is soms een plaag: Ik krijg te veel te horen waar ik liever van verschoond blijf. Maar het kan ook goed van pas komen. Ik kan me niet herinneren of ik er naar toe gehold ben. Ik was er opeens, bij Angelo op het binnenplaatsje, in het licht uit het keukenraam. Hij zat neergeknield bij het hoopje vodden. Het bedekte gedeeltelijk Bella, die daar met gebroken nek lag. 'Waarom?' zei Angelo. 'Waarom nou?'

Ik hielp hem overeind, een frêle joch in kreukelige pyjama. 'Kom mee naar binnen. Je moeder kon je wel weer nodig hebben.'

Hij huilde of tierde niet. Ik had liever gehad dat hij het wel deed. Hij wierp een blik opzij naar de ladder en naar de strook grond tussen ladder en schutting. De aarde en de stenen waren droog en er was geen enkel spoor op te bekennen. Angelo zei: 'Ik vermoord degene die dat heeft gedaan.'

'Nee.'

Hij luisterde niet naar mij. 'Billy Kell kon er wel eens meer van weten . Als het de Diggers zijn geweest...'

'Angelo...'

'Ik zál hem vinden. En dan zal ik hém de nek breken.'

3

'Angelo,' zei ik, 'hou op.' Ik zocht in mijn sterke herinnering aan de *Crito* naar een passend citaat. 'Maar is het dan nog lonend voor ons te leven, wanneer datgene bedorven is dat door het onrechtvaardige wordt geschonden en door het rechtvaardige wordt gebaat?'

Hij herkende het en de betekenis ervan drong tot hem door. Hij sloeg zijn starende blik naar mij op, nog wat wazig en door verdriet overmand, maar in ieder geval kreeg hij weer iets jongs over zich. Hij probeerde het op een schelden te zetten, dat overging in huilen, en dat was beter. 'Die verdomde... o, die verdomde...'

'Stil maar, jongen,' zei ik. 'Je hebt gelijk.' Ik ondersteunde zijn voorhoofd terwijl hij kokhalsde maar niet tot braken kwam. Ik leidde hem naar de keuken terug en liet hem koud water in zijn gezicht plenzen en met zijn vingers zijn haar wat fatsoeneren.

Er klonk een nieuwe bromstem uit de woonkamer, van een potige agent die het relaas van Feuermann aanhoorde en met vriendelijkheid Rosa op haar gemak probeerde te stellen. Zijn maat uit de patrouillewagen was boven in gesprek met Mac . Ik nam hem mee naar buiten om de ladder te bekijken en liet hem Bella zien. 'Wel, die godvergeten...'

Het verschil was dat er bij Angelo innerlijk vuur achter

had gezeten. Agent Dunn had alleen maar een hekel aan gewelddaden en ordeverstoring. Hij had het er niet over dat hij iemands nek zou breken. De *Crito* lezen deed hij ook niet. Uit zijn opmerkingen maakte ik op dat het geval het stempel droeg van iemand die Teashop Willie werd genoemd – binnendringen via de achterkant, zorgvuldig nietdodelijk gebruik van chloroform. Teashop had natuurlijk een alibi, zei Dunn, en het zou een genoegen zijn hem ermee om de oren te meppen totdat er geen spaan van heel bleef.

'Legt hij zich toe op kamerverhuurbedrijven?'

'Dat niet,' zei Dunn. Mijn vraag viel niet in goede aarde. 'En het is hier waarachtig geen buurt waar het geld zit. Maar het heeft er alle schijn van. Mist u iets?'

''k Heb eigenlijk nog niet goed gekeken,' loog ik. 'Mijn portefeuille lag onder het kussen.'

Dunn ging weer naar binnen en bromde: 'Ik ken de bazin hier al tien jaar. De mensen hier zijn heel erg op mevrouw Pontevecchio gesteld, meneer.' Het klonk een beetje als een dreigement, maar alleen omdat ik was wat ze in Nieuw-Engeland een vreemdeling noemen.

Ze bleven ongeveer een uur bezig en vroegen een vingerafdrukkenteam aan. Daar had Teashop Willie als favoriete recidivist recht op; ik denk dat Dunn stomverbaasd zou zijn geweest als ze iets hadden ontdekt. Ik had hun kunnen vertellen dat de inbreker handschoenen had aangehad. We transplanteerden nog geen vingertoppen toen Namir in 30 829 uittrad. De gestolen fotoalbums zaten Dunn hevig dwars. Ik vermoed dat hij aannam dat Willie onder de spanningen van zijn veeleisende beroep niet goed bij zijn hoofd was geworden.

Feuermann en Mac waren beiden wat geld kwijt. De oude dames bewaarden hun contanten op wat mevrouw Keith een veilige plaats noemde. Ze moedigde verdere vragen over deze kwestie niet aan en gaf daarmee indirect te kennen dat alle politiemannen gauwdieven, woestelingen en

51

vijanden van het arme volk zouden zijn. 'Hoera!' dacht ik.

Dunn en zijn maat verlieten ons om half zeven met de beste wensen. Het enige dat ik van Dunns maat herinner, is dat hij een bescheiden man met een bescheiden wratje was, die me persoonlijk verzekerde dat ze geen middel onbeproefd zouden laten. We hebben nooit meer iets van hen gehoord, dus ik stel me zo voor dat hij ergens in deze onzekere wereld nog steeds middelen aan het beproeven is. Alle respect voor mevrouw Keith, maar ik vind politiemannen een heel geschikt slag mensen en ik zou alleen maar wensen dat menselijke wezens hun het leven niet zo moeilijk maakten.

De avond tevoren had Sharon Brand zich na een halfuurtje avontuurlijk ruimtevaartamusement verwaardigd mij artikelen als koffie en brood te verkopen. Haar moeder zat met hoofdpijn in de achterkamer, zei Sharon, en paps was naar een bijeenkomst van de loge. Sharon vond het leuk op de winkel te passen. De twee of drie andere klanten die onze interstellaire bezigheden hadden gestoord, waren goed door haar geholpen. De boodschappen die ik voor mijn ontbijt openmaakte, herinnerden me aan haar, als ik een dergelijk geheugensteuntje had nodig gehad.

Ik vond het een verantwoord iets om mijn gedachten naar te laten uitgaan. Als ze het (zich als zodanig opgedrongen?) vriendinnetje van Angelo was, hoorde ik ten behoeve van mijn opdracht aandacht aan haar te besteden. Toen zette ik een punt achter die zelfmisleiding. Ik gaf toe dat ik door haar naar mijn eigen dochter in Noordstad was gaan verlangen. Ik neem aan dat Elmaja en mijn zoon over vier- of vijfhonderd jaar nog in leven zijn, wanneer geen sterveling meer weet wie die kleine Sharon Brand was. De eenjarige plant en de eik – eerlijk is het natuurlijk niet.

Toch zit er levenskracht in het zaadje, en zelfs in de karig toegemeten zeventig jaren kan de individuele persoonlijkheid prachtig tot bloei komen.

Er was nog meer dat ik moest toegeven. Op een of andere

wijze had Sharon persoonlijk indruk op me gemaakt, bijna net zo als Angelo. Ze is niet zo voorlijk als hij, ze mist misschien zijn vurige intellectuele weetgierigheid. Maar je hebt mij in mijn eentje hierop losgelaten, Drozma. Waarneemster Kajna was niet van het bestaan van Sharon op de hoogte. Als dat wel zo was geweest . . .?

Uit mijn raam zag ik Angelo en zijn moeder op hun zondags gekleed over Martin Street naar de mis gaan. Rosa bewoog zich moeizaam voort en Angelo was te spichtig en te klein om haar veel steun te geven. Ik ging ook naar buiten en liep over Calumet Street de andere kant uit. Het was drukkend, de zon stond laaiend in een heiige lucht – een tropische dag, een dag om te luieren, een dag die herinneringen bij me wakker riep aan de palmen van Rio of van een warme oceaan die er dromerig bijligt voor de stranden van Luzon, waar ik eens heb gewoond – maar dat was lang geleden.

Al voordat ik EL CAT SEN had bereikt, hoorde ik dat er moeilijkheden waren: de stem van Sharon, afwijzend, gespannen en verschrikt, uit de terugspringende ingang van het dichtgetimmerde huis naast de winkel: 'Niet doen, Billy! Ik zeg het tóch niet; láat dat!'

Ik haastte me er op af, maar mijn voetstappen zullen wel duidelijk hoorbaar zijn geweest. Er leek niets aan de hand toen ik er aankwam. Sharon hing stijfjes tegen de vastgespijkerde deur, voor het grootste gedeelte aan het gezicht onttrokken door een breedgeschouderde jongen, die van haar vandaan schoof toen ik kwam opdagen. Ze hield de rechterhand op de rug. Ik kreeg de indruk dat de jongen die hand juist had losgelaten. Hij wendde zijn blonde hoofd en keek me strak aan. Veel groter dan Sharon – dertien of veertien jaar en uit de kluiten gewassen – knap om te zien, maar met een nietszeggend gezicht, alsof hij nu al doorkneed was in het dragen van een masker. Tja, daar zijn menselijke wezens soms goed in. Sharon grijnsde me slapjes toe. 'Hallo, meneer Miles.' De jongen haalde de schouders op en liep weg.

Ik zei: 'Kom terug!' Hij keerde zich alleen om en keek me opnieuw strak aan. 'Viel jij dit meisje lastig?'

'Niks hoor.' Geen schrik, geen schaamte. Zijn stem klonk volwassen, helemaal niet zo'n beginnende baard in de keel. Hij kon best ouder zijn dan hij eruitzag.

'Viel hij je lastig, Sharon?'

Nauwelijks hoorbaar zei Sharon: 'Eh-eh . . . nee.' Ze had een rood rubber balletje aan een elastieken draad en kaatste het bedachtzaam op de grond. Ik merkte dat ze daarvoor haar linkerhand gebruikte. 'Sharon, laat je rechterhand eens zien.'

Weifelend stak ze die hand uit. Ik kon er niets aan ontdekken. Toen ik opkeek, was de jongen weg, de hoek om. Sharon wreef boos in een betraand oog. Op een wijze die zelfs aan het Engelse hof te bloemrijk zou klinken, zei ze: 'Meneer Miles, hoe zal ik u ooit addikwaat mijn dankbaarheid kunnen laten blijken?'

''t Is de moeite! Wie is trouwens dat peenharige verschijnsel?'

Dat hielp. Ze knikte waarderend voor deze nieuwe benaming. ''t Is Billy Kell maar. Tjeem . . . een verschijnsel, dat is hij echt.'

'Het spijt me, maar ik mag hem niet. Wat moest hij?'

Ze kneep haar mond dicht en zei toen: 'Niks.' Met een verwoede concentratie wijdde ze zich aan het kaatsen met de bal. 'Hij is alleen maar een verschijnsel, niet de moeite om er woorden aan vuil te maken.' Om de conversatie aan de gang te houden, vroeg ze beleefd: 'Is er bij u ingebroken?'

'Ja. Het nieuws verspreidt zich snel.'

'Tjeem, ik ben vanmorgen langs geweest voordat Angelo zich moest verkleden om naar de kerk te gaan. Hij zegt dat brigadier Bas de zaak nooit addikwaat tot op de bodem zal uitzoeken, en dus kan Bas de bietenberg op, vindt u ook niet? O ja, zweert u dat u er nooit iets van verder vertelt als ik u iets ga laten zien?'

Ik zei haar dat zweren een serieuze kwestie was, maar dat wist ze. Gedurende een poosje dat op de zenuwen werkte, nam ze me op en daarna kwam ze tot een besluit. Ze keek naar beide kanten de straat af en glipte toen omlaag naar de ingang van het souterrain, die zich half verscholen onder het trapje naar de voordeur bevond. Tegen de houten souterraindeur was maar één plank gespijkerd. 'U moet erop zweren, meneer Miles.'

Ik ging bij mijn geweten te rade. 'Ik zweer dat ik er nooit iets van zal doorvertellen.'

'U moet de hand op het hart houden, wil het geldig zijn.'

Dat deed ik, en met weinig moeite haalde ze de plank weg – met haar linkerhand. Maar ze was niet links; zulke dingen merk ik altijd op. Ik sloop achter haar aan en deed de deur achter ons dicht, zoals ze mij opdroeg. We bevonden ons in een drukkende, groezelige schemering, muf en vaag, die naar ratten en vochtig pleisterwerk stonk. Ik verzekerde haar dat ik voldoende kon zien om niet mijn nek te breken maar ze pakte me bij een duim om me door een warwinkel van lege kistjes en allerlei afval naar een achtervertrek te leiden, dat als keuken had gediend voordat het huis werd afgedankt. Er zijn veel te veel van die huizen in Latimer, en dat is niet alleen te verklaren met de trek van de bevolking naar buiten. Soms vraag ik me af of de menschlijke wezens niet een hekel zijn gaan krijgen aan de steden, waaraan ze zoveel moeite hebben gespendeerd.

In die keuken doemde een groot gammel bouwsel op, iets dat van oude kisten bijeengetimmerd was – een huis in het huis. 'Wacht even,' zei Sharon. Ze kroop het geval binnen en stak een lucifer aan. Er begonnen twee kaarsen op te gloeien. 'Nu kunt u binnenkomen.' Terwijl ik me naar binnen wurmde, bewaarde zij een plechtig stilzwijgen en verzonk het diepe blauw van haar ogen in een zee van duisternis. 'Dat heeft nog nooit iemand anders dan ik gedaan ... Dit is Amagoya.' Kennelijk werd ze alsnog door twijfel beslopen en was ze bang dat ik dit vertrouwen niet verdiende. Ze zei: 'Natuurlijk is dit ondubbelzinnelijk een fantasiespelletje.'

Dat was het, maar toch ook weer niet. Er bevond zich hier een altaar: een omgekeerd kistje. Op een geïmproviseerd erboven bevestigde plank zat wat sommige mensen misschien voor een lappenpop zouden aanzien. 'Amag,' zei Sharon, met een hoofdknikje die kant uit. 'Alleen maar een voorstelling ervan; vroeger was het een pop. Poppen hebben zoiets kinderachtigs, vindt u niet?'

Misschien wel, ja, maar een fantasievoorstelling is iets echts. Wat je in je hoofd hebt, is werkelijkheid. De dingen om je heen vormen een andere soort werkelijkheid; dat is de hele kwestie.' De objecten op het altaar-kistje werden door de kaarsen geflankeerd. Een jongenspet met een gerafelde klep, een zakmes, een zilveren dollar. 'Ben ik werkelijk de enige die dit te zien krijgt, Sharon? Zelfs Angelo niet?'

'O nee!' Het klonk ontsteld. 'Amagoya – dat ben ik wanneer ik alleen ben. En nu u ook; daarom moest ik u dat laten zweren. Nou ... omdat u niet lacht, alleen op het goede moment.' Het is zonde, Drozma, dat ik 346 jaar heb moeten worden eer ik een dergelijke hoge lof kreeg toegezwaaid. 'De dollar, die heeft Hij als prijs op school gehad en aan mij gegeven om geluk aan te brengen. Dat mes omdat ik er eentje wilde hebben en Hij zei hou het maar.' Je kon horen hoe ze de derde persoon enkelvoud met een hoofdletter uitsprak. 'De pet had hij weggegooid.' Dit liet geen ruimte over voor beleefde opmerkingen, zelfs van een Martiaan; Sharon stelde trouwens geen prijs op commentaar. Ik zette een eerbiedig gezicht en dat was voldoende. Opgelucht ging ze op een ander chapiter over. Zonder bijzondere aanleiding zei ze met een grote zucht: 'Paps was zat toen hij van de loge thuiskwam. Ik kon effectief niet in slaap komen toen die twee het aan de stok kregen. Hij ramde met het pookje tegen de kachel, alleen maar om een hoop kabaal te maken,

56

en sloeg het ding meteen in barrels. Eerlijk, u weet niet wat ik allemaal te verduren krijg, eerlijk...'

'Hoor eens, Sharon... die Billy Kell. Ik heb de indruk dat hij je hand gemangeld heeft. Als dat zo is, kun je het me best vertellen, hoor.'

'Ik zou niet kunnen toelaten dat u hem een pak slaag gaf. Eerlijk, die verantwoordelijkheid zou ik niet op me kunnen nemen.'

'Ik deel nooit pakken slaag uit, maar ik kan hem een beetje de schrik op het lijf jagen.'

'Die laat zich niet afschrikken; ik ben trouwens niet bang voor hem. Hij heeft niet echt mijn vinger achteroverge-knakt, hij deed alleen alsof hij het zou doen.' Misleiding lag haar niet. Ik maakte er dan ook gebruik van door eenvoudig af te wachten. 'Nou ja, hij probeerde me iets te laten zeggen... dat ik niet wilde; meer niet. Over mij en Angelo. Billy kan de pest krijgen. Hij is alleen maar een verschijnsel, meneer Miles...'

'En die vinger?'

'Eerlijk hoor, daar is niks mee aan de hand. Kijk, zo speel je een toonladder.' Ze deed het me voor, op de vloer. Ik merkte niet alleen dat ze geen last van haar rechterhand had maar ook dat ze al wist hoe ze de duim keurig onder de vingers langs moest laten lopen. Na maar één les. Wel langzaam, natuurlijk, maar precies goed. Je hebt zelf lovend over mijn pianistische vaardigheden gesproken, Drozma, maar ik weet dat we nooit de beste menselijke spelers zullen evenaren, en heus niet alleen omdat onze kunstmatige pinken gevoelloos zijn. Geloof jij dat het zou kunnen komen doordat menselijke wezens maar korte tijd te leven hebben en dat het besef daarvan in hun muziek doordringt?

'Ik ben een beetje verbaasd, Sharon. Vanmorgen zei Angelo iets over Billy Kell, alsof ze bevriend waren; die indruk kreeg ik, tenminste.'

Met volwassen aandoende verbittering zei ze: 'Hij gelooft inderdaad dat Billy zijn vriend is. Ik heb hem eens proberen te vertellen dat het helemaal niet waar was. Dat wilde er niet bij hem in. Het komt omdat hij denkt dat iedereen goed is.'

'Ik weet het nog zo net niet, Sharon. Iemand die het niet is, zou Angelo niet lang voor de gek kunnen houden, denk ik.'

Enfin, dat was een fraai dogmatische uitspraak en ze leek er moed uit te putten. Opnieuw ging ze handig op een ander onderwerp over: 'Als u wilt, kunnen we van Amagoya best een ruimteschip maken. Dat doe ik soms.'

'Goed idee.'

Ergens in die dode keuken klonk een akelig, stiekem gescharrel. 'Niets van aantrekken,' zei Sharon. 'Weet u, wanneer ik hier wegga, bedek ik alles met die andere kist, om de verschijnselen uit de buurt te houden...'

Keurig in de kleren ving Angelo me bij het trapje naar de voordeur op toen ik van het ruimteschip terugkeerde. Hij bracht de uitnodiging over om beneden te komen koffiedrinken. Feuermann zat er al. Rosa's opvatting van koffiedrinken omvatte ook het eten van pizza's en ettelijke andere dingen die er smakelijk uitzagen. In haar zondagse kleren zag Rosa zelf er verlept uit, en niet alleen van de hitte die er die ochtend hing. Op treurige toon bracht ze me in herinnering: 'En u wilde het nog wel rustig hebben, meneer Miles.'

'Ach, zeg maar Ben.' Ik had geprobeerd me ontspannen te voelen zonder af te zien van de vormelijkheid van meneer Miles – die bij Sharon toch al geen voet aan de grond had gekregen. We praatten een poosje over de kwestie van de fotoalbums, waarbij Feuermann geobsedeerd steeds weer op hetzelfde punt terugkwam: Wat kon een inbreker daarmee beginnen?

'Hier beneden zijn we niets kwijt,' zei Angelo. 'Ik heb het opgenomen.'

Later zei Feuermann aarzelend: Angelo, Mac heeft me gezegd dat hij... nou ja, een kuil zou graven. Hierachter.

Als je dat wilt.'

Angelo verslikte zich. 'Als dat *hem* een plezierig gevoel geeft.'

'Schatje,' prevelde Rosa. *'Angelo mio,* toe nou ...'

'Sorry, maar zou iemand Mac aan het verstand kunnen brengen dat ik tegenwoordig geen luiers meer aan hoef?'

'Maar, jongen,' zei Feuermann, 'Mac dacht alleen maar ...'

'Mac heeft zijn hersens helemaal niet gebruikt.'

In de pijnlijke stilte die toen inviel, stelde ik voor: 'Hoor eens, Angelo, heb een beetje geduld met de mensen. Ze doen hun best.'

Over de gezellig gedekte keukentafel heen keek hij mij woest aan. De hekel die eruit sprak, verflauwde en verdween echter. Toen leek hij alleen nog maar verwonderd en vroeg zich misschien af wie en wat ik was, welke plaats ik in zijn geheime uitdijende wereldje innam. Zonder dat het hem al te moeilijk viel, verontschuldigde hij zich: 'Neem me niet kwalijk, oom Jacob. Ik zou graag zien dat Mac dat deed. Ik werd kwaad omdat ik niets met een spade kan beginnen door die verdomde rotpoot van me.'

'Angelo, wat een táal; ik heb je gevraagd om ...'

Vuurrood keek hij haar aan. Feuermann bepleitte: 'Laat hem toch, voor deze keer, Rosa. Ik zou het ook gedaan hebben als Bella van mij was. Van een klein vloekje is nog nooit iemand slechter geworden.'

'Zondagsochtends,' jammerde Rosa, 'nog maar een uur na de mis ... Goed dan, Angelo, ik ben niet boos op je. Maar je moet het niet meer doen. Je wilt toch niet net zo grof in de mond worden als die jongens verderop in de straat?'

'Die zijn heus niet zo stoer, mama.' Hij zat met zijn eten te spelen. 'Kell slooft zich uit maar het heeft niets te betekenen.'

'Grove praat leidt tot grove ideeën,' zei Feuermann, en daarover leek Angelo zich niet te kwaad te maken.

Toen ik na de nodige beleefdheden opstapte, liep Angelo mee naar de trap en overviel me met de vraag: 'Wie bent u eigenlijk, meneer Miles?'

Echt iets voor hem, de lastigste vragen te stellen – en ik bedoel niet dat ik me bezorgd maakte om de Martiaanse kant van de kwestie; dat was niet het geval. Het stuitte me tegen de borst om de waarheid heen te moeten draaien. 'Een niet bijster interessante ex-leraar, zoals ik al tegen je moeder heb gezegd. Hoezo, kerel?'

'O, u hebt de dingen zo'n beetje door, lijkt me.'

'Is dat niet met heel wat mensen het geval?'

Het Latijnse schouderophalen waarmee hij die vraag afdeed, maakte een verschrikkelijk volwassen indruk. 'Ach, wat zal ik zeggen . . . Zo'n maand geleden heb ik in het park een oude man ontmoet. Misschien had hij er ook wel kijk op. Hij zei dat hij me een paar boeken zou lenen, maar ik heb hem niet teruggezien.'

'Wat waren dat voor boeken, weet je dat nog?'

'Van iemand die Hegel heet. En van Marx. Nou, ik heb Marx van de openbare bibliotheek proberen los te krijgen, maar ze raakten in alle staten.'

'En zeiden zeker dat Marx geen lectuur voor kinderen is.' Een beetje ongelovig keek hij naar me op. 'Ik kan ze wel voor je opscharrelen, als je daar zin in hebt.'

'Zou u dat willen doen?'

'En ook andere boeken, natuurlijk. Je kunt nooit goed achter de verdiensten of de kwalijke eigenschappen van iets komen als je niet bij de bron te rade gaat. Maar hoor eens, je jaagt de mensen de schrik op het lijf. Je weet wel waardoor, hè?'

Hij begon te blozen en schraapte met de punt van zijn schoen over de vloer, zoals ieder klein jongentje doet. 'Ik zou het niet weten, meneer Miles.'

'De mensen denken in een tamelijk star stramien, Angelo. Naar hun mening hoort een jongen van twaalf zus-enzo te zijn en beslist niet anders. Als er dan een opduikt die meer volwassen denkt, nou ja, dan hebben ze het gevoel alsof er een aardbevinkje is. Daar krijgen ze dan de schrik van te pakken.' Ik legde mijn hand op zijn schouder, om hem duidelijk te maken wat ik met woorden niet kon; hij onttrok zich er niet aan. 'Ik raak er niet van ondersteboven, Angelo.'

'Nee?'

Ik trachtte fijntjes de schouders op te halen, net als hij. 'Perslot van rekening was Nobert Wiener pas elf toen hij aan de universiteit ging studeren.'

'Ja, en hij heeft daarbij ook zijn portie moeilijkheden gehad. Ik heb zijn boek gelezen.'

'Dan weet je zo'n beetje wat ik je probeerde duidelijk te maken. En, wat die andere boeken betreft, wat lees je *bij voorkeur?*'

Hij hield nu geen slag meer om de arm en zei vol overgave: 'Van alles! Wat dan ook . . .'

'Gesnopen!' zei ik, gaf hem een kneep in de schouder en liep naar boven. Ik ben er niet helemaal zeker van, maar ik geloof dat hij 'Dank u!' fluisterde.

4

In het begin van de middag zat ik op mijn kamer lui onderuitgezakt me het hoofd te breken over wat Namir nu van plan zou zijn. Feuermann kwam bij me binnenvallen, keurig opgedirkt, maar niet in het sombere. Hij zei dat hij zijn vrouw ging opzoeken. Op zijn leeftijd hoef je lijkt me niet meer zwaarwichtig te doen over een bezoekje aan het kerkhof op zondagmiddag. Angelo zou meegaan voor de autorit en hij kwam mij ook uitnodigen.

Zijn 'rijijzer' was een model-'58. Ik keek op van de lage

contouren van een paar types van '62 en '63 waar Angelo de aandacht op vestigde toen we over Calumet Street snorden. Hij en de oude man hadden het over auto's, en dat ging een beetje boven mijn pet. Wel was ik de enige die merkte hoe er een grijze coupé achter ons bleef hangen terwijl we door de bebouwde kom reden en daarna op een prachtige autoweg belandden. 'Ligt het kerkhof niet in Latimer?'

'Nee, de familie van Susan kwam uit Byfield. Daar wilde ze begraven worden. Een kilometer of vijftien hier vandaan. Susan Grainger heette ze; er hebben al sinds 1650 Graingers in Byfield gewoond, zeggen ze. Mijn vader is als tussendekspassagier overgekomen.'

'Mijn grootvader ook,' zei Angelo. 'Kan dat tegenwoordig nog iemand iets schelen?'

Over die bruine jongenskop heen keek Feuermann me even aan. Hij gaf een knipoog en glimlachte. Ik zei: 'Eén wereld, Angelo?'

'Natuurlijk. 't Is toch zo?'

'Eén wereld en talloze beschavingen.' Hij keek bedrukt.

'Nou,' zei Jacob Feuermann. 'Ik voel wel wat voor het idee van één wereldregering.'

'Ik schrik er een beetje voor terug,' zei ik en hield intussen Angelo in het oog. 'Zoiets wordt veel te gemakkelijk een onhandelbare kolos; dan zullen individualisten het individualisme om zeep brengen zonder dat ze het zelf in de gaten hebben. Waarom geen zeven of acht federaties die zo ongeveer de belangrijkste beschavingsgebieden bestrijken, onder een wereldomspannende wet waarin hun recht wordt erkend om op niet-agressieve wijze een ander bestaan te leiden dan de andere federaties?'

'Dacht je dat we het ooit tot zo'n wereldwet zouden kunnen schoppen? En waar zit dan je waarborg tegen een oorlog, Miles?'

'Die kan alleen maar in de ethische rijpheid van de mensheid gelegen zijn. Een goed uitgedokterde politieke structuur zou daarbij een enorme steun zijn, maar het risico van een oorlog blijft bestaan zolang er mensen zijn die denken dat het gerechtvaardigd is om vreemdelingen te haten en naar de macht te grijpen. Het hangt in de eerste plaats van de instelling van de mensen af, de rest is een kwestie van domweg doen.'

'Wel pessimistisch, hè?'

'Volstrekt niet, Feuermann. Maar ik ben bang voor het wensdenken waaraan ik me soms overgeef. In de politiek is wensdenken alleen aanleiding voor de wolven om een gehuil aan te heffen.'

'Hm.' De oude man gaf een kneepje in de magere knie van Angelo. 'En, Angelo, vind jij dat Miles en ik er al de leeftijd voor hebben om op zoiets te hopen zonder er zelf iets aan te doen?' Van ieder ander dan Feuermann had Angelo dit lichte sarcasme waarschijnlijk niet kunnen velen, maar nu grinnikte hij en deed alsof hij Feuermann een stomp tegen de schouder wilde geven.

In die genoeglijke sfeer legden we de rest van de weg naar Byfield af. De grijze coupé bleef ons volgen en dat feit hield ik voor me. Er was nogal wat verkeer, en het kon zijn dat mijn fantasie me parten speelde. Toch was het zo dat Feuermann langzaam en voorzichtig reed en talrijke andere wagens ongeduldig voorbijsuisden. Toen we op een parkeerplaats bij het kerkhof stopten, reed de grijze wagen met toenemende vaart voorbij terwijl de bestuurder zich vooroverboog en het gezicht afgewend hield.

Angelo was hier al eerder met Feuermann geweest. Ik had met Jacob willen meelopen naar het graf, maar Angelo schudde van nee en nam me mee naar een groene glooiing, vanwaar we op het oudste deel van de begraafplaats uitkeken. Het was zelfs heel oud naar Amerikaans-menselijke begrippen, want sommige van de brokkelige stenen dateerden van driehonderd jaar geleden, toen ik nog kind was. Angelo vestigde er mijn aandacht op, zonder te ginnegappen, zoals de meeste jongelui zouden hebben gedaan bij het zien van het werk van de nu al lang overleden steenhouwer, die engelen symboliseerde met cirkels met ogen en een paar groefjes als haar. 'Ik denk dat ze alleen maar zandsteen hadden, of wat het ook mag zijn.'

'Ja, marmer zou het een paar eeuwen langer hebben volgehouden.'

'Zeker.' Toen moest hij wel lachen. 'Zeker . . . maar wat is een paar eeuwen nu nóg?' Hij ging op de rand van de berm zitten, kauwde op een grasspriet en liet zijn benen bungelen. Jacob Feuermann bevond zich een pas of vijftig verderop. Het leek veel verder, dat eiland van bespiegeling, waar de zon zijn witte haardos bescheen. Hij keek neer op wat hij aan waarheid ontdekte in de flauw opbollende aarde, en daarna naar de zomerse wolken en de eeuwigheid erachter. Bij een jongere man zou het een ziekelijk sentimentele indruk hebben gemaakt – althans op menselijke wezens, die altijd gauw klaar staan met etiketten om er de eigenaardigheden van anderen mee te beplakken. Maar Feuermann was te onverstoorbaar om zich iets van etiketten aan te trekken. Een poosje later ging hij op de grond zitten, met de kin in de hand gesteund, zonder zich iets van vocht of van zijn onwillige oude gewrichten aan te trekken. Angelo prevelde me toe: 'Iedere zondag, weer of geen weer. Ja hoor, zelfs als het regent, hoewel hij dan misschien niet in het gras gaat zitten. 's Winters ook.'

'Ik denk dat hij van haar hield, Angelo. Dat hij graag hier is, waar er niet veel tussen hem en zijn herinnering aan haar kan komen.' Maar ik raakte ten prooi aan duistere gedachten. Ik rook chloroform, ik zag de gestalte van die jonge Hercules met zijn uitgestreken gezicht onheilspellend in de portiek tegenover Sharon staan, er schoot me een glimp te binnen van een grijze coupé die niets achter ons te maken had. Behalve de dood van Bella was er nog niets ernstigs voorgevallen; op deze heerlijke dag vol zonneschijn leek het bespottelijk dat er nog iets akeligs kon gebeuren. Maar zelfs in de zonnige stilte van de rimboe kun je in de verte opeens zwarte en oranje strepen in een vloeiende beweging door het gras zien glijden of het geritsel horen van een blad dat niet door een zuchtje wind in beweging is gekomen. Ik gaapte met opzet, in de hoop dat het een ontspannen indruk zou geven en dat mijn vraag er terloops door zou klinken: 'Ga jij naar de kerk, Angelo?'

'Jazeker.' Hoewel hij een vriendelijk gezicht zette, was hij duidelijk op zijn hoede. Waarschijnlijk had hij door dat het bepaald niet zo'n terloopse vraag was en dat ik achter zijn gedachtenleven trachtte te komen, en zat hij zich af te vragen of hij mij zo'n speurtocht wel zou toestaan . . . 'Vorig jaar zat ik zelfs in het koor. De jongen die voor mij stond had oren als een aardvarken. Daardoor kon ik de wijs niet houden.' Met een heldere altstem, die een merkwaardig afstandeffect had, zong hij zachtjes; *'Ad Deum qui laetificat juventutem meam . . .'*

'En, heeft hij jouw jeugd verblijd?'

Angelo grinnikte. 'Nu klinkt u net als die man in het park met wie ik gesproken heb. Hij zei dat godsdienst bedrog was.'

'Bedrog vind ik het niet, hoewel ik zelf agnosticus ben. Kwestie van persoonlijke opvatting Maar jij zou in ieder geval naar de kerk moeten, al was het maar voor je moeder. Ik neem tenminste aan dat ze godsdienstig is, hè.'

Hij kwam haastig weer bij zijn positieven. 'Ja . . .'

'Vertel me eens wat over Latimer.' Ik keek naar zijn bungelende voeten, naar het slanke goede been en naar het misvormde been met de beugel. 'Ik speel met het idee om hier te gaan wonen.'

Met enige twijfel in zijn stem zei hij: 'Nou, veel is er niet vinden. Ze zeggen dat er een beetje de klad in is gekomen. Ik weet het eigenlijk niet. Er gebeurt maar weinig. Er staan heel wat huizen leeg. De omgeving is fijn, net als hier, als je er maar op uittrekt . . . Jee, kon ik dat maar! Weet u wel: de hele dag wandelen, heuvel op, heuvel af. Wanneer ik een kilometer heb gelopen, krijg ik pijn in mijn kuit en dan moet ik ophouden.'

'Ik denk erover om een auto te kopen. Dan zouden we nu en dan naar buiten kunnen.'

'Jee!' Hij liep er helemaal warm voor. 'Bijvoorbeeld een hele dag naar de bossen? Dat zou ik best willen . . . Weet u, dat schilderijtje in uw kamer, dat stelt niet iets voor dat ik werkelijk heb gezien. Wel heb ik taferelen gezien die erop lijken; met berken. Oom Jacob gaat soms met me uit rijden. Maar als ik eruit wil om een beetje rond te wandelen, wil hij met alle geweld mee om zich zorgen te maken over die poot van me, in plaats van dat aan mij over te laten en het van zich af te zetten wanneer ik dat ook doe . . . Ik hou van dieren, weet u wel. Kleine beestjes die . . . Ik heb gelezen dat ze als je maar stil blijft zitten in het bos, naar je toe komen en helemaal niet bang zijn.'

'Dat is zo. Ik heb het vaak genoeg gedaan. De meeste vogels vinden het niet eens erg als je een beetje beweegt. Eigenlijk zien ze dat wel zo lief; het doet niet zo verdacht aan. Ik heb meegemaakt hoe wielewalen vlakbij kwamen. Koperwieken. Eén keer een vos die bijna tegen me aan liep. Ik zat op een van zijn vaste paadjes. Hij zette alleen maar een beteuterde snuit en liep om me heen . . . O ja, ik heb een vriendinnetje van je leren kennen. In de delicatessenwinkel. Sharon Brand.'

Hij toefde met zijn gedachten nog in het bos en zei vaag: 'Ja, een aardig kind.'

'Je bent samen met haar opgegroeid, hè?'

'Zo'n beetje, ja. In ieder geval een jaar of vier, vijf. Mama . . . die mag haar niet zo erg.'

'O nee? Ik vind haar best jofel.'

Hij plukte een nieuwe grasspriet af en zei weifelend: 'Bij Sharon thuis zijn ze niet katholiek . . .'

'Is Billy Kell wel katholiek?'

'Nee.' Hij zette een verbaasd gezicht. 'Billy? Wanneer heb ik dan . . .'

'Vanmorgen, Angelo. Toen we Bella zagen liggen. Jij zei: "Billy Kell kon er wel eens meer van weten . . ."' 'O ja?'

Hij slaakte een zucht , kennelijk niet op zijn gemak. 'Jee!'
' Je had het ook over de Diggers. Wat zijn dat? Een bende?'
'Ja.'
'Zo'n beetje van jouw leeftijd?'
'Ja. Sommigen wat ouder.'
'Harde jongens?'
Hij zette een grijns zoals ik nog niet van hem had gezien, alsof hij de harde jongen wilde uithangen om te proberen hoe zoiets aanvoelde. 'Zij vinden van wel, meneer Miles, als je de bombarie hoort die ze maken.'
'Ik zou haast zeggen dat je hen niet mag.'
'Het is een stelletje . . .' Hij hield zich in. Het leek me dat hij overwoog of ik een heel gemeen scheldwoord zou slikken van een jongen van twaalf en dat hij besloot het maar in te slikken. Heel tam liet hij er op volgen: 'Niemand mag die rotjongens.'
'Wat halen ze zoal uit?'
'O, gemene geintjes bij het knokken. Een beetje gappen, geloof ik, van vruchtenstalletjes of achter uit een vrachtauto. Billy zegt dat er onder de ouderen aan straatroof wordt gedaan. Er zijn erbij die met een knijf – een mes, bedoel ik – rondlopen.' Dat lachje van hem stond me niet aan; het viel uit de toon bij zijn karakter, zoals ik het meende door te krijgen. 'De meesten komen van het vervallen stuk Calumet Street, het zuidelijke deel . . . Mag ik een sigaret?'
Ik bood hem er een aan en gaf hem vuur. Feuermann keek niet onze kant uit; ik had het trouwens wel met Feuermann op een akkoordje kunnen gooien, denk ik. 'Hebben die Diggers dan geen rivalen, Angelo?'
Hij aarzelde heel even. 'Jawel, de Mudhawks. Dat is de bende van Billy Kell.' Hij rookte er terloops op los en inhaleerde zonder te hoesten. 'Weet u, ik heb Billy eens een walnoot zien kraken tussen zijn biceps en zijn onderarm. Er is niemand die met Billy Kell ruzie zal zoeken.' Alsof hij zichzelf van iets belangrijks wilde overtuigen, zei hij: 'De

Mudhawks zijn oké.'

'Kun je met hem praten? Met Billy Kell?'

Hij wist best wat ik bedoelde maar vroeg ongerust: 'Hoe-zo'

'Toen ik je gisteren voor het eerst ontmoette, was je de *Crito* aan het lezen. In die geest bedoel ik.'

Ontwijkend zei hij: 'Boeken zijn ook niet alles ... Hij is goed op school, altijd negens en tienen.'

'Hoe is die school? Redelijk?'

'Gaat wel.'

'Maar je moet er wel komedie spelen, hè?'

Hij drukte zijn sigaret tegen een keisteen uit. Even later zei hij: 'Ze klungelen heel wat af. Ik misschien ook wel, soms. Ik ben niet best in wiskunde. Of handenarbeid – waarachtig, u zou het vogelhuisje moeten zien dat ik heb proberen te maken. 't Ziet er uit als een hooiberg in een sneeuwstorm.'

'Waar ben je wel goed in?'

Met veel plezier trok hij een grimas. 'In dingen waar ze geen les in geven. Nou ja ... zoals de *Crito,* meneer Miles. Filosofie.'

'Ethiek?'

'Ja, daar heb ik een collegedictaat over, uit de biblio-theek. Ik vond dat ze maar weinig aandacht aan voorbeelden gaven. Ze hebben ook Spinoza. Daar ben ik niet aan begonnen.'

'Moet je niet doen ook.' Ik pakte hem bij de enkel van zijn goede been en hield een ogenblik stevig vast. 'Je ligt een stuk voor op je klasgenoten, beste jongen, maar je bent nog niet rijp voor Spinoza. Ik weet niet eens zeker of ik het zelf ooit ben geworden. Als je hem in zijn geheel kunt ver-werken, is het wel goed dunkt me, maar ik zou het voor later bewaren ... Ik gaf geschiedenis op school. Hoe staat het daármee?'

'We krijgen eigenlijk geen les in geschiedenis. Alleen maar feiten onthouden, volgens een vast stramien. Ze pompen er iets bij je in, en dan haal je uit de bibliotheek een boek waarin het tegendeel wordt beweerd. Wie heeft er dan gelijk? Ik wil maar zeggen, de lerares dist het op zoals zij het ziet, en dan word jij verondersteld het later precies zo op te hikken. Anders zit je fout en krijg je een twee voor de moeite. In ons geschiedenisboek staat dat wij ons in 1776 van Engeland afscheidden omdat het Britse imperialisme de koloniën economisch nekte. Volgens de Onafhankelijkheidsverklaring waren het politieke redenen. Het was eigenlijk allebei, hè?'

'Dat zijn er twee van de vele redenen, ja.'

Ik kan me nog steeds niet neerleggen bij de misleiding die wij opvoeren, Drozma. Wat had ik hem die middag graag willen vertellen hoe ik de Franse vloot voor de blokkade van Yorktown de Chesapeake-baai heb zien binnenvallen! Ik herinner me ook nog de vroege najaarsstorm die opstak toen die arme donders van roodjassen de rivier probeerden over te steken; maar dat zou ik hem vermoedelijk niet in alle bijzonderheden hebben willen vertellen. Of misschien toch wel; ik weet het eigenlijk niet . . .

'Geschiedenis is een vak dat alle leerkrachten tot wanhoop brengt; zei ik, 'louter vanwege de omvang van de materie. Je moet tot een keuze komen, en bij het maken van die keuze ontkomt zelfs de beste docent niet aan zijn eigen vooringenomenheid. Maar natuurlijk zou hij je voortdurend aan die moeilijkheid dienen te herinneren, en ik neem aan dat dat niet gebeurt.'

'Nee, dat gebeurt niet. De Federalist Papers voeren ook niet alleen economische argumenten aan. Ik zei dat ik ze gelezen had. Dat was niet de bedoeling geweest. Niet dat ze me op mijn donder gaf of zoiets. Ze zei dat het prachtig was dat ik er zoveel moeite voor had gedaan, maar dat het helaas een beetje boven mijn pet ging. Bovendien waren de Federalist Papers "merkwaardig en interessant" maar ze pasten niet in het leerplan, en of ik niet liever wat meer wilde opletten in de klas en me over het algemeen beter aanpassen?'

'Met andere woorden, Angelo, sommige dagen kun je maar beter in je nest blijven rotten?'

Dat vond hij mooi. De graspriet vloog zijn mond uit toen hij in de lach schoot. Hij plukte een nieuwe halm om erop te kauwen. 'Voor zijn roodkoperen, meneer Miles.' In het tienertaaltje van 30 963 wil dat zeggen dat je uit het goede hout gesneden bent. Angelo maakt zelden van dat jargon gebruik en is veel beter thuis in de rake omschrijvingen en de schoonheid van het normale Engels dan alle volwassenen met wie ik bij deze opdracht te maken heb gehad.

'Ben jij lid van die bende waarover we het hadden? Die van Billy Kell? Niet dat ik er iets mee te maken heb, natuurlijk.'

Hij wendde het hoofd af; al zijn plezier was verdwenen. 'Nee, daar ben ik geen lid van. Ze zouden geloof ik wel willen dat ik erbij kwam. Ik weet het niet . . .' Ik hield me met moeite in en wachtte af. 'Als ik dat deed, zou ik het niet aan mama kunnen vertellen.'

'Als je erbij ging, zou je een boel dingen over je kant moeten laten gaan, hè? Dat is meestal het geval.'

'Misschien wel, ja.' Met de handen in de zakken slenterde hij de glooiing af. Zo'n bevlieging van onechte, min of meer experimentele stoerheid maakte ik niet meer van hem mee. Maar direct daarop drong het tot me door dat ik me had gemengd in een kwestie waarin hij geen raad van anderen zou aanvaarden, en dat hij op de onuitgesproken vraag geen antwoord zou geven. Hij had nu niet zozeer een afwezige als wel een slaperige blik over zich; hij had zich teruggetrokken in de veelkleurige beslotenheid van een geest die ik nooit zou leren kennen, althans niet grondig. Toen, en naar ik me herinner ook op andere momenten, deed hij me denken aan het slaperige hemelse wezentje dat tegen de schouder van een ander leunt op de 'Heilige Familie met engelen' van Michelangelo. (Destijds heb ik er een goede reproduktie van gekocht, die nog steeds in mijn bezit is; soms lijkt deze afbeelding meer op hem dan een fotografische momentopname, die een echte weergave heet te zijn).

'Wat ik ook voor auto koop,' zei ik, 'het zal een tweedehandse moeten zijn. Hoe waren de Fords van '56?'

'Wel goed, geloof ik.' Hij glimlachte van oor tot oor bij de gedachte aan wat ik hem had beloofd en maakte met duim en wijsvinger een rondje; een Amerikaans gebaar waarmee blijkbaar wordt aangegeven dat alles snor zit. 'Wat voor hoestbui-op-wielen het ook wordt, u komt niet meer van me af.'

Hij hobbelde naar het dichtstbijzijnde graf en wreef met een vinger over de verweerde inscriptie. 'Hier heb je een figuur die "zijn loon is gaan ontvangen op 10 augustus 1671, als dienaar van Christus". Mordecai Paxton heette hij. Blijkbaar was hij er nogal zeker van waar die beloning uit zou bestaan.' Hij wilde een spinrag wegvegen van de scheef hangende, half weggezonken grafsteen, maar hij liet zijn hand zakken. 'Ach, ze maakt toch weer een nieuw, en trouwens . . .'

'Zij en Mordecai kunnen het best met elkaar vinden. Misschien stamt ze wel af van een spin die Mordecai nog persoonlijk heeft gekend.'

'Wie weet. Maar andere mensen laten niet veel aan Mordecai gelegen liggen. Angelo plukte een paar vrijpostige paardebloemen en schikte ze om de grafsteen. 'Zo, nu heeft hij bakkebaarden.' Hij keek verlegen op. 'Zoiets doet Sharon ook altijd. Het knapt er wel van op, hè?'

'Een heel stuk.'

'Bakkebaarden om mee te koop te lopen.'

'Om de heidenen in hun schulp te laten kruipen.' We dolden nog een tijdje door over Mordecai. Ik zei dat het rode bakkebaarden waren, maar Angelo beweerde dat Mordecai een dikzak met zwarte salon-tochtlatten was, die door Satan in de vorm van een varkenskoteletje in verzoeking was gebracht. We hielden ermee op toen Feuermann terugkwam, al zou de oude baas heus niet over wat gelach gevallen zijn.

71

Op weg naar huis meende ik die grijze coupé weer achter ons aan te zien. Hij schoot opnieuw te snel voor herkenning voorbij toen wij stopten bij een stalletje langs de weg, waar Angelo een afschrikwekkende hoeveelheid pistache-ijs naar binnen sloeg. Toen hij weer in de wagen kwam, liet hij een boer, zei: 'Ah, waterstofchloride!' en viel in slaap.

Ik liep risico, want hij zakte tegen me aan. Maar zijn hoofd rustte niet direct tegen mijn borst en hij sliep te vast om te merken dat mijn hart maar één keer per zestig seconden slaat. Wat zijn wij, Drozma? Meer dan de mens wanneer we hem observeren, minder wanneer we met onze vleugels tegen het venster fladderen.

5

De volgende week is in mijn herinnering een caleidoscoop van kleine voorvallen:

Laat opgestaan, toen Sharon en Angelo een stuk tegel neerzetten om het graf van Bella op het plaatsje achter het huis te markeren. Als ik niet had meegemaakt hoe Angelo zich er over had opgewonden, zou ik gedacht hebben dat het hem genoegen deed. Maar toen kwam hij achter Sharon te staan en liet zijn gezicht alle uiterlijke schijn varen. Het kreeg iets geduldigs, verwonderds en gevoeligs over zich, als dat van een volwassene die een kind zijn fantasie ziet uitleven, terwijl hijzelf zijn gedachten laat dolen door de bossen en over de vlakten en woestijnen van de volwassenheid. Later gingen ze over Martin Street de rimboe van de stad in . . . Met een volkomen leeg hoofd achter de schrijfmachine gezeten en ten slotte tot de conclusie gekomen dat meneer Ben Miles overtuigend genoeg zou zijn als een figuur die altijd op het punt staat een boek te schrijven maar er nooit aan toekomt . . . Met Angelo naar EL CAT SEN geweest (dat was dinsdags) en daar niet Sharon aangetroffen maar een geteisterd mannetje. Het was Sharons vader, die bepaald loskwam toen hij het met Angelo over honkbal had; hij zag er niet uit als een gietijzeren homerunkoning . . . In een café Jack McGuire ontmoet, die terugkeerde van zijn dagtaak in de garage. Het gesprek begon over de inbraak maar kwam ten slotte op Angelo. ''t Is ongezond,' zei Mac. 'De hele tijd met zijn neus in de boeken. Een sportfiguur zal hij nooit worden met die lamme poot, maar toch is het ongezond, hoe je er ook tegenaan kijkt. Zo groeit hij scheef of wordt hij een vreemde figuur. 'k Zou er gauw een einde aan maken als hij mijn zoon was, maar wat doe je er aan?' Dat wist ik niet . . .

Die week was er niets dat bij mij het vermoeden wekte dat Namir in de buurt was.

Ik zag uit mijn raam Billy Kell terug. Hij was in Martin Street met Angelo een balletje aan het gooien en ik vroeg me af of mijn ongunstige eerste indruk vertekend was geweest. Had het niet ook aan Sharon gelegen? Hij had haar pijn gedaan, maar misschien had ze het uitgelokt. In dat spelletje was Billy een heel ander iemand. Hij wierp de bal zo dat Angelo niet veel hoefde te hollen maar toch zorgde hij dat Angelo zich erbij moest inspannen. Uit de opmerkingen die Billy hem toeschreeuwde, bleek niets van neerbuigendheid of van bijzondere omzichtigheid. Het was bepaald niet jongensachtig, zoals hij zijn best deed om Angelo plezier te verschaffen. Toen ze er genoeg van kregen, gingen ze op het trottoir zitten; een blonde kop en een donkere, vriendschappelijk met elkaar in gesprek. Het ging heel ongedwongen en het zag er niet naar uit dat Billy ergens op aandrong of iets bepleitte. Toen Rosa riep dat het eten klaar was, wisselden Angelo en zijn vriend een soort ritueel afscheidsgebaar uit: pols draaien en de handpalm naar boven houden. Ik bedacht dat Billy Kell leider van de Mudhawks was, maar ook dat Angelo had gezegd dat hij nog geen lid van die bende was...

Donderdagsavonds was ik bij de Pontevecchio's te eten genodigd, evenals de oude dames. Rosa legde haar hele hart in de kokerij. Aan het fornuis of bij het opdienen van een schotel was ze vlot ter been. Ik vroeg me af hoeveel ze van haar magere inkomentje aan iets dergelijks besteedde. Verspilling kon je het niet noemen, want geven lag in Rosa's aard en het beoefenen van de gastvrijheid was voor haar even noodzakelijk als het inademen van zuurstof. Wanneer ze de tafel met een mooi, schoon tafellaken kon dekken en haar gasten met vriendelijkheid overladen, leefde Rosa geheel en al op. Dan zag ik geen vermoeide, zorgelijke dikke vrouw voor me, maar de moeder van Angelo.

Mevrouw Doris Keith, vorstelijk van voorkomen met haar witte haar, grijze zijden japon en een broche met amethist, wierp me verwoede blikken toe, alsof ze me dreigde er niet aan terug te denken dat ze bij onze kennismaking ettelijke meters katoenen nachtpon aanhad en een keel opzette. Ze was over de één meter tachtig en zal er toen ze nog aan de warme kant van de zeventig was potig hebben uitgezien.

Mevrouw Mapp is vast altijd vriendelijk en wat minnetjes geweest, in haar jeugd een leuk meisje om een afspraakje mee te maken. Toch was het mevrouw Mapp die vroeger voor de klas had gestaan – ze gaf tekenen en muziek op een vervolgschool voor meisjes – terwijl mevrouw Keith haar loopbaan alleen in het huishouden had gezocht en er met tegenzin voor uitkwam. Toen hun echtgenoten het jaren geleden lieten afweten, hadden de twee een samenlevingsvorm uitgewerkt die kennelijk de rest van hun leven zou standhouden. Ik hoopte dat ze het geluk zouden hebben tegelijk te sterven.

'Angelo,' zei mevrouw Keith, 'laat eens aan Agnes zien wat je de laatste tijd gemaakt hebt.'

'Ach, ik doe tegenwoordig niet veel.'

Ze deed oprecht haar best hem als een volwassene te behandelen. 'Zonder vakkundige kritiek schop je het nooit verder. Je moet oppassen dat je niet in een sleur raakt.'

'Ik klooi maar wat.' Maar hij werd voldoende opgepord om twee schilderijen te laten zien. Toen hij ze ging halen, gaf die kleine dondersteen me een knipoogje.

Drie merries in het hoge gras, de koppen geheven bij de nadering van een enorme rode dekhengst. Kleuren die over het doek gierden als de wind uit de bergen. Een treffen van zonneschijn en wind, wild en opgetogen, schreeuwend en schitterend erotisch. Angelo had een pak voor zijn broek moeten hebben. Het andere schilderij was een lief, dromerig landschap.

Ik moet toegeven dat de dames ongelooflijk komiek maar ook aandoenlijk waren in hun angstvallige commentaar op alles behalve wat direct in het oog sprong. 'De kleuren,' zei mevrouw Mapp moedig, 'zijn ... eh ... heel buitenissig.'

'Ja,' zei Angelo.

'Die poot is wat te lang. Je hebt zeker niet naar model gewerkt, hè?'

'Nee,' zei Angelo.

'Vlakken. Zorg voor evenwicht tussen je vlakken, Angelo.'

'Ja,' zei Angelo.

'En *dit* ...' Ongelooflijk opgelucht pakte mevrouw Mapp het landschap op. 'Dit is ... eh ... niet gek. Dit is mooi, Angelo. Heel mooi.'

'Ja,' zei Angelo.

Rosa lachte. Volkomen onbewust van de gêne die er heerste doordat ze zichzelf niet gegeneerd voelde, alleen maar vol gevoelens van warmte en bewondering, kon ze niet nalaten hem door zijn krullen te strijken toen hij de schilderstukken oppakte. Evenmin was ze zich duidelijk van de schilderijen als zodanig bewust. Zoals Angelo's boeken onbekend gebied voor haar waren, kon Rosa zich niet voorstellen dat schilderstukken van een jongen van twaalf voor de buitenwereld iets te betekenen konden hebben, of dat hij met zijn welhaast hooghartige virtuositeit had bereikt waar de meeste volwassen schilders zich vergeefs grote moeite voor getroosten. Dat schild van goedmoedige onwetendheid kon zijn nut hebben.

Terwijl de twee dames Rosa met de afwas hielpen, liet Angelo mij zijn kamer zien. Ik wilde niet verontwaardigd blijven of hem inprenten dat er weinig eer mee te behalen viel om die kleine mevrouw Mapp op zo'n manier van haar stuk te brengen. Hij wist het al en het stuitte hem nu ook tegen de borst.

De kamer was een pijpenlaatje met een miezerig bovenraam ter hoogte van het trottoir van Martin Street. Er was nauwelijks plaats voor een ledikant, een boekenkast en een schildersezel. Het was tevens het atelier dat bepaalde triomfen had voortgebracht die zelfs hij onderschatte. Hij koos een ander schilderstuk uit een rijtje tegen de muur. Het was eenvoudig, niet helemaal afgewerkt, maar hij had gelijk dat hij er verder niets meer aan wilde doen. Een hand, beschermend gebogen om wat erin lag: een tijger, geveld, de bek opengetrokken in een snauw van wanhoop en verbijstering over de speer die in zijn flank stak. 'Blijkbaar geloof je wel in God, Angelo.'

Hij zette een stuurs gezicht. 'Een hand kan immers ook menselijk medelijden weergeven?' Maar het kwam me voor dat hij de gedachten aan het schilderij al van zich afschoof toen ik met mijn halfbakken interpretatie kwam aanzetten. Hij liet zich op het ledikant neervallen en zat er als een hoopje ellende bij, met de kin in zijn handen. 'Zal ik maar mijn excuus maken?'

'Dat weet ik nog zo net niet.'

'Hoezo?'

'Dat kan haar nog meer in verlegenheid brengen. Waarom zou je het er niet bij laten en in je hoofd prenten dat lieve oude dametjes en hitsige hengsten niet zo best bij elkaar passen. Kwestie van empirische ethiek.' Ik lette op, maar met dat 'empirisch' had hij geen moeite. Hij kende het woord en vond het niet eens ongewoon.

Hij dacht na en zei met een zucht: 'Oké.' Opgelucht maar niet voldaan. Het bleef aan hem knagen. Ik denk dat hij daarom kort daarna met veel sentimentele omhaal het lieve landschapje aan mevrouw Mapp cadeau gaf en als een man haar overdadige kussen en woorden van dank in ontvangst nam.

De volgende zondag viel er een hardnekkige lauwe regen. Ik bracht de ochtend door met het lezen van de zondagskrant. Het was moeilijk het nieuws naar waarde te schatten nu ik zelf nog zo in het duister tastte. Na een week had ik niet eens wat je een plan zou kunnen noemen. Ik wist nu het een en ander over het milieu, iets over Rosa en Feuermann en Sharon, en nauwelijks iets over Billy Kell.

De dag na ons gesprek op het kerkhof was ik naar een goedkope gebruikte wagen gaan rondneuzen, maar ik kwam niets tegen dat me veilig leek en daarom heb ik met Toronto contact opgenomen. Een verantwoorde uitgave, Drozma, al was het maar om Angelo de bossen te laten ontdekken. In ieder geval ben ik in de meeste tempels en kathedralen geweest, en de vredigheid die ik daar soms aantrof was nooit meer dan een pover surrogaat voor wat er onder het loverdak te vinden is.

Ik had geen enkele aanwijzing voor de verblijfplaats en de plannen van Namir. Met de gestolen foto's en geurverdrijver en met zijn Martiaanse vaardigheid in vermomming kon hij wel eens een maskerade op het oog hebben. Of wilde hij alleen maar dat ik daarvoor beducht zou zijn en Feuermann en anderen ging verdenken, waardoor ik mijn krachten aan zinloze argwaan zou verspillen? Om me mijn onwetendheid en zwakheden ten eigen nadele te laten gebruiken, me in mijn verblinding de nek te laten breken, om ook Angelo dat te laten doen... dat zou echt iets zijn voor Namir, dat zou hem genoegen verschaffen. Bij intelligente levensvormen, van menselijke of Martiaanse aard, is er wellicht altijd een zuivere scheidslijn geweest tussen degenen die de individualiteit van anderen respecteren en degenen die zich tot de macht gedreven voelen en er een verderfelijk gebruik van maken. Een scheidslijn waar beweging in zit, moet ik toegeven, want sommigen van ons kunnen in verwarring verkeren en soms in beide kampen een voet aan de grond hebben. Bovendien kunnen enkele onderdrukkers van de geest hun dwalingen afzweren en enkele vrijzinnigen tot verderf geraken.

Uit de voorpagina maakte ik op dat de nieuwe regering van Spanje zich binnenkort bij de Verenigde Staten van Europa zou aansluiten. Dat zou voor de mensheid van grote betekenis kunnen zijn, maar ik liet de krant op mijn knieën zakken en bekeek peinzend de berk van Angelo en het andere schilderij, van de gewonde tijger, dat hij doodleuk aan mij had gegeven. Ook had ik een beschouwing gelezen over een satellietstation dat men in de ruimte wil lanceren. In 1952, zo stond er, had men gedacht dat het met tien jaar bekeken zou zijn; tien jaar en een handje dollars tot een bedrag van tien miljard. Nu blijkt het een beetje langer te gaan duren en een miljard of wat meer te gaan kosten. Door uitvoerige proefnemingen waarbij de omstandigheden in de buitenaardse ruimte werden nagebootst had men het vermoeden gekregen dat het menselijk gestel er op den duur schade van zou oplopen, wat bij vroegere experimenten op beperkter schaal niet naar voren was gekomen. Niets om onderstebovenvan te raken. De kandidaten zouden alleen maar nog zorgvuldiger geselecteerd moeten worden. Het zou 1967 worden, misschien '68. We hadden hen natuurlijk van het een en ander uit onze eigen oude geschiedenis op de hoogte kunnen stellen, maar ik onderschrijf de wijsheid van onze stelregel dat we hen zelf hun technologische problemen moeten laten oplossen. Dat we een paar primitieve volksstammen de pijl en boog hebben laten uitvinden, is nog tot daaraan toe, maar de tijden zijn veranderd.

's Middags kwam Feuermann bij me binnenvallen. Hij wilde weer naar het kerkhof. Het was buiten nog grauw van

78

de regen die ik hoorde ruisen, en dat zei ik hem dan ook. Met een glimlach keek hij naar de natte ruiten. 'Ergens daarachter schijnt de zon.'

'Jacob,' (we noemden elkaar nu bij de voornaam) 'weet jij iets van die kwestie tussen de Diggers en de Mudhawks? Ik zou niet graag zien dat Angelo daarmee te maken kreeg.'

'Ach... jongenswerk, lijkt me. Moeilijk om hem daarover aan de praat te krijgen.'

'Het schijnt dat er bij de Diggers ook oudere jongens zitten, een paar gemene figuren zelfs.'

'O ja?' Hij trok het zich aan, maar niet ernstig. 'Ik stel me zo voor dat jongens iets van een wild dier in zich hebben. Dat moeten ze uitrazen. Niet dat ik het Angelo graag zou zien doen. Maar dat joch van Kell kan er geloof ik best mee door.'

Ik was er nog steeds niet zo zeker van. 'Waar woont hij: weet jij dat soms?'

'Ergens bij South Calumet Street, in die achterbuurt. Ik geloof dat hij geen ouders meer heeft. Woont bij familie, ik meen een tante.' Jacob had mijn afgedankte krant ontdekt en Billy Kell verdween in zijn gedachten langzamerhand naar de achtergrond '... Of bij een of andere vrouw die hem geadopteerd heeft; ik weet het niet precies. Daar aan de zuidzijde nemen ze niet alles zo nauw. Hij zit bij Angelo in de klas en ik heb gehoord dat hij goed kan meekomen... Hee, heb je dit gezien? Max zit weer achter de tralies.'

'Max?' Toen schoot me een bericht van de voorpagina te binnen. Het was een New Yorkse krant, met de gebruikelijke ratjetoe van politiek gemanoeuvreer, toespraken, buitenissigheden, personen in het nieuws, rampen. Een zekere Joseph Max was gearresteerd wegens ernstige ordeverstoring met een handvol trawanten op een bijeenkomst waar een of andere senator het woord voerde. Er stond een stukje bij over Max zelf, maar de voortzetting ervan op een binnenpagina had ik laten schieten.

'Een nazaat van Huey Long.' las Feuermann met nadruk voor. 'Dat stond vanochtend niet in mijn krant. Long, en Geiteklier Brinkley, en de Ku Klux Klan, met een scheutje commu-nazi-extract om er een pittige smaak aan te geven . . . ach, zoiets sterft nooit uit!'

'O, is het er zó een? Ik geloof niet dat ik ooit van die Max heb gehoord.'

'Misschien dat de Canadese kranten zich niet veel aan hem gelegen hebben laten liggen. Hij heeft alleen maar een hemd in een speciaal kleurtje nodig. Hij stak voor het eerst de kop op in 1960, geloof ik, met – hoe noemde hij dat ook weer? – de Christelijke Kristallen Liga. Weet ik wat voor troep: en maar munt slaan uit dat ''Christelijke''. Net zo christelijk als mijn schoenzolen. Je weet hoe die neppartijtjes altijd in het jaar van de presidentsverkiezingen uit de grond schieten. Eendagsonkruid.'

'Ja, dat hebben ze van Hitler en Lenin ook een tijdje gedacht.'

'Nou, ik zeg je dat het een typisch stom menselijk trekje is, de ogen te sluiten voor wat ons schrik aanjaagt. Die Max is een paar jaar uit het gezichtsveld verdwenen, maar begon een jaar geleden weer in het nieuws te komen. ''Zuiverheid van het Amerikaanse ras'' staat hier. We leren het ook nooit.'

'Is dat de leuze van Max?'

'Ja, maar het ziet ernaar uit dat hij iets van de al te fantastische franje heeft laten schieten. Hij heeft nu iets opgericht dat hij de Partij van de Eenheid noemt. Beweert een miljoen trouwe aanhangers te hebben, een mooi rond getal. ''Het recht zal zegevieren!'' zegt hij op weg naar de nor nadat hij een paar bloedneuzen had uitgedeeld. 'k Hoop dat ze geen martelaar van hem maken; dat wil hij natuurlijk.'

(Het lijkt me zin te hebben, Drozma, een speciale waarnemer op hem los te laten, als dat nog niet gebeurd mocht zijn).

'Denk je dat hij het nog een eind zal schoppen?'

Feuermann slaakte een zucht. Op zijn schoot strengelden zijn vaardige vingers zich in elkaar en lieten weer los. 'Ik zit te veel op mijn luie achterwerk, Ben, en ik pieker te veel af. Ik zou er heel wat voor overhebben om weer tussen de rails te zitten, op de 509. Daar was ik zogezegd dik mee bevrind,' – hij kwam er schroomvallig voor uit – 'snap je? Mijn hele leven in touw geweest, dan wil het er niet gemakkelijk bij je in dat je oud bent. Misschien haal ik me dingen in het hoofd. Zitten niksdoen . . . Nee, waarschijnlijk is Max niet meer dan onkruid van één dag. Er zou toch wel genoeg gezond verstand in het land moeten bestaan om hem onschadelijk te maken voordat hij zich gaat uitzaaien. Dacht je ook niet, Ben, met alles wat we achter de rug hebben, de ellende die we hebben meegemaakt, dat we wel wat beter voor den dag zouden kunnen komen? Meer met liefde en minder met trots te werk gaan? Op je eigen kompas vertrouwen en iemand anders behandelen alsof hij er ook eentje heeft? Wat gij niet wilt dat u geschiedt . . . Zin in een ritje naar Byfield?'

Hij had last van eenzaamheid maar ik bedankte, met de regen als excuus. Hij verliet mij, met een karakteristiek openhartig lachje dat ik nooit meer te zien zou krijgen . . .

Laat in de middag hield het op met regenen. Ik trof Angelo en Billy Kell op de stoeptreden bij de voordeur aan, waar ze er in de vochtige warmte lui bij zaten. Waarschijnlijk nam hun gesprek een andere wending toen ik daar opdaagde en pietluttig op de bovenste tree een krant uitvouwde om erop te gaan zitten. Het was mijn tweede confrontatie met Billy. Angelo stelde ons aan elkaar voor en Billy liet niet blijken dat hij me al kende. Hij gedroeg zich beleefd, zoals een jongen van veertien heus wel kan zijn. Ik zocht er ironie achter. Hij gaf een geslaagde imitatie van het praten over ditjes en datjes zoals volwassenen dat doen, Canada, honkbal, noem maar op. Hij was er onuitputtelijk in, maar ik kon geen enkel onderdeel aanwijzen waarbij ik zou kunnen zeggen dat hij de draak met me stak.

Sharon verscheen aan de overkant met een roze jurkje aan dat me nieuw leek. Zoals ze bestudeerd met het rode balletje aan de elastieken draad in het afnemende zonlicht liep te stuiteren, zag ze er minnetjes en eenzaam en ook harkerig uit. Angelo riep: 'Hé, meisje, kom eens hier!' Ze liet haar rug zien. Angelo porde Billy in de ribben. 'Ze heeft weer eens een bui.'

'Ik baal,' zei Billy Kell. Zeker een of andere tieneruitdrukking.

Nu Sharon van haar stemming had blijk gegeven, kwam ze toch op ons af. Dwars door de jongens heenkijkend, sprak ze mij in al haar broze waardigheid aan: 'Goedenavond, meneer Miles. Ik had me al afgevraagd of u hier te vinden zou zijn.'

Ik gaf haar een stuk van mijn krant om op te zitten. 'De treden zijn nog vochtig, en zo te zien heb je een nieuwe jurk aan.'

'Dank u, meneer Miles.' Met vorstelijke onbevangenheid accepteerde ze de krant. 'Het verheugt me als het niet onopgemerkt blijft dat iemand ergens zijn best op heeft gedaan.'

Angelo's oren laaiden vuurrood op. Ik zat midden in het kruisvuur en zag geen kans me eraan te onttrekken. Billy Kell had er het grootste plezier in. Angelo prevelde: 'Nog maar wat gaan gooien voordat we moeten eten, hè?'

'Ik moet opstappen,' zei Billy Kell.

'Hebt u wel eens gemerkt, meneer Miles, hoe sommige mensen altijd hardnekkig op een ander onderwerp overstappen?'

Ik probeerde het over een strenge boeg te gooien: 'Dat zou ik ook wel eens kunnen doen. Hoe gingen de pianolessen van de week, Sharon?'

Dat doorbrak het dunne laagje gemaniëreerdheid. Opgetogen had ze het over de lessen. Uiteraard liet ze niet na stekeligheden in haar woorden te verwerken, maar ze sprak met veel genoegen. De lessen waren geweldig en werden steeds geweldiger. Maandag zou mevrouw Wilks haar een echt stukje geven dat ze uit het hoofd moest leren. Ze kon nu haast een octaaf omspannen, zei Sharon – in ieder geval als ze haar hand een beetje liet doorrollen. Inderdaad waren haar slanke vingers lang voor haar postuur. Angelo leed in stilte en Billy Kell bleef ondanks zijn opmerking toch zitten. Ten slotte raakte Sharon door haar gesprekstof heen en begon ze in herhalingen te vervallen. Angelo draaide zich om, zonder een zweem van een lachje. 'Sharon, mijn excuus.' Hij legde zijn hand op de neus van haar schoen. 'En vertel me nu maar eens waarvoor ik mijn excuus moest aanbieden, hè?'

Ze negeerde haar voet en richtte zich tot een denkbeeldige meneer Miles, ergens op het dak aan de overkant: 'Meneer Miles, hebt u enig idee waar dit kind het over heeft?'

'Ach, stik,' zei Angelo en Billy Kell proestte het uit. Ik zocht zelf naar een ander onderwerp van gesprek en vroeg of meneer Feuermann altijd zo lang in Byfield bleef.

Met enige moeite zette Angelo de gedachten aan de ergernissen van het eeuwig vrouwelijke van zich af. Ik weet niet waar Sharon die avond kwaad om was, afgezien van het feit dat hij haar jurk niet had opgemerkt. Vermoedelijk was het alleen maar de aanwezigheid van Billy terwijl zij Angelo voor zich alleen wilde hebben: een volwassen jaloezie in een tienjarig lijfje dat het nauwelijks aankon. Ook Angelo begon zich af te vragen wat er met Feuermann aan de hand was en maakte zich bezorgd. 'Nee, Ben, nee, dat doet hij nooit.'

Billy mompelde: 'Komt daar zijn wagen niet aan?'

Inderdaad. De man met zijn witte kop wuifde toen hij de hoek omging naar een garage in Martin Street. Angelo was nog steeds met zijn vrouwenperikelen bezig toen Feuermann te voet terugkeerde. Hij zwaaide met zijn sleutels, glimlachte de kinderen toe, merkte mij op en knikte – maar niet van harte. Er was iets mis met Jacob Feuermann. Hij bleef op de onderste tree staan en zei, zo te zien tegen

Angelo: 'Het is hier lekker, ondanks de regen.' Zijn stem klonk gespannen.

Ik wilde beslist die stem nog eens horen en merkte quasi-terloops op: 'Veel afkoeling hebben we er niet aan overgehouden.'

Hij weigerde me aan te kijken en zei op een nuchtere, sluwe toon die niet paste bij de Feuermann die ik meende te kennen: 'In Canada wordt het zeker nooit zo warm?'

Namir heeft hem natuurlijk gesproken, bedacht ik toen. Namir heeft een gerucht in omloop gebracht, om hem het idee bij te brengen dat ik iemand anders ben dan ik voorgeef. Dat was het ! Namir wist zich uiteraard op allerlei wijze te bedienen van lasterpraat, toespelingen en halve waarheden. Vreemde wapenen, zo gemakkelijk te hanteren, die zowel op de gebruiker als op het slachtoffer een smet achterlieten. Ik was op andere aanvalsmethodes bedacht geweest en had stom genoeg geen rekening gehouden met deze tactiek, die zo voor de hand ligt bij elk wezen dat vindt dat het doel de middelen heiligt. Nu moest ik er op een of andere manier achter zien te komen wat dat gerucht van mij had gemaakt – een Aziatische spion, een anarchist, een ontsnapte misdadiger. Het kon van alles zijn – hij had het voor het uitkiezen en wanneer ik de ene leugen had opgespoord en ontzenuwd, zou er een andere voor in de plaats komen. Ik zei: 'Soms toch wel, hoor. Alleen meestal niet zo vochtig, in het binnenland.'

'O ja? Weet je je dat nog zo goed te herinneren?'

Angelo zette alleen maar grote ogen op, Billy Kell zette een uitgestreken gezicht. En Feuermann had me een paar uur geleden nog wel in zo'n vriendelijke stemming verlaten! 'Het was niet zo lang geleden dat ik nog in Canada zat.'

'O juist. Is je moeder binnen, Angelo?' Zonder op antwoord te wachten, ging hij door de souterraindeur naar binnen. Om niet dicht langs mij te hoeven lopen.

6

De volgende dag kwam het geld uit Toronto binnen. Ik schafte me een redelijke vijfenvijftiger met een niet te zware motor en een gekreukelde bumper aan, en in de loop van de daarop volgende twee uiterlijk rustige weken leerde Angelo de bossen een beetje kennen. Misschien stak hij er zelfs wel heel wat op, want je hoefde hem niet te leren luisteren. De levende rust van het bos trad hij tegemoet met een heerlijke ontvankelijke rust van zijn kant en we namen zelden onze toevlucht tot woorden. Onder de bomen glijdt de normale jongensachtige ongedurigheid van hem af; hij kan stilzitten en afwachten en zijn ogen open houden. Liever dan schoolmeesterachtige pogingen in het werk te stellen om hem te beleren over wat hij zag, hield ik dan ook mijn mond en liet de aarde voor zichzelf spreken.

We maakten vier van die uitstapjes naar de naaldbossen in het voorgebergte van de Berkshires, een kilometer of vijftig buiten de stad – twee hele dagen en twee middagen. Omdat gesprekken storend zouden zijn geweest, kan ik niet beweren dat ik hem er veel beter door heb leren kennen, maar dat is niet erg. Hij was er gelukkig mee en hij leerde met al zijn zintuigen dingen in zich op te nemen die Latimer hem niet kon bieden. Rosa stelde vertrouwen in mij en leek het fijn te vinden dat hij met me meeging.

Maar Feuermann niet. In de avond van die regenachtige zondag ben ik hem in zijn kamer gaan opzoeken. Hij had geen zin om me aan te kijken, reageerde bokkig op mijn gekeuvel en om van me af te zijn, bedacht hij een boodschap waarvoor hij de deur uit moest. Ik maakte geen opmerking over de verandering die over hem was gekomen; menselijk gesproken, kende ik hem niet goed genoeg. Maar het klonk onoprecht. Nu je dit onbevooroordeeld leest, Drozma, heb je waarschijnlijk de situatie al doorzien. Ik toen niet. Ik

dacht alleen maar dat als hij iets kwalijks van me vermoedde, de Feuermann die ik had leren kennen op onderzoek
zou zijn uitgegaan of zijn vermoedens onder woorden hebben gebracht. Mokkend in zijn schulp kruipen lag eigenlijk
niet in zijn aard.

Het was bijna twee weken na die dag dat Rosa me
deelgenoot maakte van het een en ander waarover ze bezorgd was. Ze was mijn kamer aan het doen en het was weer
zo'n drukkende ochtend. Haar teint was vaal en ze ademde
moeizaam. Toen ik er op aandrong dat ze zou uitrusten, liet
ze zich dankbaar in de fauteuil zakken. 'Oei! als ik straks
nog maar overeind kan komen . . . Ben, toen jij nog een jongen was, ben je toen ooit bij een van die, je weet wel, van
die jeugdbenden terechtgekomen?' Ik liet mijn eigen jeugd
buiten het geding. 'Het lijkt me niet dat Angelo zoiets zal
doen.'

'Nee? . . . Jij hebt een goede invloed op hem; daar ben
ik dankbaar voor.' Ik weet nog dat ik het vreemd vond dat
ze nog steeds op vriendschappelijke voet met me stond, als
Namir de gemene angeltjes van zijn influisteringen gebruikte. 'Tja, ik was bijna hertrouwd, alleen omdat hij zo hard
een vader nodig heeft. Achteraf bekeken, zou er niets van
zijn terechtgekomen.' Ze bette haar vriendelijke ronde gezicht, dat bedroefd glom onder de handdoek die ze om het
haar geknoopt had. 'Heeft hij werkelijk gezegd dat hij zich
niet bij die bende van Billy Kell zal aansluiten?'

'Nou, nee . . . Maar misschien valt die bende best mee,
Rosa.'

'Een kwalijk stelletje. Altijd van die vechtpartijen, en
weet ik wat nog meer. En ik kom er maar *nooit* achter wat
het beste voor hem is. Het kost me al de grootste moeite
om er achter te komen hoe hoog de rekening van de kruidenier is. Hoe kóm ik aan zo'n kind? Neem mij nou, zo gewoon als wat . . .'

'Integendeel.'

'Dat weet je best,' zei ze, zonder enige koketterie. 'Nou,

pater Judd (die is nu dood), die heeft hem Francis gedoopt
– dat was een idee van Silvio. Naar Franciscus van Assisi,
zaliger gedachtenis, weet je wel. Dus eigenlijk heet hij Francis Angelo, maar dat Francis is er nooit goed ingegaan.
Toen hij nog geen jaar oud was, zag hij er zo ... zo ... nou
ja, ik moest gewoonweg de naam gebruiken die *ik* had uitgekozen ... Ben, zou jij er bij hem een woordje over willen
laten vallen, dat hij zich niet bij die bende aansluit? Jij kunt
dingen zeggen die ik ... die ik ...'
    'Wind je maar niet op. Natuurlijk zal ik het er met hem
over hebben.'
    'Als hij het wel doet, kom ik het misschien niet eens te
weten.'
    'Dat zou hij je vertellen.' Van haar sombere gezicht viel
af te lezen dat er heel wat was dat hij haar niet vertelde.
'Tussen twee haakjes, Rosa, is meneer Feuermann kwaad
op mij?'
    'Kwaad?' Ze was verbaasd, maar toen trok ze haastig op
haar eigen wijze een conclusie. 'O, dat komt van het warme
weer, Ben. Daar heeft hij erg last van. 'k Heb hem zelf al
de hele week nauwelijks gezien.' Ze duwde zich overeind
en maakte haar werk af ...
    Die middag ging ik uit rijden in mijn wagen. Angelo en
ik hadden hem Andy genoemd, naar Andrew Jackson omdat hij altijd krakend protesteert. Ik ging langs EL CAT SEN
op het tijdstip dat Sharon naar de verlaten school zou gaan
om piano te studeren. Met stijlvolle beheersing accepteerde
ze de lift die ik haar aanbood. 'Je zou eigenlijk thuis een
piano moeten hebben, Sharon.'
    'Mama heeft last van hoofdpijn,' antwoordde ze beleefd.
'Trouwens, 't is een goede piano die we op school hebben.
Mevrouw Wilks had hun gezegd dat dat nodig was. Mevrouw Wilks is geweldig. Ik hou uitzinnelijk veel van haar.'
    ''k Zou haar wel eens willen ontmoeten.'
    'Ze is blind. Bekijkt je gezicht met haar vingers, helemaal
zacht als veertjes. Ik kende dat stukje na twee keer al uit

mijn hoofd, zonder fouten.'

'Dat is geweldig.'

'Soms ben ik geweldig,' zei Sharon, in gedachten verzonken.

Op school werden we binnengelaten door de conciërge, een kippige oude baas, die me op mijn woord geloofde toen ik zei een goede kennis te zijn, en toen wegschuifelde naar zijn oerwoud van koude verwarmingsbuizen. Van die kant was geen bescherming te verwachten. De piano stond in de aula – een te grote zaal en veel te leeg – maar op de speelplaats onder de ramen werd basketballtraining voor tieners gehouden, en ik had twee jonge vrouwen aan het werk gezien in een kantoortje waar we langs gekomen waren. Ik zette de gevoelens van ouderlijke bezorgdheid van me af en wijdde mijn aandacht aan een half-en-half verwacht wonder.

Geen muziek, natuurlijk: stof voor beginnelingen, vijfvingerwerk, de C-toonladder, een kleuterwijsje met het plink-plonk van tonica en dominant in de linkerhand. Maar dat gaf niet. Het toucher was er, en ook de honger naar discipline en zelfdiscipline. Linker- en rechterhand hadden al een samenspel bereikt, en dat na nauwelijks twee weken les. Ja, toucher. Je zult zeggen dat het niet kan, maar ik heb het zelf gehoord.

Ik liep op mijn tenen de zaal in en liet me met open mond op een stoel zakken. Een smalle bundel zonlicht zette haar bruine haar in een gouden waas. Natuurlijk was ze de Sharon van Amagoya, van het rode balletje aan een elastiek, maar ik zag ook de vrouw in haar. Ik zag haar als een schoonheid, zelfs al zou ze die mopneus houden – maar dat zal waarschijnlijk niet het geval zijn. De jurk voor haar debuut zou wit moeten zijn, vond ik. Niet dat ze erg groot zou zijn maar het zou wel zo lijken wanneer ze in haar eentje in het licht van de schijnwerpers zat en een omvangrijke zwarte Steinway zich aan haar onderwierp. Voor mij was dat werkelijkheid. Voor haar zou er de vergankelijke betovering van het publiek zijn die roem heet; er zou ook de grotere prestatie zijn waarvan eigentijdse roem maar een magere weerklank is. Maar al zou het op diepe teleurstelling uitlopen, Sharon was toonkunstenares en zou zich er nooit aan kunnen onttrekken. Ik zou de blinde mevrouw Wilks moeten opzoeken; dan konden we dit bespreken.

Het zachte openen van de deur achter in de zaal had ik moeten horen maar ik had me helemaal ingesteld op Sharon en op het buitensluiten van de kreten van de basketballers, totdat ik aan de uiterste rand van mijn gezichtsveld een vage beweging opving. Ik zat in de schaduw weggezakt en hij zal dan ook niets van me hebben gemerkt totdat ik overeindschoot en omkeek. Toen blies hij haastig met gebogen hoofd en afgewend gezicht de aftocht. Ondanks een glimp van lichtblond haar die ik opving, kon ik niet met zekerheid zeggen of het Billy Kell was. De deur klikte zachtjes dicht en de indringer was verdwenen.

Ik kon het uit mijn hoofd proberen te zetten. Een of andere jongen die zo maar binnenkwam en niet wist dat de zaal in gebruik was. Een of andere speelkameraad van Sharon, die verlegen was geworden toen hij merkte dat er een volwassene aanwezig was. Maar de haastige aftocht had iets stiekems gehad. Ik kreeg dat koude gevoel in mijn keel, zoals de mens kippevel voelt.

Uit een van de ramen keek ik naar de groep basketballers. Billy was er niet bij en hij voegde zich ook niet bij de handvol toeschouwers, maar dat wilde nog niets zeggen.

Toen ik op mijn horloge keek, stond ik verbaasd. Sharon was een heel uur bezig geweest. Misschien dat ik een poosje in Martiaanse meditatie verzonken was geweest, maar ik dacht van niet. Ik geloof dat het een eenzijdige communicatie was geweest, waarbij haar zwoegende vingers mij hadden vastgehouden en gedwongen de inspanning, de belofte, de kleine maar veelzeggende overwinninkjes mee te beleven. Ze was er nu mee opgehouden en zat van haar zonnige plekje naar mij te kijken. 'Tjeem zeg, speelt u ook piano?'

'Een beetje, lief kind. Wil je even uitblazen?' Ze bood me haar krukje aan en ik speelde er zo goed mogelijk op los. Voor een schoolpiano was het niet zo'n slecht exemplaar, ook al riep het bij mij geen herinneringen op aan de drie Steinways die we een paar decennia geleden met zoveel pijn en moeite naar Noordstad hebben overgebracht en in elkaar gezet. Ik moest eerder denken aan een oude Bechstein die ik een keer in Oudestad heb bespeeld. In Oudestad houden ze van versluierde dingen, en deze studiepiano klonk ook versluierd, met een onaangenaam holle toon van de bassen. Maar het instrument was voor zijn doel geschikt. Ik speelde wat ik me nog van Schumanns *Carnaval* duidelijk wist te herinneren. Sharon had er geen bezwaar tegen, maar vroeg om Beethoven. Ik stelde *Für Elise* voor.

'Nee, dat heeft mevrouw Wilks al voor me gespeeld. Iets groters.'

De hemel beware me voor die stomme pinken van me, maar ik speelde de *Waldsteinsonate*. Wellicht koesterde ik de – overigens ijdele – hoop dat ik een diepgewortelde herinnering zou kunnen wegwerken door deze sonate met Sharon te associëren. Misschien weet je nog, Drozma, hoe ik in 30 894 een tournee langs de Vijf Steden heb gemaakt? Bij mij zal de *Waldsteinsonate* altijd weer het beeld oproepen van de gehoorzaal in Oceaanstad, met ramen die mijmerend uitzagen op het hart van de zee, ramen die met zoveel moeite waren ontworpen – ze hebben me verteld dat de namen van sommige bouwers van de stad in vergetelheid zijn geraakt. Het is nauwelijks vreemd te noemen dat onze bewoners van Oceaanstad altijd een beetje anders dan wij zijn geweest.

Toen ik er dat jaar concerteerde, heb ik naar mijn eerlijke overtuiging het niveau van de moderne menselijke meesters benaderd. Als dat inderdaad zo is, dan heb ik dat te danken aan Oceaanstad zelf en niet aan een of ander verrijkt vermogen van hart of handen. De doorgaande trage beweging van zeewier achter die ramen – altijd en nooit hetzelfde – de flik-

90

kering van voorbijschietende en terugkerende vissen, vuurrood en blauw en groen en goudkleurig, dat haal ik me ongewild voor de geest. Bovendien heeft iedereen daar me uitermate hartelijk bejegend. Ze gingen bij het luisteren volkomen in de muziek op en ze gedroegen zich alsof ze al een eeuw lang naar mijn bezoek hadden uitgezien. Zoals je weet, was het een tijdje later dat ik voor de noodzaak stond de geschiedenis van de mensheid te bestuderen. Die noodzaak is waarachtig en van blijvende aard, maar de reden dat ik nooit meer op tournee zal gaan, is dat ik daardoor te veel aan Oceaanstad zou worden herinnerd. Wat een verschrikkelijk blind toeval, Drozma, dat onze verre voorouders juist een eiland zo dicht in de buurt van Bikini moesten uitkiezen! Enfin, we hebben het tenminste 20 000 jaar in ons bezit gehad en we mogen blij zijn dat we voldoende waarschuwing hebben gehad om een deel van de onzen de gelegenheid te geven om te ontsnappen. Wellicht krijgen we in de komende eeuwen een nieuwe Oceaanstad, wanneer de eenwording een feit is . . .

Van dichtbij klonk het lispelstemmetje van Sharon: 'En nu nog wat van Chopin?'

'O, lief kind, ik ben er moe van. Zo'n tijd al niet meer gespeeld. Een volgende keer.'

'Ik moet u wel zeggen dat ik uitzinnelijk veel van u hou.'

Daarmee kwam wat mij betrof echt wel een einde aan ons samenzijn, hoewel ik er nog wel in slaagde achter de façade van meneer Miles vandaan haar enkele woorden toe te mompelen. Ook zij was moe en daarom braken we op.

De deur was opnieuw, maar ditmaal onschuldig opengedaan door de dames van de administratie, die naar mijn notengeweld wilden luisteren. Ik was naar behoren vereerd. Sharon ging vast naar de auto toe terwijl ik een woordje met hen wisselde. Ik had het over iemand die was binnengeslopen terwijl Sharon aan het studeren was en die er halsoverkop vandoor ging toen hij mij ontdekte. Misschien alleen maar een leerling, en toch . . . enzovoort. De ene jongedame stond met verlekkerde blik een echte pianist te bekijken, maar de andere ging op mijn opmerking in en beloofde dat in het vervolg de conciërge iets in de gang te doen zou hebben tijdens het oefenuurtje. De verontruste ouder in mij was gesust.

Maar niet helemaal. Toen ik Sharon bij EL CAT SEN afzette, zag ik verderop in de straat een bekende blonde kop, die zich niet bepaald haastig voortbewoog. Ik reed stapvoets een blok verder en parkeerde de wagen uit het gezicht van Sharon. Toen ging ik Billy Kell te voet achterna. Hoofdzakelijk, zo maakte ik mezelf wijs, om vast te stellen of ik de kunst van het schaduwen nog beheerste. Ja ja!

Calumet Street vertakt zich in het zuidelijke gedeelte in allerlei smalle kronkelstraatjes. De huizen zijn er voor het merendeel vrijstaand, houten bouwsels die bijna omvallen van verwaarlozing. De wijk zal er beter aan toe zijn geweest voordat zoveel gezinnen buiten gingen wonen en een omgeving verlieten waar ze nooit erg aan hadden gehangen. Je kwam er ook nu nog kinderen, katten en honden, handkarren en een enkele dronkeman tegen, maar die veranderden nauwelijks iets aan de bedrukkende sfeer van eenzaamheid en verlatenheid. Al waren er nog steeds brokjes samenleving aanwezig, er heerste een doordringende troosteloosheid. Dichtgespijkerde ramen, of ramen die niet dichtgespijkerd waren maar je met gebroken ruiten aangaapten als een toegetakeld gezicht met uitgeslagen tanden. Vuilnis. Glasscherven en grauwheid. Een rat zat me vrijpostig en onbevreesd op te nemen voordat ze door een spleet onder in een pui wegscharrelde. Menselijke wezens zijn nooit erg bijdehand geweest wat het opruimen van hun rommel betreft. Ik werd aangeklampt door een straatslijper en ik gaf hem een dubbeltje. Dat was in de zijstraat die Billy Kell was ingeslagen en toen ik me van die bedelaar had ontdaan, zag ik Billy een blok verderop ineens oversteken.

Een half blok voorbij Billy stond een paard voor een voddenkar aan een lantaarnpaal vastgebonden, een armzalig beest met uitpuilende ribben, dat in de drukkende warmte zijn kop diep liet hangen. Automatisch stak ik over om er niet dicht langs te hoeven lopen, hoewel ik betrekkelijk kort tevoren deodorant had gebruikt. Ik had me dienen af te vragen waarom ook Billy was overgestoken. Misschien kan als verontschuldiging gelden dat in dat smalle straatje geen Martiaan vrij van deodorant had kunnen passeren zonder die arme oude knol de stuipen te bezorgen. Zelfs nu, terwijl ik mijn lichaamsgeur had onderdrukt, wierp het paard zijn kop in de lucht en sperde van onbehagen zijn fluwelige neusgaten wijd open.

Verderop bleef Billy Kell staan kletsen met een groep van tien of twaalf jongelui die bij het hek van een miezerig uitziend kerkhof rondhingen. Misschien hadden ze hem opgewacht; hij gedroeg zich als een leider of raadsman. Ik vond een verlaten portiek dat me goed van pas kwam. Het moest vleiend voor Billy zijn dat ze alle aandacht aan zijn woorden schonken, hem bewonderende blikken toewierpen en om zijn grapjes lachten. Zowel de meisjes als de jongens hadden zo'n eigenwijze pomponbaret op, die blijkbaar het flodderpak als tienerembleem heeft verdrongen. De stemmen klonken scherp en moeilijk verstaanbaar en luidruchtig. Er werd een brabbeltaaltje van verwisselde lettergrepen en verzonnen woorden gebruikt; ik kon het dan ook maar zeer gedeeltelijk volgen. Toen Billy opstapte, kreeg ik weer het gebaar van het draaien van de pols en opheffen van de handpalm te zien . . .

In die wirwar van straatjes sloeg hij meermalen af. Ten slotte liep hij een armoedig en smerig tweeverdiepinghuis binnen, maar even tevoren constateerde ik iets dat al veel eerder tot me had moeten doordringen. Ik kuierde een half blok achter hem aan, met de rand van mijn hoed omlaaggetrokken. Toen hij de vervallen treden naar de voordeur opliep, waaide een zuchtje wind dicht bij mij een stuk papier op en liet het weer op straat neerkomen. Ik merkte het lichte gerucht nauwelijks op, maar Billy – een half blok verderop – hoorde het wel degelijk. Snel als een uil keek hij met een ruk om. Met een vluchtige blik stelde hij de oorzaak van het geluid vast en nam mij op. Of hij mij herkende, zou ik niet kunnen zeggen. Hij ging onbezorgd naar binnen.

Ik heb menselijke wezens meegemaakt die even snelle spierreacties vertonen als wij – Angelo is wat dat betreft soms bijzonder snel – maar nog nooit een met een gehoorscherpte die de onze benaderde. Toen kwam vanzelf de gedachte bij me op dat Namir een zoon had. Terwijl ik dit neerschrijf, beschik ik nog niet over onomstotelijke bewijzen. Hij zou om een andere reden hebben kunnen omkijken; dat hij het paard vermeed, kan toeval zijn of veroorzaakt door menselijke afkeer van deze diersoort. Maar ik geloof dat ik gelijk heb; de andere waarnemers zouden gewaarschuwd moeten worden.

Er was daar geen geschikte plek om me te verbergen en te blijven rondhangen; evenmin was er enige reden waarom meneer Ben Miles niet in dat achterbuurtje zou mogen ronddolen als hij daar zin in had. Ik liep het huis voorbij, toen erbinnen een storm van kijvende scheldwoorden losbarstte. Het was een monoloog van een vrouwenstem zo lallend van de drank dat ik er maar enkele woorden uit opving: 'Waardeloze kluns' – een stroom gejammerde vloekwoorden – 'pr'beer 'k een moeder voor je te wezen. 't Helpt geen flikker – donder op! Lame met rúst! 'k Voel me b'roerd . . .'

Ik keek net op tijd achter me om Billy weer naar buiten te zien komen nadat er een fles met een klap tegen het houtwerk te pletter sloeg. Hij kuierde op zijn gemak een hoek om. Bij ingeving liep ik terug. Ik bonsde op de deur totdat ik een akelig gefoeter en het schuifelen van sloffen hoorde. Ik zei: 'Brandweercontrole.'

'Hè?' Met haar welgevulde armen blokkeerde ze de deuropening. Ze stond me met roodomrande ogen wazig aan te kijken; werkelijk oud was ze niet – in de vijftig, misschien – en ze was vrij aardig gekleed. De vijandigheid op haar gezicht ging in een onnozel lachje over, en haar adem stonk een uur in de wind. Over haar schouder zag ik een slonzige voorkamer vol naaistersspullen. Ze was zeer zeker van menselijke oorsprong; per slot van rekening kan een Salvayaan vrijwel niet dronken worden. Ik denk dat ze in nuchtere staat wel eens heel anders zou kunnen zijn, wellicht verbeten fatsoenlijk en ijverig : het naaigerei zag er professioneel uit. Dat drinken was natuurlijk een verslaving, een vlucht uit de verstikkende ontberingen en terleurstellingen, en de jarenlange drinkgewoonte had haar als een ziekte klein gekregen en een bang, gemelijk, geïsoleerd oud mens van haar gemaakt, dat was duidelijk van haar gezicht af te lezen. De (lege) fles was tegen de deurpost gevlogen en de scherven lagen overal verspreid. Ik nam aan dat Billy zich al in veiligheid had weten te brengen voordat de fles haar hand verliet. 'Ongelukkie gehad,' gniffelde ze. 'Komt van de warmte; 'k voel me een beetje b'roerd.' Ze worstelde met een losgesprongen lok grijs-bruin haar. 'En wat mag ik dan wel voor u doen, meneer?'

'Periodieke controle, mevrouw. Hoeveel personen wonen hier?'

Ze zwaaide van de deur weg. 'Ik en de jongen, en meer niet.'

'O, alleen maar u en uw zoontje, mevrouw?'

''dopteerd. Gaat jou dat wat aan, verdomme? Ik betaal ook b'lasting, hoor! Ex-cuseert u mij.'

'Gewoon standaardvragen. Mag ik even de elektrische leidingen bekijken?'

Ze legde een hand tegen haar lippen en maakte met de andere een uitnodigend gebaar. 'Is er dan iemand die u iets in de weg legt?'

Ik stapte langs haar heen terwijl zij vergeefse pogingen in het werk stelde om de scherven op te ruimen. Ongehinderd inspecteerde ik haastig het hele huis. Boven waren maar twee kamers; de netste was onmiskenbaar die van Billy. Uit medelijden met haar, en ook enigszins gegeneerd, hield ik me niet in de andere slaapkamer op. Van Billy's slaapkamer werd ik niet veel wijzer, tenzij juist de afwezigheid van allerlei spulletjes van de jongen iets te betekenen had. Een veldbed, een stapel schoolboeken die er opvallend ongebruikt uitzagen al hadden zowel Feuermann als Angelo verklaard dat hij tot de beste leerlingen werd gerekend. Als er iets van een Martiaanse geur hing, dan was hij zo vaag dat ik hem niet van mijn eigen lichaamsgeur kon onderscheiden. De afwezigheid ervan wilde echter nog niets zeggen, want Namir had voldoende geurverdrijver gestolen om twee personen er geruime tijd van te voorzien. In ieder geval kon Billy niet Namir zelf zijn, want al was de uitgetredene nog zo handig in het vermommen, hij kon toch niet een overtuigende personificatie geven van een potig, gedrongen kereltje dat een hoofd kleiner was dan hij.

Bij mijn weggaan overlaadde de vrouw me met gênant aandoende verontschuldigingen. Het warme weer, zei ze. Ze had me wel een borreltje willen aanbieden, maar ze had geen druppel meer in huis, hoewel ze meestal iets achter de hand hield voor de spijsvertering, om het eten niet aldoor te laten opbreken. We gingen als dikke vrienden uit elkaar.

Als ik het bij het rechte eind heb wat Billy Kell betreft, zal hij wel met vlotte praatjes en vleierij een of andere onofficiële band met de vrouw hebben aangeknoopt. Door aan haar eenzaamheid en onderdrukte moederlijke gevoelens te appelleren, verschafte hij zich daarmee een tijdelijke naam en menselijke relaties als dekmantel. Toen ze hem 'geadopteerd' noemde, had haar manier van doen blijk gegeven van een uitdagende beduchtheid voor de autoriteiten. Ik meen te weten dat er voor gelegaliseerde adoptie velerlei formaliteiten vereist zijn waaraan ze geen van beiden hadden kunnen voldoen. Wanneer Billy Kell niets meer aan haar heeft, zal hij ongetwijfeld verdwijnen. Als hij de zoon van Namir is, zal dat niet gepaard gaan met gewetenswroeging of medelijden of enig gevoel dat hij bij haar in het krijt zou staan.

7

Toen ik weer naar mijn kamer ging, wilde ik mijn belofte nakomen dat ik een gesprek met Angelo zou hebben. Er was des te meer aanleiding toe, nu ik de menselijke achtergrond van Billy Kell had leren kennen. Maar iedere regelrechte benadering bracht problemen met zich mee.

Ik was ervan overtuigd dat Angelo veel met me ophad. Hij luisterde naar me wanneer ik iets te zeggen had. De uitstapjes naar de bossen waren een genot voor hem; daaraan wist hij met de woordkeus van een volwassene en de verlegenheid van een kind uitdrukking te geven. Ik had boeken voor hem aangeschaft en andere van de bibliotheek geleend. Ook daarvoor liet hij op charmante wijze zijn dankbaarheid blijken. (Een van de boeken was *Huckleberry Finn,* dat hij schandalig genoeg nooit gelezen heeft). We zijn eigenlijk nooit tot een bevredigende discussie over die boeken gekomen. Hij verslond Mark Twain en Melville; ik weet dat Dostojevski hem van zijn stuk bracht en dat hij zich amuseerde over de vlagen schriele dwaalbegrippen en drogredenen die uit de vieze baard van Marx te voorschijn waaiden. Maar er waren beperkingen. Hele stukken van zijn gedachten- en gevoelsleven waren van onzichtbare bordjes VERBODEN TOEGANG voorzien. Hij kwam niet bij mij wanneer hij zich ongelukkig voelde, hoewel ik wist dat hij vaak genoeg van die momenten kende. Dus: grootvaderlijke raad om zich niet bij die bende aan te sluiten, zoals Feuermann hem die misschien al had gegeven? Gezien de lichte barrière die Angelo's humor opwierp, zou dat absurd zijn. Het hem streng op het hart drukken? Terwijl ik terugschrik voor zijn rustige glimlachje? Was hij Martiaan geweest, dan had ik misschien wel geweten wat me te doen stond. Ik wil opmerken dat de mensen nooit een god hebben uitgevonden die hen kan begrijpen.

Met nog steeds het pafferige, kwetsbare gezicht van Billy Kells 'adoptiemoeder' voor ogen, sukkelde ik vermoeid de warme gang in en hoorde achter de gesloten deur van zijn kamer Feuermann aan het woord. De betekenis van wat hij zei, drong maar langzaam tot me door. 'Elke ervaring is van nut. Best mogelijk dat de Mudhawks harde jongens zijn; kom je waar ook ter wereld één stap verder als je niet hard weet te zijn? Je moet van je afbijten. Daar kun je niet van afzien, met jouw intelligentie. De mensen hebben een hekel aan intelligentie; wist je dat niet?'

'Hangt af van wat ze er aan hebben, hè?'

'Daar ligt het nog niet eens zo aan, Angelo. Bedenk een nieuw apparaat, en ze zullen er een tijdje dankbaar voor zijn,' zei de stem van Feuermann. 'Ze houden dan alleen van het apparaat, en niet van het brein dat het bedacht heeft, daar zijn ze bang voor. Ze mogen er genoeg bijgelovige angst bij hebben om het te vereren – een soort duivels-verering – maar het respect dat ze ervoor koesteren, zal nooit op iets anders dan bijgeloof gebaseerd zijn. Ik heb nog niet eerder op deze manier met je gesproken omdat ik niet zeker wist of je er al aan toe zou zijn. Maar ik neem aan dat het nu wel zover is.' Ik hoorde iets dat op Feuermanns genoeglijke kortademige lach leek. 'Het is natuurlijk wel zo dat het bijgelovige ontzag dat de mensen voor jouw ver-stand zullen hebben . . . profijt kan opleveren.'

'Hoe bedoelt u?'

'O, dat merk je vanzelf wel.' Ik hoorde de oude man zuchten. 'Vergeet in ieder geval niet dat ze vindingen willen hebben. Machines, eenvoudige ideeën die iets duidelijk lij-ken te maken maar ingewortelde vooroordelen met rust la-ten. Ze zullen er geld voor op tafel leggen als het apparaat of het idee er blinkend genoeg uitziet. Ik ken de mensen, Angelo.'

Dat kon gewoonweg Feuermann niet zijn. Feuermann zou niet laatdunkend over technische vindingen gesproken hebben. Op zijn bescheiden wijze was hij er even verzot op

98

als de eerste de beste Amerikaan van de jaren '960. Had hij niet het merendeel van zijn leven doorgebracht in dienst van een enorme technische vinding die de aarde een ander gezicht had gegeven? 'Nee, je moet voor elke duimbreed knokken, ieder moment, met elk wapen waar je de hand op weet te leggen. Ik ben een oude man, jongen; ik kan erover meepraten.'

'O,' zei Angelo luchtig, 'ik kan best een deuk in een pakje boter slaan. Maar als je geen lol hebt in het knokken om het knokken op zichzelf . . .'

'Dan leg je het af. Soms moet je zelfs iets lelijks uithalen – o, om iets goeds te bereiken, natuurlijk – maar het is allemaal strijd op leven en dood, en zorgen dat je er zo goed mogelijk uitspringt.'

Zo begon ik door te krijgen, Drozma, dat Jacob Feuermann dood was.

Ik klopte aan en stapte binnen. Nauwelijks voorbereid, tot ingrijpen gedrongen, zoals sommige menselijke wezens wanneer ze aanvoelen dat degenen van wie ze houden in gevaar verkeren. Ik was net nog tijdig genoeg weer in de huid van meneer Miles gekropen om de deur rustig achter me te sluiten en een sigaret op te steken. Uit zijn luie positie op de stoel bij het raam kreeg Angelo alleen die meneer Miles te zien. Wat de andere aanwezige in de kamer te zien kreeg, kon me niets schelen.

Hij zat in de leunstoel, met zijn voeten op het kussen dat door Feuermann finaal versleten was. Hij rookte zelfs diens meerschuimen pijp. Het was niet bepaald logisch, maar dat maakte me nog nijdiger. Wellicht heb ik last van zo'n menselijke vereenzelviging met onbezielde dingen, waartegen wij gewaarschuwd worden.

'Ik hoop dat ik niet ongelegen kom,' zei ik terwijl ik ongelegen kwam. 'Mijn hunkering gaat uit naar troostrijke filosofie.' Filosofie kon me gestolen worden. 'Gooi me er maar uit als de geest vaardig wordt.' Ik ging schrijlings op een andere stoel bij het raam zitten. Hij had me dan met stoel en al eruit moeten gooien, en dat had hij niet gekund. Het was tenminste een zekere troost dat ik geen fysieke angst had. 'Een prachtige meerschuimen pijp, die je daar hebt. Je bent vast een paardenliefhebber, hè?'

Ik lette op zijn ogen. Wanneer een mens schrikt, kunnen zijn pupillen zich verwijden, maar nooit de hele iris. Ik geloof dat de hele structuur van de oogbol ietwat anders is. Mijn laatste twijfel was weggevaagd. Met zorgvuldige nonchalance zei hij: 'Ja, zo'n beetje . . . Filosofie, hè?'

'Aha, filosofie!' kraaide Angelo. 'Daarvoor moet je hier wezen, Ben! Komt dat zien, komt dat zien, dames en heren, en leg ons uw problemen voor in woorden van minder dan één lettergreep. Feuermann en Pontevecchio, die we voor een enorm honorarium hebben weten te contracteren, brengen de oplossing in een kwestie van een hysteron proteron. Ze lopen, ze spreken, ze kruipen op hun buik rond als een haastje-rep-tiel. Tegen een geringe vergoeding kijken ze in het verleden, in de toekomst en zelfs in het heden. Niet voldaan, uw geld terug. Ja ja, beste dames en heren, het waren deze zieners, deze ongeëvenaarde raadgevers van de wereld van het ongeziene,' hij begon op dreef te komen en was zo welgemoed als een jonge hond die aan je schoen zit te knagen . . .' die laatst een van de duisterste raadselen van het lijdende mensdom hebben ontward, namelijk wie die overall in de hutspot van vrouw Murphy had gestopt.'

Ik vroeg hem wie dat was geweest.

'Alsof de duvel er mee speelde,' zei Angelo. 'Het ding is erin gedonderd toen ze kwaad werd . . . en Murphy zelf zat er nog in.'

De dubbelganger van Feuermann zweeg en vertrok geen spier. Ik zei: 'Kijk eens in de toekomst, profeet. Andy heeft het aan zijn kleppen, of misschien is het zijn carburateur. Hoelang zal het duren eer aardolie zo schaars wordt dat we weer onze toevlucht moeten nemen tot . . . paarden?' Zachtjes voegde ik er het Salvayaanse woord voor 'paarden' aan

100

toe, een woord dat we zo zelden onder elkaar gebruiken en dat altijd een onfatsoenlijke bijbetekenis heeft. Het vertoont voldoende klankverwantschap, zodat Angelo gedacht zal hebben dat ik de kriebel in mijn keel had. Namirs Feuermann-gezicht bleef volkomen uitgestreken.

Ik moet bekennen dat die stomme fout mijn schuld was, Drozma. Ik had best het feit dat ik hem had herkend voor me kunnen houden. Dat duidelijke voordeel heb ik laten schieten vanwege een kwade bui waarvoor geen enkele waarnemer een excuus zou kunnen laten gelden.

'Dat is nog eens een goede vraag,' zei Angelo en betastte een denkbeeldige baard om zijn ronde kin. 'Ik zou zeggen, meneer, dat de geëxtrapoleerde eventualiteit zich eventualiter zal voordoen tijdens het natuurlijke verloop der eventuele voorvallen, en niet eerder.' Ik probeerde naar zijn nonsensikale uitlatingen te luisteren, terwijl ik wist dat er ergens het lijk van een hartelijke, argeloze oude man moest liggen – verborgen of begraven, neem ik aan – louter en alleen omdat zijn dood goed van pas kwam in de plannen van iemand die het mensenras haatte.

Ik vroeg me af of Namir nog steeds in het bezit was van de desintegratiegranaat die hij moet hebben gehad toen hij lange tijd geleden uittrad. Zelfs dat oude type gaat onopvallend genoeg te werk, en ik zou niet weten waarom het niet even gemakkelijk het lichaam van een mens zou verteren als dat van een van de onzen. Als Namir van dat ding gebruik had gemaakt, zou de sterke arm der menselijke wet hem nooit te pakken krijgen. En ik besefte dat dat ook niet zou moeten.

Wat bij die inbraak bijna grappig had geleken, was het nu allerminst. Gevangenen worden door de Amerikanen bepaald niet nonchalant aangepakt; ze moeten zich aan een lichamelijk onderzoek onderwerpen en als ze geëxecuteerd zijn, wordt er een lijkschouwing verricht, meen ik te weten. Menselijke misdadigers laten soms hun vingertoplijnen operatief verwijderen. Van waar ik zat, zag ik dat Namir het niet had laten doen. Naar Martiaanse begrippen waren zijn vingers normaal. Dat alleen al zou een storm van nieuwsgierigheid ontketenen zodra onze hoekige vingerafdrukken hun intrede zouden doen in de politiedossiers. En als hij in het nauw werd gedreven, Drozma, ik kan je mening niet delen dat hij ons door een diep ingewortelde weerstand niet zou verraden.

Hij is min of meer een wezen geworden dat tot geen enkel ras behoort, iemand die zijn eigen wetten stelt, ontoegankelijk voor rede, gevoelens van trouw of mededogen. Welke andere soort schepsel had deze moord op Feuermann kunnen plegen? (Op het moment dat ik dit schrijf, beschik ik over bewijzen die ik die middag niet had. Op dat moment had ik alleen de walgelijke overtuiging dat het zo was, en toen ik eenmaal het bewijs in handen kreeg, vormde het alleen een bloedige punt achter een zin die al geschreven was).

Ik probeerde weer aandacht te schenken aan Angelo, die opgewekt doorklaterde, als een fonteintje in de zonneschijn: '. . . en deze vinding, die een triomfale bekroning vormt van de geniale geest van Feuermann-Pontevecchio, is iets eenvoudigs, iets héél eenvoudigs. Laat ik u in grote lijnen het denkwerk schetsen dat tot deze oogverblindende volmaaktheid heeft geleid. Regenwormen houden van uien. Ze zijn alliotroop, een term – zoals iedere schooljongen weet – afgeleid van *Allium* of look, het plantengeslacht waartoe onder andere de gewone ui behoort. Alliotropisch, vijf dollar, alstublieft. Daarom stellen wij voor lichte wagentjes te construeren – is eigenlijk nog niet gebeurd omdat we er de poen niet voor hebben – om te bevestigen aan een zorgvuldig berekende hoeveelheid regenwormen *(Lumbricus terrestris)*. We bevestigen een ui aan een stok voor de wormen uit, die er achteraan kruipen en daarmee trekkracht op het wagentje uitoefenen. Moet er worden gestopt, dan hoeft men slechts van de wagen te springen (vooropgesteld dat zijn snelheid niet te groot is), een kuil te graven en de ui erin te laten zakken. De wormen zullen dan omlaag duiken om die ui te bereiken, maar hun tuig zal zo ontworpen zijn dat ze er nooit bij kunnen, waardoor vervanging van de ui dus overbodig wordt – maar een goed span wormen moet natuurlijk voortdurend behoorlijk gevoed en verzorgd worden. En hoewel deze diertjes onvoldoende kracht hebben om de wagen onder de grond te trekken, zullen hun pogingen in die richting een geleidelijke remwerking opleveren en de kar ten slotte tot stilstand brengen. Waarom ouderwets doen? Waarom jezelf uitputten met oneconomische, onbetrouwbare, gevaarlijke paarden? Te droes! Waarom sukkelen met een droezig paard? Waarom mokken over een mokkig ros? Even naar de dealer om de hoek, en u bent de trotse bezitter van de gestroomlijnde, gedroomlijnde, wegblije, pechvrije Feuermann-Pontevecchio wormobiel.'

'Hebben jullie al een vennootschap gesticht?'

'Nog niet, Ben. We kunnen je op heel gunstige voorwaarden aan oprichtersaandelen helpen; en waar heb je de hele dag gezeten?'

'Wezen luisteren naar Sharon, die piano studeerde. Ze heeft werkelijk aanleg, Angelo.'

'O ja?' Hij had geen moment aan Sharon gedacht. 'Hoe weet je dat?'

'De manier waarop ze het aanpakt. Haar toucher. Ze lijkt er ... met hart en ziel aan toegewijd. Dat komt niet bij zo heel veel dingen voor. In de kunst, de natuurwetenschap. In de politiek ook, hoewel niet wat de gewone man er onder verstaat. De godsdienst, alweer als je er een duidelijke definitie voor hebt.' Namir-Feuermann was in diepe mijmering verzonken; zijn pijp was uitgegaan. 'Studie van de ethiek.'

'Toewijding aan studie van de ethiek,' zei de stem van de oude man, 'dat klinkt als een recept voor het opfokken van schoolfrikken.'

'Hoezo?' zei de jongen.

Namir deed of hij hoestte en in dat amechtige geluid hoorde ik een gefluisterd Salvayaans woord dat het best te vertalen is met 'Flikker op!' Daarna straalde het evenbeeld van Feuermann een vriendelijk verontschuldigende glimlach uit. 'Daar ben je nog niet aan toe, Angelo. Ik zou mijn hersens niet te veel afpijnigen als ik jou was. Daar kon je wel eens introvert van worden.'

Daarmee beging Namir een misslag. Het verheugde me toen ik tijdens de gelaten stilte die inviel, over Angelo's gezicht een floers zag trekken dat zoveel wilde zeggen als *'Oké, ik ben twaalf jaar – en wat dan nog?'*

'Trek er meer op uit, Angelo. Doe ervaringen op. Zoals ik daarnet al zei, is alles strijd. Je zult je meer en meer in het gewoel moeten begeven en je niet in een ivoren toren opsluiten.' Enfin, dat was waarschijnlijk een frase die de oude treinmachinist vaker in de mond had gehad. Ik kwam tot de conclusie dat Angelo zich niet erg druk maakte over die veranderde instelling omdat zijn gesprekken met de echte Feuermann vermoedelijk nooit veel diepgang hadden gehad. De echte Feuermann had hem onbaatzuchtige genegenhied en verdraagzaamheid geboden, maar kon Angelo nauwelijks als een geestelijk volwassen persoon hebben behandeld. Nu zou de veranderde houding van de oude man op Angelo alleen maar de indruk maken van een omgeslagen stemming zoals je van grote mensen kunt verwachten. De fysieke vermomming was uiteraard volmaakt; zoiets was Namir wel toevertrouwd. Hij had zelfs een uiterst klein litteken bij de haargrens overgenomen, dat weinig mensenogen ooit zouden hebben opgemerkt.

Ik vroeg Angelo: 'Geloof jij dat Beethoven met iemand in een stijd was gewikkeld toen hij de *Waldsteinsonate* schreef?'

'Niet bepaald.' Angelo was opgestaan. 'Boodschap bij de kruidenier . . . het geniale koppie dacht er opeens aan.' Ook ik kwam overeind en gaf een beleefd knikje naar degene die ik van plan was te vermoorden.

104

Dit voornemen acht ik gerechtvaardigd op grond van de wet van 27 140: 'Ernstige schade toegebracht aan ons volk of aan de mensheid.' Ik had alleen het bewijs van de dood van Feuermann nodig; dan kon ik tot daden overgaan. Ik zou een methode bedenken om Namir uit een mensenmilieu weg te lokken en dan de extra granaat die ik heb meegekregen te gebruiken. Daarna zou ik rustig gaan slapen. Zo stelde ik me dat voor. Ik gunde me geen blik achterom toen ik de deur sloot en Angelo inhaalde, in de verwachting dat hij nog steeds een en al vrolijkheid en onbekommerdheid zou zijn.

Dat was hij niet. Hij was al op de trap naar het souterrain maar kwam terug voordat ik iets had gezegd en keek met bezorgde blik naar mijn deur. 'Mag ik even binnenkomen?'

'Natuurlijk. Wat is er aan de hand, jongen?'

'O . . . alleen maar vijf vingers.' Maar er kon geen lachje af en hij darde wat in mijn kamer rond. Op een komische manier die ik meer van hem had gezien, trok hij met duim en wijsvinger zijn onderlip omlaag en heen en weer. 'Ik weet niet . . . Misschien heeft iedereen wel eens het gevoel dat hij twee mensen is.'

'Dat is zo. Twee of meer. In ieder van ons huizen vele vormen van het ik.'

'Maar' – hij keek op en ik zag dat hij werkelijk bang was – 'maar het moet niet . . . een scherpe tegenstelling zijn. Of wel, Ben? Ik bedoel . . . nou, bij oom Jacob op de kamer was het alsof . . .' Hij frutselde wat aan spullen die op de toilettafel lagen; misschien om zijn gezicht te kunnen afwenden, en voegde er op ongelukkige toon aan toe: ''k Moest helemaal geen boodschap doen. Ik wilde gewoon de kamer uit . . . Ik bedoel, Ben, er is een ik dat het hier wel naar zijn zin heeft, met van alles: hier wonen, Sharon, Bill, de andere jongens, zelfs de school. En . . . nou, vooral in de bossen en . . . o ja, met jou een gesprek voeren en zo . . .'

'En dat andere ik zou graag . . . ?'

'Alles laten barsten,' fluisterde hij. 'De hele rotzooi laten

105

barsten en opnieuw beginnen. Daar, in die kamer, was het net of ik . . . of ik doormidden gespleten was. Maar dat is geschift, hè? Daar is geen touw aan vast te knopen. Ik wil heus niet weg. Als ik . . .'

'Dat gaat over, denk ik.' Ik wist niets beters op te brengen dan deze slappe woorden, waar hij nauwelijks iets aan zou hebben.

'Ja, dat zal wel.' Hij maakte aanstalten om weg te gaan.

'Wacht even.' Ik haalde de ingepakte spiegel achter uit een la van de toilettafel. 'Misschien wel eens interessant om te bekijken. Dit heb ik uit Canada meegenomen. Toen ik geschiedenis doceerde, Angelo, was dat in hoofdzaak geschiedenis van de oudheid. Dit heb ik gekregen van een vriend die goed thuis is in de archeologie en die . . .'

Drozma, ik geloof dat ik bang was geweest voor die spiegel. Het zou wel daarom kunnen zijn dat ik hem voor dit onhandig gekozen moment nog nooit had uitgepakt. Is het een produkt van het toeval of van een verloren gegane kunst? Een of andere lichte vertekening in het brons, waardoor vele waarheden duidelijk naar voren springen? Ik zag de jonge Elmis, de net-niet-formidabele musicus, het jonge warhoofd dat jij met zoveel geduld hebt onderwezen, de doorzetter die geschiedenis studeerde, de verstrooide minnaar en echtgenoot, de onhandige waarnemer, de vader die te kort schoot. Hoe kan dat, in een eenvoudig kunstnijverheidsprodukt uit de lang vervlogen Minoïsche wereld? Wanneer je de spiegel flauwtjes bewoog . . . ach, laat ik het maar niet in woorden trachten uit te drukken. Het is nog tot daaraan toe dat je zuiver verstandelijk weet dat je oud zult worden, dat je verschillende gezichten zet bij een triomf, schaamte, de dood, hoop, verslagenheid; het is heel iets anders als je het haarscherp in het brons weergegeven aanschouwt. Ik ging er helemaal in op, speurend naar wat ik eens in Oceaanstad was geweest, toen ik Angelo hoorde zeggen: 'Wat is er?'

'Niets.' Ik wilde hem er nu niet in laten kijken, maar de

spiegel ging van mijn stuntelige in zijn onschuldige bruine vingers over. Met moeite wist ik aan het woord te blijven: 'Het is Minoïsch, in ieder geval van Kreta afkomstig, vermoedelijk lang voor de tijd van Homerus gemaakt. Zie je wel: Ze hebben het patina voorkomen, of liever gezegd weggepoetst, en daarom is het nog steeds een spiegel zoals destijds . . .'

Hij luisterde niet. Ik zag hoe hij beefde en zijn gezicht rimpelde en vervormd raakte, alsof hij een nachtmerrie beleefde. 'Zeg, geef mij dat ellendige ding maar terug; ik had er zelf nog nooit in gekeken. Ik wist het niet, Angelo. Maar het is niets om bang van te zijn . . .'

Hij schoof met een ruk opzij toen ik de spiegel van hem wilde aanpakken en bleef er tegen wil en dank in staren. 'Jee, wat een . . .' Hij begon te lachen en dat maakte het nog erger. Ik pakte de spiegel van hem af en smeet hem op de toilettafel.

'Ik zou een klap voor mijn kop moeten hebben. Maar, Angelo, ik wist niet . . .'

Hij trok zich van me weg. 'Pas op, ik denk dat ik moet kotsen.' Hij holde naar de trap. Toen ik hem achterna ging, keek hij uit het donkere trapgat naar me om en zei: 'Het gaat wel weer, Ben. Ik voelde me raar, meer niet. Denk er maar niet meer aan.'

Er niet meer aan denken?

8

Die nacht kon ik niet in slaap en evenmin tot meditatie komen. Uit de aangrenzende kamer drongen menselijk klinkende geluiden van mijn vijand tot me door. Als Namir de deur uit was gegaan, zou ik hem achtervolgd hebben. Als de granaat complete ontbinding had veroorzaakt, zou ik hem die nacht nog in zijn kamer uit de weg hebben geruimd. Maar dat zou enig gerucht met zich hebben meegebracht, ook al had ik hem in zijn slaap verrast. Dan hadden we te maken gekregen met vlekken, de paarse gloed, gaslucht, handenvol resten, die allemaal moesten verdwijnen.

Ik ging niet naar bed maar bleef aangekleed bij het raam zitten, waarbij ik vergast werd op een maansopkomst die ik niet kon waarderen. Om twaalf uur hoorde ik een helibus daveren, de laatste vóór zes uur 's ochtends. Wel kreeg ik nog wat kleinere geluiden van menselijke herkomst te horen: nachtelijke voetstappen, de lach van een vrouw ergens achter een dichtgetrokken gordijn vandaan, nu en dan een auto die langszoefde over Calumet Street, maar geen enkele over Martin Street want die loopt drie blokken verder naar het oosten dood op een houtwerf. Een baby was aan het jammeren, totdat iemand hem kwam sussen. Na enen hoorde ik het lijnvliegtuig van Chicago naar Wenen ver en hoog en eenzaam overtrekken.

Het opengaan van de schuttingdeur op het achterplaatsje was maar een schim van een geluid. De maan stond nu hoger aan de hemel en er viel geen licht op mijn gezicht. Ik keek hoe hij naar binnen glipte, zachtvoetig, met bleek oplichtende haardos, onheilspellend. Hij moest een door de maan beschenen stukje van de plaats oversteken en krabde zacht als een insektevleugel langs de hor van de keuken. Hij had gemerkt dat mijn ramen open stonden, maar ik zat in het donker.

Angelo kwam naar buiten. Er viel geen enkel woord. Ze staken de plaats over en losten in het duister op. Ondanks zijn kreupelheid bewoog Angelo zich even geluidloos voort als Billy Kell.

Ik liet hen een lichte voorsprong krijgen op Martin Street, haalde toen de hor uit mijn raam en sprong naar beneden. Niet meer dan een paar meter, maar ik moest elk geluid vermijden. Ze keken niet om. Ik hield me in de schaduwen van het maanlicht. Ook in de schaduw maakten ze een steelse indruk, zoals ze voortgleden naar de houtwerf, als belichamingen van de nevel die vochtige aanslag op de trottoirs en halo's om de straatlantaarns vormde. Uit mijn kamer had ik de nevel nauwelijks opgemerkt, maar nu ademde ik hem in. Hij doolde melancholiek overal om me heen, alleen niet zo verwarrend als de doffe wolk die over mijn denken was gedaald. Ook de Aarde kan schreien – mijn planeet Aarde.

Toen ik achter hen aan de houtwerf opsloop, hoorde ik een stuk of tien, twaalf onderdrukte stemmen; de meeste schril, een paar volwassen van toon zoals die van Billy Kell. Er doemde een hoge stapel twee-bij-achtduims planken voor me op en ik wist dat de bende zich daarachter bevond. Ik begon afzonderlijke stemmen te onderscheiden en hoorde Billy Kell zeggen: 'Je hebt alle andere tests gehaald; dan ga je deze toch niet verknollen?' En een opgewonden jankstemmetje zei ter aanmoediging: ''t Is niks als een vuile rot-Digger, Angelo.'

Hun voetengeschuifel verschafte me de nodige geluidsdekking. Ik beklom de stapel en wurmde me naar de andere kant om over de rand te gluren. Een magere jongen was ter hoogte van zijn middel aan een balk van de volgende stapel vastgebonden. Zijn handen waren op de rug geboeid, zijn hemd hing gescheurd over het touw om zijn middel, zijn gezicht en borst zaten onder het vuil. Hij was de enige die met het gezicht naar mij toe stond. Zijn hoofd hing voorover; zelfs als hij mocht opkijken, zou hij de vlek van mijn gezicht tegen het vlak van de donkerder nachtlucht niet opmerken, dacht ik. Hij was onvermoeibaar aan het schelden. Het klonk pittig en minachtend, en niet als een uiting van iemand die pijn lijdt. Als het moest, zou ik wel omlaag kunnen springen en tijdig de groep uiteenjagen om een ramp te voorkomen. Intussen moest ik erachter zien te komen wat er precies aan de hand was.

Billy Kell had zijn arm om Angelo's schouder geslagen

en stond met aandrang en flikflooiend te oreren. Hij loodste Angelo van de anderen vandaan en kwam vlak bij mijn schuilplaats terecht. De snerpende stemmen van de andere jongens bestonden voor mij niet meer. 'Angelo, 't is niet zo dat we hem echt in zijn verdommènis steken, snap je wel?' De fluisterstem van Billy Kell klonk zacht vleiend. Ik zag hem glimlachen. 'Kijk maar . . .' Hij liet Angelo een mes zien en draaide het om er het fletse licht op te laten vallen. Daardoor werd ook Angelo's gezicht naar me toegedraaid – een vaag strijdperk van angst en opwinding, van geboeidheid en afkeer. 'Alleen maar een goedkoop nepdingetje,' zei Billy Kell. ''t Is van plastic. Moet je kijken . . .' Hij stak met het mes naar zijn eigen handpalm en deed het zo realistisch dat ik even terugweek voordat ik het mes bij de punt onschuldig zag omkrullen.

'Hem alleen maar in zijn broek laten pissen van angst, hè?'

'Gesnopen, Angelo. Ermee naar hem uitvallen zonder hem te raken, weet je wel, en dan toesteken . . . o, in zijn schouder of zo. Maar moet je luisteren: De andere jongens denken dat jij denkt dat het een echt mes is , snap je? Ik maak het je gemakkelijk want, verdomme, jij bent mijn vriend en ik kan je aanvoelen. Jij zou geen knijf kunnen gebruiken. Dat snap ik best, weet je, maar zij niet. Dus maak er voor ons een mooie komedie van, hè?'

'Ik snap het. En wat je verder over hem vertelde . . .'

'O, dat was waar. Hij heeft echt bij jullie ingebroken. We hebben hem door de mangel gehaald. Hij ging kwekken. Hij zong zijn hele liedje voor ons. Een uitdaging van de Diggers, hij moest wat uit elke kamer weghalen, alleen kneep hij hem voor dat geld, nam alleen maar een beetje en pikte toen die fotoalbums en zo weg . . . schijtlaars. Hij moest ook niet bij jullie in het souterrain komen. Weet je waarom? Om het te laten lijken of jij van de huurders gepikt had.'

'Verdomme, née!'

'Nou reken maar, joh. En hij heeft de hond doodge-

maakt. Ik zal je vertellen dat we er alles bij hem uitgekne-
pen hebben. Hij had haar een stuk hamburger toegegooid
en toen de nek gebroken...'

'Meneer Miles is niets kwijt, en dat was de kamer...'

'Misschien zei hij dat alleen maar. Hoor eens, Angelo,
vandaag of morgen zal ik je wel eens een paar dingen over
die meneer Miles van jou vertellen.'

'Hoezo? Miles is een prima peer.'

Voor deze bijval mijn innige dank...

'Dacht je dat? Laat maar – hebben we het later wel eens
over, joh. Hier, pak aan.' En Angelo greep naar het mes.
Het ging een beetje onhandig en Billy liet het vallen, bukte
zich en zocht in het donker rond. Toen liepen ze weer van
me weg en had Angelo het mes in de hand. De anderen
drongen op om het goed te kunnen zien, een boosaardig
zootje kobolden in een nachtelijke beroering. Dus ik heb
weer een bok geschoten, Drozma. Ik had het kunnen weten.

Angelo zette nu een hoge stem op, die bijna doorsloeg:
'Jij hebt mijn hond gedood? Jij hebt mijn hond gedood, gore
rot-Digger?'

De magere jongen spuugde naar Angelo's voeten en zei
niets. Maar zijn lef begon te tanen en hij liet een gejammer
horen toen hij naar het mes keek. Hij deinsde terug toen
Angelo's kinderhand ermee toesloeg. Maar hij was het niet
die een kreet slaakte toen dat mes in het lichaam doordrong
– ik zag het duidelijk – en er uit de schonkige schouder bloed
over Angelo's vingers gutste. Angelo schreeuwde het uit,
wierp het mes van zich af, rukte een zakdoek uit zijn heup-
zak en trachtte al het bloeden tegen te gaan voordat de
anderen van de ingehouden spanning bekomen waren en
begonnen te ginnegappen.

'Krijg de pest, Billy, rotzak...'

'Hou je gedeisd, man, wat is nou zo'n beetje bloed?' Billy
schoof Angelo opzij en maakte snel en handig de touwen
van de magere jongen los. Hij gebaarde naar twee andere

111

jongens dat ze hem moesten vasthouden en veegde de wond schoon om haar te bekijken. "t Is maar een sneetje,' zei Billy, en in zekere zin was dat ook zo. Angelo was degene die werkelijk gewond was.

Ik zag hoe Angelo er kokhalzend en huiverend bijstond. Hij bracht halfslachtig zijn bebloede hand in de richting van zijn mond en liet haar toen weer zakken. Onthutst graaide hij naar de zakdoek die Billy had laten vallen en deed een vage poging er zijn vingers mee af te vegen. Daarna gooide hij de zakdoek weg en braakte.

Billy draaide de gevangene met een ruk om en gaf hem een schop. 'Je bent nog zo goed als heel. En nou oprotten, Digger, als de sodemieter! Rennen, en zeg die druiloren van jullie maar dat we het niet langer pikken.'

De magere jongen wankelde van hem weg en hield een stuk hemd tegen de snee aangedrukt. 'W-wat niet?'

Billy grinnikte. 'Jullie niet. We pakken jullie . . . waar of wanneer dan ook.'

De magere jongen nam de benen. De kobolden stonden te meesmuilen. Billy pakte Angelo bij de pols en hief zijn arm in de lucht. 'Volwaardig lid van de Mudhawks. Is *hij* oké?'

'Hij is oké,' zeiden ze. Een spookachtig spreekkoor.

'Hoor eens even, mannen! Hij heeft de messen verwisseld toen hij in de smiezen had dat die andere nep was. Eigenlijk wilde hij niet maar hij deed het toch, omdat hij wist dat het zo moest. Dat is nog eens een *echte* Mudhawk. *Ik* wist het, toen hij zijn bloed offerde voor de eerste test.'

Toen zwermden ze nog dichter om de twee heen, met omarmingen, nerveus gelach, kinderlijke vuilbekkerij en woorden van lof voor Angelo, die het allemaal onderging met een miezerig lachje, met langzamerhand wegzakkende schaamte en verborgen verachting en toenemende trots, met aanvaarding tegen wil en dank, alsof hij nu zichzelf de leugen van Billy wilde laten geloven. Omdat die leugen een goede politieke zet was? Ik zou het niet kunnen zeggen.

'Nou,' zei Angelo, 'nou, hij heeft toch zeker mijn hond doodgemaakt?'

Het was nu een echte mist, die Billy Kells samenzweerders één voor één opslokte nadat ze hun pols gedraaid en de handpalm omhoog gestoken hadden. Mij te mistig: ik kan me met de beste wil van de wereld niet in die kinderen verplaatsen. Was ik maar oud genoeg om vier of vijf eeuwen terug te kunnen denken.

Er mankeert een bepaalde eigenschap bij hen en ze hebben iets vaags over zich, in tegenstelling met de benden die ik zo'n beetje heb bestudeerd toen ik zeventien jaar geleden in de Verenigde Staten was. Destijds waren de benden oppervlakkig bezien veel kwaadaardiger en lawaaiiger en lastiger. Ze dreven meer op hun onuitgesproken wrok tegen de wereld van de volwassenen en op kennelijke honger naar seks en geld en opwinding. De verweesden van tegenwoordig (in zekere zin zijn het allemaal wezen) vallen op primitievere voorstellingen terug. Met hun magische toerusting – bij sommigen moderne kleding en een eigen jargon, maar magisch *is* het – wordt de suggestie gewekt dat ze, door de oudere generaties geestelijk en moreel in de steek gelaten, in een staat van waarachtige onverschilligheid zijn vervallen. Misschien ligt het aan het verval van de steden, misschien ook niet. South Calumet Street is een terugkolkend deeltje van de grote stroom en wellicht zal ik in de villawijken en op het platteland op heel andere situaties stuiten, ik weet het niet. Maar het kan nauwelijks vreemd worden genoemd dat deze verlating, dit plichtsverzuim van de volwassenen, zich voordoet in een cultuur die nog geen kans heeft gezien de van oudsher bestaande religieuze geboden door iets beters te vervangen.

Het is een overgangsstadium, denk ik. De kracht ontleend aan de traditionele vroomheid is verloren gegaan in wat ze de negentiende eeuw noemen en miljoenen van hen hebben toen, haastig gebakerd als de mens is, het kind met het badwater weggegooid. Begrippen als discipline, verantwoordelijkheid en eer zijn tegelijk met de in diskrediet geraakte dogma's afgeschaft. Nu de steun van Jehova weg is, willen ze nog steeds niet op eigen benen leren staan, maar ik geloof dat het er op den duur toch wel van komt. Ik vind de twintigste-eeuwse mens een vrij aardige figuur met zwakke benen, en een hoofd dat er niet zo best aan toe is doordat hij er voortdurend mee tegen stenen muren loopt. Misschien dat hij daar binnenkort mee ophoudt, zijn verstand terugkrijgt, zich weer aan zijn taak als mens gaat wijden en daarbij vertrouwt op het goddelijke in hemzelf en zijn naaste.

Billy en Angelo waren de laatsten die weggingen. Ik volgde hen terug naar nummer 21. Voordat Angelo naar binnen ging, draaide hij zijn pols en bracht zijn handpalm omhoog – als volwaardig lid van de Mudhawks. Ik vreesde voor hem het ergste wat betreft de pijnlijke ervaring, die in zijn dromen de vorm van allerakeligste schrikbeelden zou aannemen, als hij in slaap wist te komen. Ik schaduwde Billy Kell verder over Calumet Street. Toen hij een blok voorbij EL CAT SEN was, haalde ik hem in en keerde hem met een ruk om. In het Salvayaans zei ik: 'Moordenaarszoontje – heb je nu je zin?'

Hij staarde me met een mensenkinderlijk onschuldige blik aan, eerst onaangedaan, maar daarna liet hij iets van menselijke angst blijken. Een natuurlijke reactie of berekening? Hij hakkelde in het Engels: 'M-meneer Miles, Jezus . . . b-bent u niet goed of dronken of zo?'

Lusteloos zei ik in het Engels: 'Je verstond me best.'

'U verstaan? 'k Dacht dat u het benauwd kreeg. Bent u een heroïnespuiter of zoiets? Blijf van me af!'

Ik had hem bij zijn shirt te pakken, en met een bewuste bedoeling. Ik was van plan het shirt open te scheuren, en al zou het mistige maanlicht niet sterk genoeg zijn geweest om de eventuele reukstofkliertjes aan de onderkant van zijn borst voor mij zichtbaar te maken, ik had over die plek kunnen wrijven en dan aan mijn hand ruiken. En dat wist hij.

114

Of hij was wel menselijk en had op menselijke wijze de schrik te pakken. 'Waar heeft je vader je chirurgisch kunnen laten behandelen? Ronsa de Uitgetredene was die kunst machtig. Leeft *hij* soms nog, die aartszondaar? Geef antwoord!'

Hij wist zijn shirt los te wringen – want hij was sterk – en tuimelde van me weg. 'Hou op! Laat me met rust!'

Maar ik ging langzaam en nadrukkelijk in het Salvayaans door: 'Morgenavond zal ik het bewijs in handen hebben van wat je vader heeft uitgehaald. Afgelopen, jochie. Hij zal wel moeten sterven, denk ik, en ik weet zeker dat jij – als het niet door mij is, dan door andere waarnemers – naar het ziekenhuis in Oudestad zult worden gebracht voor onderzoek en behandeling...'

'Jézus, u bént high! Moet ik soms een smeris roepen? Daar schrik ik heus niet voor terug. Ik ga gillen, hoor!'

Dat zou hij vast en zeker gedaan hebben. (Maar zou een menselijk boefje nu juist dat dreigement hebben geuit? Als hij zich door een volwassene belaagd voelde, misschien wel, ja). Hij had de buurt op stelten kunnen zetten en de politie in de looppas laten opdraven. Dan zou ik alleen maar een lelijke, lange, niet al te best geklede man zijn, beschuldigd van het aftuigen van een weerloze jongen. Liever gezegd, voordat het zover kon komen en de patrouillewagen me bereikte, zou ik mijn granaat in werking moeten stellen. Dan zou er een kortstondige paarse vlam oplaaien en een hoopje vuil op het trottoir achterblijven; nog dagenlang het onderwerp van alle gesprekken in Latimer; opdracht mislukt, Angelo in de steek gelaten en zonder verdediging tegen degenen die zijn vrienden leken. In het Engels snauwde ik hem toe: 'Ach, donder op!'

Zo snel als ik met goed fatsoen kon, liep ik terug. Toen ik ter hoogte van EL CAT SEN was en 'Hee!' hoorde fluisteren, moest ik een blik achterom werpen om er zeker van te zijn dat Billy Kell was verdwenen, eer ik omhoog durfde kijken naar de bleke bloem in een open raam op de eerste verdieping, die Sharons gezichtje bleek te zijn. 'Hee, schatje, te warm om te slapen?'

'Tjeem, nóu.' Ik zag haar armen op de vensterbank, en donkerder knoppen, die haar ogen moesten zijn. 'De maan was helemaal wazig, Ben. Nou, ik zou best langs de regenpijp naar beneden kunnen komen, maar eerlijk gezegd heb ik niets aan.'

'Een andere keer dan.'

'Zat je Billy achterna?'

'Was dat Billy? Niets van gemerkt. Nee, alleen een luchtje scheppen. Ga maar liever weer slapen, anders word je niet op tijd wakker.'

'Meen je dat? O ja, ik heb een klavier op de tafel bij mijn bed getekend; alleen heb ik niets kunnen bedenken om de zwarte toetsen omhoog te krijgen.'

'Ik zal wel iets beters bedenken.'

'Hè?' Het was de stomme verbazing van een kind dat niet gewend is zo maar weldaden van iemand te verwachten. Nu ik haar humeurige vader had leren kennen, vroeg ik me zelfs af hoe het geld voor de pianolessen op tafel was gekomen. Waarschijnlijk had de moeder met de hoofdpijnen in een bevlieging druk weten uit te oefenen, veronderstelde ik. Het zou niet voldoende zijn voor Sharon om het steile pad dat ze nog voor zich had in zijn geheel te kunnen afleggen. Ik kwam tot een besluit en dat deed me goed.

'Ik zal eens met mevrouw Wilks gaan praten. Ik denk dat ik een betere gelegenheid om te studeren voor je kan vinden dan je nu op school hebt . . . Voor zijn . . .?'

'. . . roodkoperen,' zuchtte Sharon. 'Zou dat kunnen? O, wat geweldig!'

De volgende ochtend en middag kreeg ik Angelo niet te zien. Tegen het einde van de ochtend ging ik naar beneden, maar Rosa zei me dat hij niet erg lekker was; ze liet hem maar in bed blijven vermoedde dat hij nu in slaap was gevallen. Een kou opgelopen, dacht ze. Ze maakte zich er niet druk om; dat overkwam hem wel meer. Daaruit alleen al concludeerde ik dat hij haar niets over de bende had verteld. Kou gevat!

's Middags heb ik één ding voor elkaar gekregen. Ik heb ons een verplichting op de hals gehaald, Drozma, waarvan ik aanneem dat onze kleine financiële dienst in de enclave van Toronto haar graag zal nakomen. Veel geld is er niet mee gemoeid en ik beschouw het als iets goeds dat ik tot stand heb gebracht, ook al zou mijn opdracht uiteindelijk mislukken. Ik ben bij mevrouw Wilks geweest, die vroeger Sophia Wilkanowska heette. Zoals ik al had verwacht, kostte het weinig moeite tot een geestelijk contact met haar te komen. Ze is een geboren pedagoge, dat wil zeggen ze houdt van mensen en wordt niet aangetast door de spanningen van alledag; die heeft zij net zo goed als ieder ander maar ze krijgen haar geest niet kapot.

Ze is klein, porseleinblank, en wekt ten onrechte de indruk dat ze teer zou zijn. Ze woont in een rustige straat die nog net aan de goede kant van de spoorlijn ligt (ik heb het adres aan onze communicator in Toronto doorgegeven) samen met haar zuster die nauwelijks Engels spreekt maar niet blind is. Ze weten zich te redden. Het Engels van Sophia is behoorlijk. Toen ik op het Pools overging, fleurde ze op, en van dat moment af was er niet veel voor nodig om op vriendschappelijke voet met haar te komen. De twee waren in 30948 uit het geteisterde en onvrije Polen gevlucht, toen Sophia al vijftig was en haar zuster achtenveertig. Ik vond het beter maar niet te vragen hoe Sophia's man om het leven was gekomen. Ze verven beiden hun haar gitzwart en geven zich aan nog enkele andere ijdelheidjes over, en de muziek is bij Sophia als de vurige glinstering van een diamant, iets onuitroeibaars.

We hadden het over Latimer, waar men tegenwoordig dankzij de nogal ruim beschikbare vrije tijd niet onverschillig tegenover de muziek staat. Omdat er nog andere dingen waren die dringend mijn aandacht vroegen, stelde ik wat plompverloren voor van hun lesgelegenheid een kleine muziekschool te maken. 'Maar . . . maar . . .' wierpen ze tegen.

'Ik raak al op leeftijd. Ik heb geld, Canadese effecten en andere investeringen die ik toch niet kan meenemen. Hoe kan ik er beter iets blijvend waardevols van maken?' Ik zette uiteen dat het huis ernaast leeg stond. Er zou misschien een samenwerkingsverband kunnen worden opgezet met een paar andere muziekpedagogen in Latimer . . . studeergelegenheid gratis ter beschikking gesteld van veelbelovende leerlingen als Sharon Brand. Sophia Wilkanowska merkte tot haar genoegen dat de aap uit de mouw kwam. Ze wist wat er met Sharon te bereiken zou zijn, anders zou ze niet de pedagoge zijn geweest die ik voor het kind wilde hebben. Ik zou zorgen voor de aankoop en de inrichting van het huis, zei ik, en mijn aandeel diende anoniem te blijven. Ik zou het bij akte overdragen, tien jaar lang onderhoudskosten garanderen en voor de rest moesten zij zorgen.

Ik gunde hun een uurtje de tijd om het idee in hun verbouwereerde, ietwat ongelovige maar als het er op aankwam toch wel praktische geest te laten post vatten. Intussen zaten we in het Pools te converseren en heerlijke koffie te drinken uit kleine transparante kopjes, die ze vijftien jaar tevoren op een of andere wijze op hun vlucht hadden weten mee te slepen. Sophia stelde met genoegen vast dat ik een goed pianist was toen ik tot haar rustige voldoening een polonaise ten uitvoer bracht. Ik was een mededeelzame, excentrieke heer van vaag Pools-Amerikaanse afkomst, die op leeftijd begon te komen en zonder aan de weg te timmeren een monument voor zichzelf wilde opzetten. Dat beeld begon geleidelijk logische vormen aan te nemen. Meer voor mij dan voor hen, maar ten slotte 'biechtte ik op' en vertelde hun hoe ik Sharon had leren kennen en haar had horen oefenen. Ik had gehoord dat ze thuis geen piano kon krijgen en daar was ik boos om geworden. Ik hield van haar, had zelf geen kinderen, en dat monument wilde ik nog steeds hebben.

Toen kwamen zij los. 'Het brengt risico's met zich mee,'

zei Sophia, 'als je zo naar muziek hongert als dat kleintje.
Voordat zij haar eerste les kreeg, meende ik dat mijn eigen
honger... weet u wel? ...was weggehamerd door de
vingers van kleine apen die ... ach, wat doet het er toe.
Maar wat zal zij er aan overhouden, meneer Miles? School
of geen school? In deze wereld of een andere?'

'Beproevingen. Triomfen, nederlagen, rijping. Het
wreedste dat je haar zou kunnen aandoen, is haar voor het
pijnlijke van omhoogworstelen te behoeden.'

'Lieve hemel, daarin hebt u volkomen gelijk. En wij aanvaarden uw aanbod, meneer Miles.'

Dit is tenminste voor elkaar.

9

Het vorige hoofdstuk heb ik een week geleden voltooid, op
mijn benauwde kamertje, de avond nadat ik naar de mu-
zieklerares van Sharon was geweest. Ik zat er op het geleidelijke invallen van de zomeravondschemering te wachten. Morgen zal ik niet dood zijn, maar Benedict Miles wel.
Ik schrijf dit in haast neer, Drozma, om mijn rapport af te
maken, om jou op de hoogte te stellen van een besluit waarvan zelfs jij, mijn tweede vader, me niet zal kunnen afbrengen.

Toen het donker werd, haalde ik Andy uit de garage aan
Martin Street, waar ik de keurige wagen zag staan die van
Feuermann was geweest, en reed naar Byfield. Ik parkeerde de wagen bij de hoofdweg, stak een stukje bosgrond over
en klauterde over de omheining van het kerkhof. De maan
was nog niet op.

Ik voel me te midden van overleden mensen altijd op mijn
gemak. Hierin althans komen ze bepaald met ons overeen,

dat onze 500 à 600 jaar niet meer rimpeling in de eeuwigheid teweegbrengen dan de koddige haast van een secondewijzer. Ik vond de glooiing terug vanwaar Angelo en ik Jacobs ritueel hadden bijgewoond, en ik tastte de grafsteen van Mordecai Paxton af naar overblijfselen van paardebloemen. Ze waren nog niet helemaal tot stof weergekeerd. Toen ging ik op het graf van Susan Feuermann af.

Het was tien dagen geleden dat Feuermann naar Byfield was gegaan en er een evenbeeld van hem was teruggekomen. Die dag had het geregend, maar nadien niet meer. Ze besteden daar veel zorg aan de nagedachtenis van hun overledenen. Het gras was er keurig gemaaid en ik zag dat op verscheidene stenen de decoratie opgeknapt was. Elders, een eindje van dit moderne gedeelte vandaan, heeft de natuur op sommige plekken de gelegenheid gekregen op haar eigen wijze de gevallenen beschutting te bieden. Daar staat het gras hoog en zie je hier en daar wat bescheiden plantjes bloeien die door de mens onkruid worden genoemd.

Ik speurde naar tekenen van een tragedie die duisterder was dan van welke overledene ook die hier wordt herdacht: Jacob Feuermann was niet omgekomen van ouderdom, door pech of een onnozele ziekte, of ten gevolge van een gebrek of karaktereigenschap van zijn kant. Als een kind in een gebombardeerde stad was hij nietsontziend van het leven beroofd in een conflict waar hij part noch deel aan had.

In tien dagen tijds had het gras zich grotendeels weer opgericht en zijn eigen levenspatroon voortgezet. Toch helde het nog voldoende over om me te laten ontdekken waar iets was weggesleept naar een lager stuk grond achter een strook wilgen. In die holte had Namir zijn sporen nonchalant weggewist, maar het zou wel bestand zijn tegen de niet al te kritische blikken van de tuinlieden. Op deze voortdurend beschaduwde lap grond was het grastapijt dun en vermengd met mos. Namir had een gedeelte ervan teruggerold en de overgeschoten aarde rondgestrooid zonder er veel moeite voor te doen het te verbergen. Bij het dichtmaken had hij de randen wel weggewerkt maar ik wist ze toch te vinden.

Toen ik in het vergetele duister neerknielde, kon ik me over die tien dagen heen de verregende middag voor de geest halen, zoals hij moest zijn geweest. 'Ergens daarachter schijnt de zon,' had Feuermann gezegd. Weinig mensen zouden het zo hebben opgevat, en niemand behalve die oude man zou bij zulke zware buien een bezoek aan dit kerkhof hebben gebracht. Maar hij had er in de regen gestaan om de onschuldige vertroosting die het hem schonk, toen hij uit het gras belaagd werd.

Ik wroette met mijn duim door aarde die vol graswortels had horen te zitten. Achter mij – nee, de maan was nog lang niet op – achter mij zei Namir: 'Ja, daar ligt hij. Je hoeft mijn vuile karwei niet ongedaan te maken.'

Hij keek van het hogere terrein op me neer, een verscheurend dier met het gezicht van Feuermann en een glimp van ons koude blauwe vuur in zijn ogen. Jij hebt mij erop gewezen, Drozma, dat hij een schepsel is dat altijd pijn lijdt. Dat leek ook nu het geval te zijn, zoals hij daar stond met toegeknepen mond en naar voren gestoken hoofd tussen zijn brede schouders. Maar ik geloof dat de pijn van degenen die met het kwaad leven iets anders dan pijn wordt. Ik denk dat ze ernaar gaan hunkeren, zoals een heroïneslachtoffer een bittere hunkering naar zijn verslavingsmiddel voelt. Hoe verklaar je anders het hopeloze recidivisme van sommige misdadigers, de niet aflatende bezetenheid van de dweper die er maar één idee op nahoudt, de bergen lijken om een Hitler heen? Het was niet louter een uiting van hysterie toen de heksen van nog maar enkele eeuwen geleden er prat op gingen dat ze met de duivel paarden.

Zijn hele houding had iets tijgerachtigs. Maar een tijger is onschuldig, alleen maar hongerig of nieuwsgierig naar rondwriemelend kleiner leven. Ik zei: 'Zou u zo goed willen zijn te verklaren hoe u dit tegenover uzelf rechtvaardigt?'

'Rechtvaardigen? Nee.'

'Uitleggen dan?'

'Niet aan een waarnemer. Sommigen zullen eer betonen aan wat ik ben, in de toekomst.'

'U hebt geen toekomst meer, maar wel nog een keus.'

'Wat er te kiezen valt, maak ik zelf wel uit.' Ik zag het simpele mes met het lange lemmet in zijn hand verschijnen. 'Soms hiermee.' Hij zag niet hoe ik een ronde kei oppakte voordat ik opstond van de plek waar Feuermann begraven lag.

'Heeft Feuermann op die manier de dood gevonden?'

'Ja, Elmis, als je van zoiets onherroepelijks als de dood wilt spreken na zo'n miezerig leventje als dat van zijn soort.'

'En hij heeft geen kans gehad zich te verdedigen?'

'Moest dat dan? Ach, Elmis , hij glimlachte zelfs en zei: "Hè, dat meent u toch niet? Ik heb u niets gedaan." Snap je? Met zijn bekrompen geest kon hij er niet bij dat iemand geen enkel belang aan zijn leven zou hechten. Hij zei: "Wat is dat voor een geintje?" en stak zijn hand uit om het mes in ontvangst te nemen alsof ik een ondeugende jongen was ... *ik!* Toen zag hij dat ik al bezit had genomen van zijn gezicht en daarvan raakte hij van de wijs. "Heeft iedereen een tweede ik? Dit droom ik natuurlijk maar." Dus heb ik voor hem een einde aan die droom gemaakt, en dat ga ik bij jou ook doen.'

'Trek je je er niets van aan dat mijn bloed op het gras oranje zou zijn?'

'Absoluut niet. Waarom zou jij het wel doen? Als ze je nog op tijd aantreffen om een lijkschouwing te verrichten, ben je van de voorpagina's verdwenen zodra er zich een pittiger moordzaak met seksuele motieven voordoet.'

'U bent niet meer dan een miezerig duiveltje, Namir. Ik heb 30 000 jaar op Aarde, mijn planeet Aarde, achter me.'

'Zie je dan maar te verdedigen met die 30 000 jaar.' Struikelend in zijn haast kwam hij de helling af; hij hijgde alsof hij het te kwaad had. Ik raakte hem met de kei op zijn

122

wang en beschadigde zijn eigen jukbeen en de kunsthuid die er overheen lag. Half verdoofd viel hij; het mes verdween met een boog in het donker. Hij krabbelde onmiddellijk overeind en ging het gevecht met mij aan: zijn handen aan mijn keel en mijn handen aan de zijne. Zijn blik was gespannen op mij gericht, alsof hij van me hield maar nog meer van het idee van mijn dood. Ik verbrak zijn greep op mijn luchtpijp en pakte hem bij de schouders ter hoogte van de zenuwen onder het sleutelbeen. Op die punten moet een Martiaan pijn voelen, maar hij was moeilijk onder te krijgen.

Langer dan ik me kan voorstellen, stonden we zo met elkaar te worstelen. Het kunnen best ook maar enkele seconden zijn geweest, want de maan was nog steeds niet op toen het voorbij was. Op een gegeven moment hoorde ik hem steunend uitbrengen: 'Geef je 't op, Elmis? Nú dan wel?' Even later, toen ik hem had teruggedrongen naar het aangetaste gras over het graf van Feuermann, bracht hij er verstikt andere woorden uit, nu hij de schaduw van zijn dood over zich voelde zoals een wezel de plotselinge schaduw van een roofvogel voelt aankomen: 'Ik ben oud; maar ik heb een zoon . . .' Hij merkte dat hij oneffen grond onder de voeten kreeg en bracht een knie omhoog om me daarmee een stoot onder de gordel toe te dienen, maar ik was er op voorbereid. Met een voet rukte ik zijn andere been onder hem uit en eindelijk kwam hij op de zachte grond te liggen. Zijn armen waren strootjes gelijk en zijn lichaam gaf het vechten op. Kreunend zei hij: 'Ik ben maar één van de velen. Wij zullen altijd voortbestaan.'

Ik zag zijn mes liggen en stak het achter mijn riem. 'U kunt nog steeds kiezen. Het ziekenhuis in Oudestad, of dit hier.' Ik liet hem de granaat zien. 'Ik heb er nog een. Of wilt u er liever eentje van uzelf gebruiken?'

'Snotneus van een engelenhulpje . . . Nee, ik heb er geen meer.'

'Wanneer is die van u dan gebruikt?'

'Dat was in Kasjmir.' Hij pulkte doelloos aan het gras; in zijn ogen laaide een blauwe gloed bij de herinnering en voor een deel zelfs het plezier dat hij er nu nog in had. 'Ongeveer een eeuw geleden – wil je het horen?'

'Daar sta ik op.'

'O ja, je dure plicht. Wat een lelieblanke ijdelheid! Enfin, er was een kleine jongen die iets van Boeddha in zich had. Zoiets als Angelo. Ik heb hem een tijdje in de leer gehad, maar hij liet me in de steek. Best mogelijk dat hij de nieuwe Boeddha was. Ik moest hem uit de weg ruimen. Hij was al aan zijn verkondiging begonnen, zie je. Ik wilde niet dat er van zijn lijk een heilig reliek zou worden gemaakt en daarom heb ik de granaat op zó'n manier gebruikt, Elmis, dat hij alleen nog maar in een paar analfabetendorpjes vaag als een *duivel* wordt herinnerd. Vrede, verkondigde hij; versterk het innerlijke licht door acht te slaan op het licht van anderen... akelig gemeier, je kent het genre wel, en dan was hij ook nog maar een beginneling. Hij citeerde graag de laatste woorden van Gautama, en andere idioten begonnen naar hem te luisteren. "Degene die nu, Ananda, of na mijn verscheiden zijn eigen licht zal zijn, bij zichzelf te rade gaat en niet elders zijn toevlucht zoekt, zal voortaan mijn ware discipel zijn en het juiste pad bewandelen..." enzovoort, enzovoort, hier en daar een kleine aanvulling van hem zelf erbij.'

'En daarvoor vond u het nodig om...'

'Ja, mij komt de verdienste toe dat ik althans één oervervelende religie in de kiem heb gesmoord. Ik mocht hem ook erg graag. Hij had veel weg van Angelo, die tussen twee haakjes stiekem op weg was naar South Calumet Street toen ik het huis verliet om jou achterna te gaan...'

'Wat?'

'Naar Zuid. Bendenoorlog, weet je wel.' Hij keek met een glimlach naar me op, zonder een blik op de granaat te werpen. 'De Diggers gaan het vanavond tegen de Mudhawks opnemen en Billy Kell... dat is nog eens een kerel, die Billy.' De blik die hij nu afwendde, was niet helemaal vrij van arglist en zou iets kunnen bijdragen aan het bewijs voor mijn vermoeden omtrent Billy Kell. 'Enfin, ze hielden een krijgsraad, die ik heb afgeluisterd. Angelo kwam met een paar goed bruikbare ideeën aan. Eén ervan, om van de daken gebruik te maken, viel buitengewoon bij mij in de smaak. De Mudhawks zullen positie kiezen op de daken in Lowell Street, waar de Diggers langs moeten op weg naar de afgesproken plaats van het treffen, in Quire Lane. Ik geloof dat beide legertjes gebruik gaan maken van wat ze nagelspuiten noemen. In plaats van met kogels schieten ze met zesduims draadnagels; een variant van de kruisboog. Het beste overzicht heb je waarschijnlijk op de hoek van Lowell Street en Quire Lane, als het nog niet voorbij is wanneer je daar arriveert; laat ik je *vooral* niet ophouden.' Zijn gelach was voor een deel misschien nog welgemeend ook. 'O ja... die keus! Elmis, als je eens wist hoe grappig je eruitziet. Dacht je dat *jij* me uit de weg kon ruimen?'

'Als instrument van mijn volk en anderen. Ziekenhuis of granaat?'

'De granaat, natuurlijk.' En hij hield op met lachen.

'In de hele geschiedenis zijn er maar twaalf Salvayanen geweest die door executie zijn gestorven. Ze namen de granaat met ongeboeide handen aan. Ik zou me graag aan die traditie willen houden, als ik wist dat ik u kon vertrouwen... Houdt u de traditie hoog?'

'Allicht. Een roemrijke eer: nummer 13.' Hij stak de armen boven het hoofd en zei verdrietig, hoewel ik er ook iets van spijt in beluisterde: 'Ook ik ben Salvayaans, Elmis. En bovendien oud en zat.'

. Ik bevestigde de granaat aan zijn taille en deed een paar passen achteruit.

Toen maakte hij mij, naïeveling, duidelijk wat in de 346 jaar van mijn leven nooit goed tot me was doorgedrongen: dat je nooit kunt weten of je de waarheid te horen krijgt uit de mond van degenen die haar verachten. Hij griste de granaat weg en slingerde haar met een grote boog van zich af. Het projectiel miste mij maar raakte een wilg. Eén moment was het kerkhof vervuld van een helder paars licht toen spint en kernhout van de onderkant van de stam in het niets opgingen. Met een lang aangehouden geruis viel de kruin naar me toe. Ik moest als een bezetene wegspringen om mijn hachje te redden. Tussen de graven door kwam de venijnige hoge lach van Namir op me af. 'Leg dát maar eens uit aan dat geadopteerde volkje van je!'

Ik ging er niet van uit dat wat hij me over de bendenoorlog had verteld gelogen was. Ik klom achter hem aan de omheining over, maar achtervolgde hem verder niet. Toen hij zag dat ik zijn mes in de hand had, dook hij het bos in; zijn laatste blik achterom liet me een waanzinnige grijns zien. Ik zal hem nog wel eens tegenkomen, als ik niet voor die tijd het loodje heb gelegd door mijn stupide weifelmoedigheid. Zijn wagen, de wagen van Feuermann, stond achter de mijne geparkeerd. Ik sneed de voorbanden ervan door en reed in mijn eigen auto naar Latimer terug.

Ik parkeerde Andy een eind voorbij nummer 21. Toen ik de motor had afgezet, hoorde ik iets, een gegil in de verte dat veel weghad van een ketel die aan de kook komt. De donkere opeenhoping van huizen zeefde er veel van weg. Op de terugweg van Byfield was de maan eindelijk opgekomen, maar daar had ik nu niet veel aan in deze straten met hun aaneengesloten bebouwing. Lowell Street splitste zich twee blokken voorbij EL CAT SEN van Calumet Street af; waar Quire Lane liep, wist ik niet precies. De huizen aan Lowell Street waren geen van alle vrijstaand, waardoor de smalle straat op zo'n verkeersravijn in een stad als New York leek. Toen ik de hoek omsloeg, was het strijdrumoer niet meer ver af en klonk het twee keer zo luid. Een hijgende man holde tegen me op. 'Hé, man, niet die kant uit gaan! De benden . . .' Hij pakte me bij de arm om zijn evenwicht te bewaren. 'Politie opgeroepen, verdomme niet komen opdagen, dat zie je altijd als je ze *nodig* hebt . . . 'k Dacht 'k zal eens kijken of ik de straatagent op Calumet Street kan vinden . . .'

'Zijn er gewonden?'

'Jongens met bebloede koppen . . . dat wordt nog wel erger. Man, ik zou maar liever . . .'

'Ik red me wel. Ik woon die kant uit.'

'Nou, neem dan mijn raad aan en blijf binnenshuis. Rotjochies zijn keien van de daken aan het gooien, hier aan Lowell Street. Een klein meisje geraakt, ze was niet eens bij dat stelletje, holde er alleen maar achteraan . . .'

'Waar? Waar is ze?'

'Hè? O, een of andere vrouw heeft haar opgepakt, naar binnen gebracht . . .'

'Mijn dochtertje . . .'

'Mijn God! Denk nu niet meteen het ergste, kerel, het kan best een andermans kind zijn. Ze was trouwens niet ernstig gewond, niet eens buiten westen, weet je wel, en die vrouw . . .'

'In welk huis?'

'Overkant, tweede van de volgende hoek af.'

Ik kneep hem bij wijze van bedankje in de arm en holde weg.

Achter me ketste er een kei op straat. Eén exemplaar maar (was dat het idee van Angelo?) en de klap verzonk vrijwel in het niet bij het gegil voor mij uit, waar Quire Lane moest lopen. In mijn gedachten concludeerde ik dat het niet Angelo kon zijn die gegooid had – niet op dit moment, niet naar één enkele volwassene, nu de Diggers dit blok al voorbij waren. Een deel van me hield er nog steeds aan vast toen ik het huis binnenstoof.

Het was inderdaad Sharon. Ze hadden haar op een bed in de voorkamer liggen . . . twee vrouwen, van wie de ene de gapende wond op haar hoofd aan het schoonmaken was, terwijl de andere zenuwachtig rondscharrelde. Sharon hield op met grienen toen ze mij in het oog kreeg. Ik lapte de voorschriften voor waarnemers aan mijn laars en knuffelde

127

haar, waarbij ik haar meteen op haar kop gaf. 'Wat was je in godsnaam van plan?' De irissen van mijn ogen zullen wel zo groot als soepborden zijn geweest, maar dat heeft ze vast niet gemerkt. Het was goed met haar, zoals de mensen dat uitdrukken: het bloeden was vrijwel gestelpt en de vrouw die Sharon te hulp was geschoten, had de wond goed verzorgd. 'Sharon, Sharon, wat . . .'

'Ik wilde ze ermee laten ophouden. Zorg jij dat ze ermee ophouden?'

'Tuurlijk, ik ga al. 't Komt voor elkaar, Sharon.'

Ze werd wat rustiger, slaakte een zucht en veegde verwoed en vakkundig met een haal van haar hele arm haar neus af. 'Eerlijk, Ben, jij komt altijd opdagen wanneer ik je nodig heb, eerlijk.'

'Het komt voor elkaar, Sharon. Ik zal zorgen dat ze ophouden.' De vrouwen drongen me bij haar vandaan en de ene wilde weten hoe ik het in mijn hoofd haalde mijn dochtertje in het donker over straat te laten zwalken. Ik wist te ontsnappen met de verklaring dat ze verdorie niet mijn kind was; ik wist alleen waar ze woonde en ik zou haar straks komen ophalen om naar huis te brengen. Ik holde het huis uit op zoek naar een veldslag, en die vond ik dan ook.

Quire Lane was een gore steeg, een slop, met aan weerskanten een pakhuis en doodlopend op de blinde achtermuur van een derde pakhuis. Later ben ik van de politie te weten gekomen waartoe de strategie van de Mudhawks had geleid. De Diggers waren in draf over Lowell Street opgerukt met het idee in de betrekkelijke afzondering van Quire Lane het afgesproken robbertje te zullen uitvechten. De bedoeling was eenvoudigweg te proberen hoeveel schade ze elkaar konden toebrengen voordat de sirenes klonken. Waarschijnlijk hadden de Diggers de situatie niet eens precies door toen het in Lowell Street keien begon te hagelen. Zelf hadden ze de moeite genomen de lamp van de lantaarn op de hoek van Lowell en Calumet Street stuk te slaan. Eén jongen werd meteen gedood. De politie trof naderhand in een afstapje naar een souterrain nog een jongen aan die zijn schouder had gebroken. Het dode kind moet ergens in de schaduw hebben gelegen toen ik langs dat blok holde . . .

Toen de Diggers de steniging voorbij waren, kregen ze een groepje van de Mudhawks in het oog dat voorgaf op de vlucht te slaan naar Quire Lane. Daarna sloot de hoofdmacht van de Mudhawks de val door uit schuilplaatsen in portieken en verderop in de straat te voorschijn te stormen, bijgestaan door de stenengooiers van de daken – met één uitzondering. Billy Kell is sindsdien noch door mezelf noch door de politie gesignaleerd en aan de vechtpartij in Quire Lane heeft hij niet meegedaan. Beducht voor zijn oranje bloed?

Ik moet wel aannemen dat Billy Kell zich alleen op het dak bevond toen de Diggers al voorbij waren.

De Mudhawks drongen met hun vuisten, keien, messen en nagelspuiten de Diggers naar het doodlopende gedeelte van de steeg. Tegen de tijd dat ik die bezoedelde hoek van Quire Lane en Lowell Street bereikte, was het wel degelijk tot de Diggers doorgedrongen hoe de zaken er voorstonden en beten ze verwoed van zich af. Er drong nu een akelig straaltje maanlicht in de steeg door en ik kon er goed zien.

Angelo ontdekte ik er niet.

Sommige jongens hadden zaklantaarns, die krampachtige lichtbundels wierpen wanneer ze niet als knots werden gebruikt. Terwijl ik er ijdele kreten uitgooide die toch niemand verstond, stoof er een Mudhawk – ik herkende hem aan zijn zwarte pomponmuts – langs me heen met iets dat op een houten geweertje leek. In een glimp zag ik de rubber veren en de draadnagel in de gleuf. Ik rukte hem het wapen uit de handen. Hij keek me woest en beteuterd aan, bedekte zijn gezicht met zijn arm en holde verder.

Angelo ontdekte ik niet.

Maar nu was er eindelijk het ijle, boos gebiedende geloei van een sirene te horen, ergens ter hoogte van Calumet Street. Ook de jongens hadden het gehoord en zetten in

129

draf de aftocht in – althans degenen die zich nog konden voortbewegen. Minstens drie van hen lagen achter in de steeg roerloos op de grond.

Nu zag ik hem wel. Bij de volgepropte uitmonding van de steeg dook hij uit het niets op en sprong op een kist. Van zijn in het rond maaiende bonestaakarmpjes waren de hemdsmouwen afgerukt. Hij zat onder het bloed en het vuil. Met een vleug waanzin over zijn geschonden mooie gezicht gilde hij: *'Nou* toeslaan! Niet laten uitbreken! Wat zijn jullie, schijters? 't Is voor *Bella . . .'*

Er waren er niet veel die hem hoorden. De sirenes overstemden hem en spraken duidelijker taal. Zowel Diggers als Mudhawks waren paniekerig aan het proberen uit het steegje weg te komen; ze bonsden tegen de muren van de pakhuizen op, en tegen mij toen ik me een weg naar Angelo baande. Toen kwamen er twee patrouillewagens gierend opdagen, die de aftocht blokkeerden. Het vragend gejank van de sirenes eindigde in een bevestigend geknor, dat wegebde. Dat drong tot Angelo door. Hij sprong van zijn kist voordat ik hem te pakken had – ik geloof niet dat hij me toen herkende – en holde blindelings in de graaiende armen van agent Dunn. 'In ieder geval ééntje!' zei Dunn en gaf hem een draai om de oren.

In de daarop volgende paar luidruchtige ogenblikken wisten ze er behalve Angelo nog een stuk of zeven te pakken te krijgen. Drie of vier agenten probeerden of ze het afkonden met in de kraag of bij de arm grijpen in plaats van hun wapenstok te gebruiken, maar sommigen moesten venijniger en hardhandiger ingrijpen. Achter de patrouillewagens stond een ambulance. Ik stond Dunn uit te ketteren maar gaf het op; ik wist niet eens of hij het wel hoorde. Terwijl hij Angelo's arm nog steeds stevig in zijn greep had, brulde ik hem in het oor: 'Dunn! U kunt hem niet meenemen naar het bureau. Dat overleeft zijn moeder nooit.'

'Zijn moeder . . .? ' Het is best mogelijk dat hij toen pas Angelo herkende. Geronnen bloed en vuile vegen over een masker van kwellende angst; zo verwonderlijk was het dus niet.

Ik probeerde munt te slaan uit de lichte voorsprong die ik op hem had: 'Haar hart, man ... dat kunt u niet doen. Bovendien is dat joch pas twaalf. Hij is er bijgesleept, dat weet ik toevallig, dat vertel ik u nog wel. Breng hem naar huis, Dunn. Geef hem geen verbaal.'

'Wie bent u?'

'Ik woon daar in huis. 'k Heb u daar ontmoet bij die inbraak.'

'O, ja ...' Hij schudde de jongen heen en weer, niet ruw maar zachtjes. Angelo wankelde aan het uiteinde van zijn arm en spuugde bloed van zijn geschcurde lip uit. 'Jezus, joh! En je bent nog wel altijd zo'n *fatsoenlijke* knaap geweest, nooit in de nesten geraakt, nou vráág ik je.'

Rustig vroeg Angelo: 'Is dat zo? 'k Weet het eigenlijk niet.'

'Hè? Je hebt nog nooit zoiets uitgehaald.'

'Toch wel,' zei Angelo doezelig. Zijn hoofd zakte voorover en ik kon hem nauwelijks verstaan. 'Ja, in mijn dromen. Die komen opzetten als wolken. Wat is eigenlijk de lucht: de wolken of het blauw?'

'Kom, jongen, kom nou. Wat is dat voor een antwoord? Hysterisch, dat ben je. Zet je eens een beetje schrap. Zie je die ambulance? Je ziet wat er naar binnen wordt gedragen, hè, Angelo?'

'Breng hem naar huis, Dunn. Breng hem naar huis.'

'Ze gaan allemaal naar het bureau, meneer. Maar misschien hebt u gelijk. Wie weet geef ik hem geen verbaal en breng ik hem naar huis. Snap je, Angelo? Een kans. Vanwege je moeder, niet omdat jij het bent, neem dat van mij aan. En als er ooit nog eens zoiets gebeurt, krijg je beslist niet weer een kans. Kom ...'

'Ben! Ben, vraag of ze me willen opknappen voordat ...'

'Meekomen. Instappen ...'

Die vrouwen hadden Sharon een slaappil gegeven. (Het

131

wordt steeds meer een slaappilcultuur, Drozma. Ik geloof niet dat zeventien jaar geleden een fatsoenlijke vrouw in een achterbuurt barbituraten in huis zou hebben gehad, en nog veel minder dat ze er zonder voorschrift van de dokter zo maar eentje aan een kind zou hebben gegeven. Het zou een symptoompje kunnen zijn van de vele invloeden die wellicht een aanfluiting zullen maken van onze hoop op eenwording over een jaar of vijfhonderd. Toch reken ik het hun niet te zwaar aan. Ze worden getreiterd en van de kook gebracht door het steeds ingewikkelder wordende leven, en in plaats van eenvoud te beoefenen, zoeken ze vergetelheid in de slaap).

Ik droeg Sharon mijn wagen in en bracht haar thuis. Met enig slechtgehumeurd gebries van mijn kant maakte ik een einde aan het verschrikte geweeklaag van haar ouders. In zekere zin konden zij er niets aan doen. In haar verwoede poging tot ingrijpen had Sharon zich langs de regenpijp laten zakken toen zij dachten dat ze in bed lag. Een ander speelkameraadje, een Mudhawk die zich aan het gevecht had onttrokken, had aan Sharon verklapt wat de plannen waren. Dat kreeg ik een dag of twee later van Sharon te horen. Ik moet dit verslag snel afmaken, Drozma.

Namir in de gedaante van Feuermann was niet op nummer 21 teruggekeerd. Ik had niets anders verwacht. (Op het moment dat ik dit schrijf, is het lijk van Feuermann nog niet ontdekt. Er heeft een berichtje in de krant gestaan over een 'mysterieuze zomerbliksem' die in Byfield een boom velde. De ravage die door de vallende kruin is aangericht, zal wellicht de sporen van het ondiepe graf hebben uitgewist. Als de oude heer ooit gevonden wordt, zal deze moord zonder aanwijsbaar motief vermoedelijk een veelbesproken geval worden waarmee de vaklui in hun maag komen te zitten).

Op nummer 21 was het vredig stil. Ik trof Rosa in haar huiskamer in het souterrain aan, waar ze onbezorgd haar naaiwerk zat te doen; te ver van de strijd in Quire Lane verwijderd om het rumoer ervan te hebben opgevangen, in het geruststellende geloof dat Angelo ietwat verkouden in zijn bed lag te slapen. Het was te veel voor me. Ik heb nooit hoogte kunnen krijgen van de sterkte of de broosheid van menselijke wezens; soms zie ik ze handig meegeven wanneer ze onder enorme druk komen te staan, dan weer knappen ze bij het minste of geringste af.

Rosa zag aan mijn gezicht dat er iets mis was. Ze legde haar naaiwerk ter zijde en kwam op me af. 'Wat is er, Ben? Voel je je niet goed?' Nog niet pijnlijk getroffen, nog steeds veilig achter de onwezenlijke bescherming van liefde en geborgenheid – stilte in huis, Angelo natuurlijk in zijn kamertje – kon ze medegevoel voor mij opbrengen en hulp willen bieden. 'Wat *is* er toch, Ben? Je ziet er ellendig uit.'

Toen flapte ik eruit: 'Niets ernstigs, maar . . .'

Misschien had ik haar op een of andere manier kunnen voorbereiden, ik weet het niet. Ik was akelig menselijk in mijn zoeken naar woorden die waarschuwend konden zijn zonder ernstige schade te berokkenen. Terwijl ik stond te hakkelen, kwam Dunn binnen door de deur van het souterrain, zonder aan te bellen, Angelo bij de arm meevoerend. Inderdaad, ze hadden hem een beetje trachten te fatsoeneren, maar de scheur in zijn lip en de snee boven zijn oog waren niet weg te werken. Ze hadden zijn gezicht gewassen, maar de schaamte, de afwerend starende blik, de smart waren niet weg te wassen.

Rosa's rechterhand liet haar bevende lippen los en klampte haar linkerarm vast. Evenmin als Dunn was ik er tijdig genoeg bij om haar val te stuiten.

Ze kwam niet meer overeind. Alleen een moeizaam happen naar adem, een korte worsteling en toen de overgave. Zelfs toen haar gezicht blauw was aangelopen, kreeg ik de indruk dat ze nog een blik op Angelo wilde werpen, misschien om iets te zeggen, dat het niet erg was, niet zijn schuld of iets dergelijks . . .

'Mag ik pater Ryan gaan halen?'

Dunn werd door die toonloze fluistering weer op hem attent gemaakt en keerde zich naar hem om. 'Maar . . . ze is er geweest, jongen. Ze is dood.'

'Ja, dat zie ik. Mijn schuld. Mag ik pater Ryan halen?'

'Natuurlijk.'

Hij is voorgoed verdwenen, Drozma. De priester kwam er spoedig aan, maar hij had Angelo niet bij zich. Pater Ryan zei dat Angelo voor hem uitgehold was.

In de week die er sindsdien is verlopen, hebben de plaatselijke en de staatspolitie al het mogelijke ondernomen. Er is een opsporingsbericht naar acht staten uitgevaardigd en van alles in het werk gesteld dat het menselijk vernuft weet te bedenken. Ze zijn ook op zoek naar Feuermann; de ongegronde geruchten als de nevelige slierten die na een bosbrand blijven hangen. Nu het ernaar uitziet dat hij het duister heeft opgezocht en erdoor is opgenomen, zal ook ik in het duister opgaan om hem daar te zoeken.

Nog een woordje over Sharon. Ik heb voor het laatst met haar gesproken in Amagoya, maar ze wist even goed als ik dat de betovering ervan verbroken was en het was niet te vermijden dat we als volwassenen met elkaar spraken. Ik zei haar dat Angelo natuurlijk zou worden opgespoord, of nog waarschijnlijker uit zichzelf zou terugkomen zodra hij kon. Ik verklaarde dat ik er in mijn eentje op uit zou trekken om naar hem te zoeken. Het voor de hand liggende feit dat ze niet met me mee kon, was voor haar moeilijk te aanvaarden, maar ze deed het toch. Nog nooit ben ik er zo na aan toe geweest om te onthullen wat we beslist niet mogen, als toen ze daar in Amagoya tegen me zei: 'Jij weet alles, Ben. Je vindt hem vast en zeker.' Dus ik zou alles weten! Ze was vrouw, Drozma. Zelfs de grote woorden die ze verminkte waren niet grappig, verre van grappig. Ik liet haar beloven te zullen doen wat ze al wist dat ze moest: volhouden, doorbijten met haar muziek, groot worden, 'een brave meid zijn'. Over dit laatste konden we ons nog een beetje vrolijk maken maar we wisten wel degelijk wat het inhield.

Als ik het hierbij laat, heb ik nog de gelegenheid om voor

het aanbreken van de dag een behoorlijk nieuw gezicht voor mezelf te maken. Zodra er voldoende tijd is verstreken om jou dit verslag te doen toekomen, zal ik via de communicator in Toronto met je in verbinding treden om je orders te vernemen.

Wat die orders ook mogen zijn, ik kan niet naar Noordstad terugkeren als dat zou betekenen dat ik deze opdracht moet opgeven. Een dergelijke triomf gun ik Namir en zijn soort niet. We zijn net niet helemaal menselijk, Drozma, en ook iets meer dan menselijk.

Deel twee

In onze barbaarse samenleving is de invloed van
karaktervastheid nog maar aan het ontluiken.
Ralph Waldo Emerson, *Politics*

1

Drozma, vanavond heb ik last van een oude aandoening:
liefde voor het mensdom.

Al meer dan negen jaar ben ik op zoek. Zoals je uit mijn
rapporten weet, heb ik hem niet kunnen vinden. Als Angelo
nog leeft, is hij eenentwintig. Je bent zo vriendelijk geweest
mij met geld en goede raad te steunen. Nu de Russisch-
Chinese oorlog zijn derde jaar inwankelt en de rest van de
wereld aan een waanzinnige besluiteloosheid lijdt, weet ik
dat je geen anderen kunt missen om mij te helpen, maar
ik moet mijn speurtocht voortzetten. Ik zal dit journaal later
opsturen in plaats van een officieel rapport. Enkele uren
geleden is er iets voorgevallen dat ik met graagte vermeld,
maar verder heb ik weinig te rapporteren: teleurstellingen,
misleidende sporen, tochten die niets opleverden. Door een
foto in de krant die me aan Billy Kell herinnerde, ben ik
nu in New York op kamers gaan wonen.

Het was een foto van die Joseph Max tijdens een interview door een of andere journalist. Achter Max zag ik een
gezicht, strak-oplettend als dat van een lijfwacht, dat genoeg op Kell leek om mijn nieuwsgierigheid te wekken.
Namir (en zijn zoon?) zijn wellicht even hardnekkig naar
Angelo op zoek als ik. Ook over hun verblijfplaats ben ik
de afgelopen negen jaar niets te weten gekomen.

Ik was in Cincinnati toen ik een week geleden die foto
onder ogen kreeg. Ik was daarheen getogen omdat een be-
vriende zwerver me had laten weten dat iemand die op mijn
'kleinzoon' leek er bij de rivierhaven rondhing. Vergeefse
moeite. De zoveelste jonge straatslijper met donker haar
die mank liep; een kop als een marmot. De hele wereld stikt

138

van de donkere jonge kerels met een kreupel linkerbeen. De zwervers en hoeren en gauwdieven die me proberen te helpen, zijn geen figuren die een gezicht kunnen beschrijven. Wanneer ik met hen in contact treed, ben ik een getikte oude zak, die driftig op zoek is naar zijn kleinzoon die misschien al lang dood is of, denken ze, nooit heeft bestaan. Ze doen hun best om vriendelijk te zijn en geven geruchten door om de oude baas de moed erin te laten houden en gedeeltelijk ook om een lolletje te beleven.

Ik heb geen bijzondere reden om aan te nemen dat Angelo in de duisternis van de onderwereld is afgezakt; het is alleen dat het in die duisternis beter zoeken is dan in de eindeloze massa's respectabele mensen. Het is heel goed mogelijk dat een fatsoenlijk gezin hem heeft opgenomen en aan een nieuwe naam geholpen. Maar ik geef het niet op. Ik kan me niet in een menigte bevinden, of op een gegeven moment ontdek ik een jongeman die mank loopt. Eén keer zag ik er een die niet alleen op Angelo leek maar een litteken boven zijn rechteroog had, zoals ook bij Angelo het geval moet zijn. Dat was in de helibus van Sacramento naar Oakland. Ik achtervolgde hem naar zijn huis, schaduwde hem nog een paar keer en won in de buurt inlichtingen in. Aardige knul, niet eens Italiaans, had zijn hele leven al in Oakland gewoond. Sommige verwachtingen zijn onuitroeibaar.

Ongetwijfeld heb je waarnemers uitgestuurd om Joseph Max en de capriolen van zijn Partij van de Eenheid in de gaten te houden. Daar kun je mij dan ook toe rekenen, althans totdat ik haring of kuit heb over Billy Kell. Misschien dat ik daarbij nog andere interessante dingen opdiep. Het is één en al gedonder om die Joe Max. Trouwens, wat is er met zijn partij aan de hand dat ze iemand van het formaat van dr. Hodding aan zich heeft weten te binden?

Op het gevaar af te herhalen wat andere waarnemers je misschien al hebben gerapporteerd, geef ik je hierbij wat achtergrondgegevens over Hodding, zoals ik ze twee jaar geleden uit de krant heb opgedaan: Jason Hodding was directeur van de Wales-stichting (biochemisch onderzoek, en heel goed) en bezorgde de goegemeente een grote schok met een propagandafanfare voor de partij van Max bij de congresverkiezingen van '70; mede daardoor zou dat misbaksel van een senator Galt van Alaska in het zadel zijn geholpen. Daarna stapte Hodding uit de stichting (of werd hij ontslagen?) en verdween van het publieke toneel. Woont in weelde op Long Island, 'een teruggetrokken bestaan'; men zegt dat hij meer van virusmutaties afweet dan wie ook ter wereld . . .

Max noemt het tegenwoordig de Partij van de Organische Eenheid. Hij staat niet meer van de daken te brullen over raszuiverheid, al is een deel van de fluistercampagne tegen de negro-indiaanse kandidaat van de Federalisten ongetwijfeld uit zijn koker afkomstig. Publiekelijk hecht hij zijn goedkeuring aan verbroedering van de mensheid: Daar zijn stemmen mee te behalen. Hij gaat in het najaar zijn geluk in de verkiezingen beproeven met een oproep aan Amerika om de wereld te overheersen. 'Schoon schip in Azië!' Een spandoek met die kreet erop tooit zijn hoofdkantoor aan de bovenzone van Lexington Avenue, en niemand die er iets lachwekkends in ziet. Wij moeten in Azië ingrijpen en er (voor zijn eigen bestwil, natuurlijk) hervormingen tot stand brengen terwijl de Chinese en de Russische reuzen (zo te zien) hun laatste adem aan het uitblazen zijn. Misschien liggen ze wel op apegapen; alles wat Max beweert, draagt het virus van de halve waarheid met zich mee. De technologen beweren, en dat zou door satellietenwaarnemingen bevestigd zijn, dat er sinds afgelopen zomer geen kernexplosies meer zijn geweest in Azië. Ik moet de mensen van de Satellietraad nageven dat ze verleden jaar niet zijn gezwicht voor de aandrang om alles even met een paar waterstofbommetjes te beslechten. Daar is moed voor nodig geweest, daar in de *Midnight Star,* want de humanitaire oppositie lag zoals gebruikelijk op de loer. Met ingang van maart 30 972 hebben we onze twijfels, verwoede, uitvoerige, diplomatieke twijfels.

Als je geloof hecht aan de communiqués van de Satellietraad (en dat doe ik, min of meer), moet er een stompzinnige loopgraven- en voorpostenstrijd aan de gang zijn langs de ruggegraat van Azië, waarbij Siberië het duistere gebied blijft dat het altijd is geweest. Nu en dan klaagt de Raad dat hij van 1700 kilometer hoogte werkelijk geen maatschappelijke en economische gegevens kan verzamelen. Wanneer je terugschrijft, Drozma, laat me dan weten of alles nog goed gaat in Aziatisch Centrum. Ik had daar vrienden wonen.

Hier lijkt alleen de Partij van de Organische Eenheid geen enkele twijfel te koesteren.

Niemand steekt de draak met Max en dat geeft me een angstig gevoel. Het publiek is er volkomen aan gewend zijn fanatieke smoel tegen te komen op de voorpagina, het televisiescherm, het filmdoek – altijd wat vaal en glimmend van het zweet wanneer hij zonder make-up door de camera wordt betrapt, een slechte karikatuur van John C. Calhoun zonder iets van de openhartigheid of vriendelijkheid van Calhoun. Toen Max vorig jaar een afzichtelijke spuuglok liet staan – wat een kreng van een ding! – was er niemand die in lachen uitbarstte.

Hij bewaart zijn sappigste venijn voor de onlangs gestichte Federalistenpartij. Over die mensen heb ik nog geen oordeel gevormd. Hun beweging lijkt me niets onoprechts over zich te hebben; heel reëel zelfs, als ze de leerstellige betweterigheid van hun ijveraars voor één wereld wat weten te dempen. Die verliezen namelijk hun eigen goede uitgangspunt wel eens uit het oog: dat verscheidenheid-in-eenheid de essentie van het federalisme vormt. Voor de democraten en republikeinen koestert Max alleen maar minachting – hij zegt dat die hebben afgedaan, en daar kunnen ze het mee doen.

Zij begaan de fout hem met gelijke munt terug te betalen

of hem straal te negeren. De republikeinen zitten al zonder nieuwe ideeën sinds '68, toen de democraat Clifford in het Witte Huis terechtkwam. (Wat heb ik het mis gehad met '64! Als ik een gokker was geweest, had het mijn laatste stuiver gekost). Rooseveltiaans vertoon gevolgd door Wilsoniaanse stommiteiten. Aardige kerel, die Clifford. Progressief, heb ik me laten vertellen. Ik vraag me wel eens af of hij enig idee heeft waar hij naar toe wil.

Even iets over de Filippijnen, Drozma. Hou dat Instituut voor Menswetenschappen in de gaten. Opgericht in '68. Ik heb een vaag vermoeden dat het personeel ervan tegen aardschokken bestand is, net als de gebouwen, die ik bij leven en welzijn hoop te kunnen bezichtigen. Nu eens niet zo'n organisatie met een waterhoofd. Er ligt een rustige onvervaardheid aan ten grondslag. Het prospectus spreekt me wel aan: 'De totaliteit van de beschikbare menselijke kennis bijeenbrengen en voor een ieder toegankelijk maken.' Geen geringe taak, maar ze pakken het serieus aan. 'Het wetenschappelijk onderzoek voortzetten op de gebieden die het nauwst verband houden met de aard en de functie van menselijke wezens.' Er wordt ter verklaring aan toegevoegd dat het gebruik van de term 'menselijke wezens' in plaats van 'de mens' opzettelijk is, dat spreekt natuurlijk iemand met mijn vitterige vooringenomenheid aan. Waar het op neerkomt, is dat ze daar in eeuwen denken en zich niet van de wijs laten brengen door wat er volgende week gebeurt. Je herinnert je wel hoe Manila een van de grootste handels- en cultuurcentra van de wereld had moeten worden, als het niet in wat zij de achttiende eeuw noemen en ook later door Europese heerschappij en uitbuiting was verstikt. Ik vraag me af waarom het niet het Athene van de eenentwintigste eeuw zou kunnen worden. Wanneer mijn dienstopdracht al of niet met gunstig resultaat afgelopen is, wil ik een keer daarheen voordat ik naar Noordstad terugga.

Morgen ga ik naar het hoofdkantoor van de Partij van de

Organische Eenheid in mijn rol van elegante oude heer die in het geld zwemt. Mijn nieuwe gezicht komt me goed van pas. Misschien heb ik de boel een beetje te veel verhit toen ik de jukbeenderen hoger modelleerde, maar daardoor heb ik appelkoontjes gekregen... bijzonder schattig, één-meter-achtentachtig aan kortaangebonden kerstman. Ik heb me een oostelijk accent aangemeten en geoefend in het zetten van een uitgestreken gezicht, waarmee ik mijn voordeel zal kunnen doen. Ik wil poseren als een mogelijke spekker van de verkiezingskas, nog niet volkomen overtuigd maar open voor indoctrinatie. Ze zullen me op een of andere wijze ontvangen. Als Billy Kell daar zit, zal ik hem op het spoor komen.

Nu kan ik melding maken van iets dat de last van mijn 355 jaren heeft verlicht.

Toen ik Latimer verliet om een gerucht te onderzoeken dat iemand dertig kilometer verderop een jonge jongen had zien liften, besefte ik dat de politie wel enige belangstelling voor Benedict Miles had. Ik had mijn nieuwe gezicht en het leek me het beste mevrouw Wilks via Toronto te laten weten dat Miles was overleden en dat hij in zijn testament voorzieningen voor de school had getroffen. Had ik niet zo in een dwangsituatie verkeerd, dan zou ik wellicht tot een betere oplossing zijn gekomen, maar nu ik dit eenmaal had gedaan, kon ik het niet terugdraaien. Tot twee jaar geleden bracht mevrouw Wilks trouw schriftelijk verslag uit aan de 'executeurs-testamentair' in Toronto. Toen overleed Sophia's zuster. Sophia deed de school over aan een opvolgster en bracht Sharon naar Londen omdat ze het gevoel had dat ze met haar eigen lessen het meisje niet verder zou kunnen helpen. In die laatste brief werd er van Sharons familie geen gewag gemaakt. Ik heb niet al te zwaar te lijden gehad van de scheiding van Sharon, van wie ik hield, omdat ik wist haar – als het me een beetje meezat – te zullen weerzien. Toen ik vorige week in New York kwam, werd het debuut van Sharon aangekondigd. En vanavond is ze opgetreden, in Pro Arte.

Dat is een nieuwe concertzaal, die deel uitmaakt van een prachtig nieuw project aan de Hudson. Je zou New York niet herkennen, Drozma. Ik kende het zelf nauwelijks terug, want de laatste keer dat ik het goed had bekeken, was in 30946. De afgelopen negen jaar ben ik er een paar maal door gekomen, maar toen had ik vrijwel geen gelegenheid om mijn ogen de kost te geven.

In de jaren zestig besloten ze in New York van de waterkant iets moois te maken in plaats van een janboel. Van George Washington Bridge tot Twenty-third Street loopt nu een prachtige wandelboulevard, met hier en daar hoge gebouwen. Sommige ervan staan tussen de lagere gebouwen aan de stadskant van de boulevard, andere rijzen steil uit de rivier op. Ze hebben me verteld dat ergens daaronder de treinen nog denderen. De havencapaciteit is nog uitgebreid maar daar ziet het niet naar uit: Als je met een groot schip of een pont aankomt, is het alsof je door een poort in een prachtige rotswand gaat. Mocht ik er tijd voor kunnen vinden, dan ga ik waarschijnlijk naar Jersey toe om vandaar met een van die bolle dieselponten terug te komen en het zelf eens mee te maken.

Van het zware autoverkeer in de laagste zone is op de wandelboulevard niets te merken, evenmin als in de hoogste zones van de avenues die van noord naar zuid lopen. Op de boulevard heb je alleen de lucht, de gracieuze gebouwen, menselijke wezens, en de wind over de Hudson die nu niet venijnig en gemeen aandoet maar een frisse noot in de luister van de stad vormt. In vroeger jaren was het moeilijk je niet over New York kwaad te maken. De tijden veranderen. Hell's Kitchen is een hele tijd geleden opgeruimd; ik heb er geen idee van wat ze met het graf van Grant hebben uitgehaald maar dat zal er nog wel ergens tussen staan. Dit oeverproject is op touw gezet kort nadat ze de stad aan de politici hebben weten te ontfutselen en het met een managersbestuur zijn gaan proberen. Geldklopperijconcessies hebben ze geweerd. Op de brede wandelboulevard worden zelfs geen fietsen toegelaten, maar wel zijn er overal kinderen te vinden.

De bevolking van de stad zelf is met een miljoen teruggelopen, met een dienovereenkomstige uitbreiding in het district dat er in een enorme boog omheen ligt. Er gaan weer stemmen op om van het district een afzonderlijke staat te maken. Actiegroepen zijn er druk over aan het delibereren. Eén ervan is handtekeningen aan het inzamelen voor een petitie en het Congres aan het bewerken. De nieuwe staat zou Adelphi moeten heten. Wat mij betreft geen bezwaar.

Pro Arte bevindt zich hoog in een van de gebouwen die regelrecht uit de rivier oprijzen; glanzend staal en steen en glas. Wij met onze gewenning aan een leven in het verborgene zullen nooit precies weten hoe ze zoiets voor elkaar krijgen. Die gebouwen zijn geheel en al menselijk, voortbrengselen van hun complexe wetenschappen, en toch ook verweven met de natuur, de wind en de lucht, de sterren en de zon.

De concertzaal zelf is sober. Koel wit en bescheiden grijs. Niets overbodigs dat het oog kan strelen of afleiden, alleen een simpel podium met de strenge klassieke waardigheid van de vleugel. (Maar het deed me goed om in de pauze naar een foyer te gaan en daar achter een glazen wand op het westen een open terras aan te treffen, vanwaar je op de rivier neerzag. Hoever omlaag zou ik niet kunnen zeggen. Een verlicht zeeschip dat stroomafwaarts voorbijkwam, was een stuk speelgoed. Ondanks de maartse kilte bleef ik er met genoegen staan uitkijken totdat de bel ging voor het tweede gedeelte van het mirakel dat Sharon aan het bewerkstelligen was).

Onder het publiek zullen er maar weinigen geweest zijn die iets van haar afwisten. Een debuut in New York, zoals zovele andere. Ik had het met mijn zenuwen te kwaad, iedere minuut bonsde het hart me in de keel. Ik had het programma wel tien keer overgelezen en er was nog steeds niet meer van bij me blijven hangen dan dat het eerste nummer de *Fuga in g* van Bach was.

En toen kwam zij op. Tenger, tamelijk lang... ach, ik had het immers voorzien! In het wit; ook dat wist ik al. Haar corsage bestond uit een toefje blauwe scilla's en sneeuwklokjes, belachelijk bescheiden. Ze had het haar nog steeds tot op de schouders hangen, met een waas er omheen van de vreemde lichtval. Een lachje kon er niet af en van haar buiging naar de zaal leek ze zich nogal nonchalant af te maken. (Ze heeft me verteld dat ze versteend was van de plankenkoorts en dat ze geen diepere buiging durfde te maken uit angst dat ze languit voorover zou vallen). Ik moest aan Amagoya denken.

Ze ging zitten, hield even een zakdoekje tegen haar handpalmen en trok de lange rok iets op om de enkels vrij te maken. Vaag drong het tot me door dat ze nog steeds iets van een mopneus had. Ze zou vast wel nog een rood rubber balletje aan een elastiek hebben...

Toen bewees ik haar het grootst mogelijke compliment door haar te vergeten. De fuga deed zich duidelijk gelden. Wat voor niet bestaande en daardoor onvergankelijke steden moet Bach niet hebben gekend om een dergelijk bouwwerk uit gedroomd marmer te kunnen scheppen? Had hij dit werk in g geschreven toen hij al blind was? Ik wist het me niet te herinneren. Niet dat het er veel toe doet: voor zijn visioenen heb je geen gewone ogen nodig. Het leek of Sharon tegen ons allen had gezegd: 'Kom met me mee. Ik kan jullie laten ervaren wat ik heb gezien.' Er bestaat geen andere manier om Bach te spelen, maar welke negentienjarige weet zoiets?

Ondanks het magistrale slot van de fuga, werd het laatste akkoord niet onder de gebruikelijke uitbarsting van enthousiasme bedolven. In plaats daarvan gunde het publiek haar de enkele momenten van betoverde stilte die elke uitvoerende kunstenaar bij de mensen vurig hoopt te zullen krijgen (een ervaring waarover ik eigenlijk niet met gezag kan meepraten, want een Martiaans publiek neemt altijd zo'n stilte in acht, als een vanzelfsprekende reactie op de muziek). Toen het applaus losbarstte, was het niet van bijzonder lange duur, want Sharon glimlachte even. Het ging zo bedeesd dat de zaal uit sympathie begon te lachen; een manier van de mensen om te kennen te geven: we zijn dol op je. Het geklap hield abrupt op toen ze haar gezicht weer naar de piano begon te wenden.

De rest van het progamma voor de pauze was geheel aan Chopin gewijd. De sonates, drie nocturnes, twee mazurka's, het *Impromptu in fis* – voor mij de kwintessens van Chopin, een samengaan van extase en melancholie dat bijna ondraaglijk is. Dat vindt Sharon ook, en zo speelde ze het. Terwijl dat nog in ons binnenste voortsmeulde, vroegen we aan het einde van de eerste helft een toegift, tegenwoordig iets ongehoords. Toen de kreten uit de zaal er geen enkele twijfel aan lieten bestaan, gaf ze ons de kleine *Prelude nr. 1,* alsof ze een bloempje toewierp aan een minnaar die het wel verdiende maar niet een van de briljantsten was. Van begin tot einde pianissimo, met voorbijgaan aan de aanwijzingen van de componist: als het openzetten van een raam naar een waterval en het dan weer te sluiten voordat iemand kan doorhebben wat de rivier te zeggen heeft. Ik heb het nooit op die manier gespeeld. Frédéric Chopin evenmin, toen ik hem in 30 848 hoorde, maar ik geloof niet dat hij er bezwaar tegen zou hebben gehad. Ik heb nooit de grammofoonvernuftelingen kunnen volgen die het maar hebben over 'de definitieve interpretatie'. Met even veel recht kun je er als je een edelsteen krijgt op staan dat men maar naar één facet mag kijken, tot in lengte van dagen. Je kunt net zo goed zeggen dat er voor de maan maar één definitief juiste manier is om op te komen. Sharon glimlachte na die krachttoer; ook al niet de definitieve glimlach maar een menselijke, over haar hele gezicht. Ze holde het podium af en het licht ging op.

Het was een uitzonderlijk lang programma, zeker voor

147

een debuut. Men verwacht nog steeds dat een nieuweling een zekere nederigheid aan den dag legt ten aanzien van de traditie. Een brok Bach voor de critici, een brok Beethoven, misschien wat Schumann om de gaatjes te vullen, Chopin om te bewijzen dat je een echte pianist bent, en ten slotte een geurige portie Liszt voor het bravourewerk en een vleugje sentimentaliteit. Sharon had inderdaad haar opwachting gemaakt met Bach – en wat voor Bach! – maar alleen omdat zij dat wilde. In mijn mishandelde programmablaadje las ik dat het gedeelte na de pauze zou worden ingezet met een suite van Andrew Carr, een Australische componist die een jaar geleden nog onbekend was. En het eindigde met Beethovens *Sonate in C, opus 53*.

Het drong maar geleidelijk tot me door. Ik ben niet gewend in opusnummers te denken maar toen zag ik met mijn wazige verstand in dat opus 53 de *Waldsteinsonate* is. Dat zal het wel zijn waardoor ik tot een van die impulsieve, volkomen emotionele beslissingen kwam waarvan ik denkelijk geen spijt zal krijgen. Ik krabbelde op het gekreukelde programma: *Niet dood, maar gezicht en naam veranderd om A. te kunnen opsporen. Nee, lieve meid, ik heb hem niet gevonden. Kunnen we elkaar ontmoeten? Onder vier ogen graag, en breng voorlopig nog niemand van mijn bestaan op de hoogte. Je bent een echte musicienne geworden. Ik hou uitzinnelijk veel van je.*

Ik klampte een ouvreuse aan, die beloofde mijn briefje naar juffrouw Brand te zullen brengen. Ik zwierf het terras op en zag hoe dat schip stroomafwaarts het donker invoer. Zoals ik je al verteld heb, kreeg ik na een poosje een gelukzalig gevoel over me. Toen ik terugkeerde, kreeg die zaaljuffrouw me in het oog. Ze kwam met grote ogen op me af, stopte me een papiertje in de hand en fluisterde me toe: 'Zeg, weet u wat ze deed toen ze uw briefje had gelezen? Ze gaf *mij* een kus! Nou já, zeg . . .'

Het licht in de zaal was al gedempt. Ik stond echt als een oude heer te stuntelen, maar wist de grote krabbels te ontcijferen: *Blue River Café 2 blok stroomafwaarts boulevard. Wacht binnen op mij. Knijp zo snel mogelijk uit. O Ben Ben* BEN!!!

Het is mogelijk dat ze mij tussen het publiek in de zaal probeerde te ontdekken, hoewel ik had laten weten dat mijn gezicht veranderd is. Ze had een wezenloze blik over zich. Ik zat in angst dat ik haar van de wijs had gebracht en de tweede helft van het concert voor haar had bedorven. Maar ze liet haar vingers op de toetsen rusten, alsof de enorme Steinway een eigen wil bezat en in staat was haar sussend op het gemoed te werken, de verwarring te verdrijven en haar opluchting te bezorgen. Ik had me niet bezorgd hoeven te maken.

De suite van Andrew Carr is uitstekend. Complex, serieus, jeugdig; misschien wat te zwaar, te weids van opzet, maar met een aanzwellende hartstocht die zoiets wel rechtvaardigt. Waarschijnlijk zal Carr wanneer hij meer gerijpt is de waarde van de lichte toets leren inzien. Ik herinner me uit het programmacommentaar dat hij verklaart vooral veel aan Brahms te danken te hebben. Des te beter, vooral als dat wil zeggen dat de componisten van de jaren zeventig eindelijk een halt hebben toegeroepen aan de school van eigenlijk-bedoel- ik-het-allemaal-niet-zo van de jaren dertig en veertig. Carr heeft meer van de jonge dan van de latere Strawinsky opgestoken; Beethoven komt bij hem om het hoekje kijken; er moest wat meer van Mozart in hem doorklinken . . .

De *Waldsteinsonate* zal ik nooit meer spelen. Andere stukken wel, ja, ik versmaad mijn eigen talent heus niet. Maar geen Waldstein. Bij ieder ander zou het een foutieve programmering zijn geweest deze sonate te laten volgen op de slopende climaxen en de welhaast onmogelijke atletische eisen die de suite van Carr stelt. Maar bij Sharon niet. Ze was niet uitgeput. Ze maakte er een samenvatting van, een conclusie waarmee ze de kleuren van duizend vlammen over de hele rest uitstortte.

Misschien heb ik het eerste deel, het Allegro, wel eens met groter technisch raffinement horen spelen, maar nooit met zo'n zuiver gevoel. In de melancholie van het korte Adagio kon ik het niet meer volgen. Ik voelde Sharons bedoelingen niet allemaal aan; Beethovens overpeinzingen zijn ons toch al niet altijd duidelijk. De zachte aanhef van het Rondo nam ze langzamer dan ik zou hebben gedaan, maar ze had gelijk en de tempoversnelling van de passage in a kreeg er iets angstwekkend flitsends door – een laaiend verlangen dat opeens aan den dag wordt gelegd ... Het besluit van de sonate was verblindend. Niemand kan in zo'n fel licht kijken.

Ik weet me niet veel te herinneren van de ovatie die we haar bereidden. Iedereen was buiten zijn zinnen. Zelfs al haar toegiften kan ik me niet voor de geest halen. Het waren er zeven. We hebben haar ten slotte alleen maar laten gaan omdat ze met een grappige pantomime te kennen gaf dat ze doodop was.

Je hebt er geen idee van wat het eerste was dat ze zei, Drozma, toen ze het Blue River Café binnenglipte, nu verbazingwekkend klein, verlegen, met een muisgrijze stola over haar japon. Ze glipte daar binnen en herkende me direct ondanks alle veranderingen bij mij. Ze pakte de lastige rok op en holde als een kind op me af om zich in mijn armen te storten en haar mopneus in mijn overhemd te begraven. 'Ben,' zei ze, 'ik heb het prestissimo verknoeid, ik heb het *verknoeid,* het ging halsoverkop, ik maakte er een potje van ... Waar, waar heb je al die tijd toch *gezeten?*'

'Je hebt helemaal niets verknoeid.' Ik zal nog wel meer van dergelijke opmerkingen hebben gebrabbeld terwijl we onze kalmte trachtten te hervinden.

We troffen een vrijstaande tafel bij een raam aan, vanwaar we uitzicht hadden op de rivier en de avond die erover hing. Een rustig en beschaafd restaurant, met zachte verlichting; geen drukte, geen gehaast, geen lawaai. Het was over elven maar ze dienden toch een vorstelijk maal op voor

Sharon, die bekende dat ze voor het concert had gevast en nu met aandoenlijke verbazing naar de kreeft zat te kijken. 'Kan ik in mijn onmatigheid zo gek zijn geweest om dát te bestellen?' Maar ze at alles op, de bijgerechten incluis, en we lachten elkaar toe en mompelden en trachtten voorzichtig het onzegbare onder woorden te brengen. Toen was de maaltijd voorbij; we hadden koffie en cognac voor ons staan. Sharon zette zich schrap met haar tengere figuurtje, slaakte een zucht en zei: 'Nou dan . . .!'

Als er iets is van de afgelopen negen jaar dat ik haar niet heb verteld, dan is het een onvermijdelijk uitvloeisel van de rol die wij als Martianen door dik en dun moeten spelen, of het is zoiets onbelangrijks dat het me ontschoten is. Ik ben op het ogenblik 'Will Meisel'. Ze vond het lastig mij geen Ben te mogen noemen. Mijn vertrek uit Latimer was in zekere zin een harde klap voor haar geweest.

Dat was me toen al duidelijk. Ze wierp het me niet voor de voeten, evenmin als mijn onware overlijdensbericht; niet direct althans. Maar op een gegeven moment pakte ze mijn vingers, drukte ze tegen haar wang en zei: 'Toen mevrouw Wilks het mij vertelde . . . weet je, totdat Angelo verdween was ik nog nooit iemand kwijtgeraakt . . . en toen jij . . .' Maar in plaats van me daarmee in mijn maag te laten zitten en om vergiffenis vragen, liet ze er haastig op volgen: 'Je handen zijn nog hetzelfde, precies hetzelfde. Hoe kon je gezicht zo sterk veranderd worden? Ik zag dat je mij herkende, of misschien had ik je er toch wel uitgepikt, maar . . .'

Behoedzaam vaag en met bepaald niet gespeelde verlegenheid, kwam ik met de leugen aanzetten dat ik jaren voor mijn komst in Latimer mijn gezicht ernstig verminkt had. Ik liet doorschemeren dat een deel van de structuur van mijn gezicht prothetisch was, dat ze er met transplantatie in waren geslaagd er een nieuwe huid overheen aan te brengen, en dat ik er foefjes mee kon uithalen. Ik liet ook merken dat het een gevoelige kwestie voor me was en dat ik er niet graag over sprak. 'Nog negen jaar ouder ook,

Sharon, en dat witte haar is echt.'

'Ben . . . Will, waarvoor was dat nodig? Maar, lieverd, je moet het me niet vertellen als je het niet wilt. Je bent er nu. Ik zal er wel aan wennen . . .' Ik verklaarde dat ik door weg te gaan verdenking bij de politie had gewekt in verband met de verdwijning van Angelo en van Feuermann. Ze bevestigde dat Feuermann nooit was teruggevonden. Ik kon bij mijn opsporingen geen obstakels gebruiken, zei ik, en daarom had ik een andere persoonlijkheid en een ander gezicht aangenomen en mijn vroegere identiteit begraven.

Het week allemaal nogal af van wat de mensen gewend zijn en ik geloof niet dat ze met mijn verklaringen volledig genoegen nam, maar iets beters wist ik niet te verzinnen. Ook zij herinnerde zich Amagoya. Ze is niet achterdochtig van aard. Op tienjarige leeftijd was Sharon nog enigszins afzijdig gebleven van de gissingen en geruchten van de grote mensen en waren de werkelijke en de irreële verwikkelingen van die ramp in Latimer aan haar voorbijgegaan. De muziek en mevrouw Wilks hadden haar overeind gehouden terwijl het verlies van Angelo en mij haar wereldje op zijn grondvesten had doen schudden. De tijd ging snel en ze werd volwassen. Dom genoeg had ik geen rekening gehouden met het verschil tussen negen jaren van mijn leven en de periode van het elfde tot het twintigste levensjaar bij Sharon . . . Ik vertelde haar ook hoe ik dacht dat Angelo in de onderwereld was opgenomen; zich bij zwerversvolk had aangesloten of zoiets, of zelfs dat hij aan geheugenverlies leed doordat hij zich verlaten en verloren voelde en zich de schuld gaf van de dood van zijn moeder.

'Waarom had hij zoveel voor jou te betekenen?'

'Misschien omdat ik me verantwoordelijk voelde. Ik had hem voor narigheden moeten behoeden want ik wist dat hij ver boven de middelmaat uitstak en kwetsbaar was, maar ik heb het nagelaten.' Die uitleg bevredigde haar niet. 'En ik was hem als een zoon gaan beschouwen.' Dat was maar al te waar. 'Ik had beter op hem moeten passen want ik geloof niet dat iemand anders de gevaren voorzag.'

Het was niet voor de eerste keer dat ze aan een volgende vraag begon maar het einde ervan inslikte. Ze staarde peinzend in de rook van haar sigaret en koesterde intussen mijn hand. 'Hoe goed herinner je je hem nog, Sharon?'

'Dat weet ik niet.' Ze heeft zich allerlei gebaren en houdinkjes aangewend, al moet ik zeggen dat ze er niet mee poseert. Zoals nu: zich opeens naar voren buigen, beide handen in het haar steken en ze daar laten, terwijl er op haar voorhoofd in de gladde huid een denkrimpeltje opkomt en weer verdwijnt. Onbewust tuit ze de lippen van haar grote, vriendelijke mond; ze glimlacht zo flauwtjes dat je er naderhand niet eens zeker van bent of ze inderdaad heeft geglimlacht. 'Ik weet het niet. Wél weet ik dat ik nogal gek op hem was. Dat ik tien was, is zó lang geleden, Ben... Ik moet bekennen dat ik niet eens veel van de roemruchte mannelijke sekse afweet. Dat komt... weet je wel: studeren, niet naar feestjes gaan; Czerny, en geen vriendjes. Het is het waard geweest, ik ben er niet onder gebukt gegaan.'

'Nog tijd genoeg.'

'Ach, tijd... Ik kreeg zo'n beetje het gevoel dat hij dood was, toen moeder Sophia – zo ben ik haar gaan noemen; dat hoort ze graag – toen zij me had verteld dat jij dood was. Niet dat ik hem vergeten ben, maar ik moest hem gewoonweg in het verleden achterlaten, zoals een station wanneer je met de trein vertrekt. O ja, de middelbare school heb ik niet afgemaakt. Mijn moeder stierf toen ik dertien was, en paps is hertrouwd... ach, en toen ontstond er een Assepoestersituatie. Ik kon de stiefmoeder niet uitstaan en zij mij zeker niet. Daarom nam moeder Sophia mij bij zich in huis; beter had ik het me niet kunnen wensen. Ik... ik hoor nu en dan nog wel eens van paps. Stijve briefjes. Grammaticaal overdreven keurig.'

'Was hij er vanavond niet bij?'

'Ach nee, hij...' haar prachtige vingers knepen weer in mijn hand '... hij trekt er niet vaak meer op uit, zoals het

153

zalmpje van zijn ingeblikte vader zei. Met andere woorden, terwijl de feeks met wie hij nu getrouwd is de winkel beheert, zoekt hij zijn heil om het hoekje. Dringt het in al zijn glorie tot je door, lieverd? Hij is meneer Brand-en-wijn. En zijn dochtertje kan net zo min tot hem doordringen als . . . ach, wat kan het ook schelen. Hij schrijft alleen wanneer hij nuchter is, ongeveer eens in de twee maanden, Ben . . .'

'Will.'

'Sorry. Will, Will. Ik heb aldoor aan *Ben* moeten denken . . . Enfin, hij schreef dat hij naar het recital had willen komen maar dat hij het erg druk had en zich niet goed voelde. Dat kan wel door die dame gedicteerd zijn. Ze weet dat hij nog steeds op zijn manier van me houdt; dat is het kruis dat zij moet dragen. De mensen zijn zo . . . zo . . .' Ze staakte haar poging.

Er bleef een te lang aangehouden stilte tussen ons hangen. Ik vroeg: 'Houjosovawowwies?'

Dat maakte iets bij haar los dat haar aan het huilen bracht, maar terwijl ze nog naar een zakdoek aan het grabbelen was en ten slotte de mijne pakte, zei ze: 'Dabeniggekkob. Maar nog een cognacje zou er ook best ingaan . . .'

'En moeder Sophia?'

'Die maakt het uitstekend.' Ze was nog steeds druk in de weer met haar ogen: tranen wegvegen en make-up bijwerken. 'Onsterfelijk, mijn God, was ze dat maar! Ik wist niet hoe ik het moest inkleden om vanavond uit te knijpen. Het liegen ging me bedonderd af. Ik zei dat ik opeens het gevoel had een paar uurtjes volkomen in mijn eentje door te moeten brengen, en dat zij er vermoedelijk geen bezwaar tegen zou hebben. Ze blijft toch op tot de vroege edities met de kritieken binnenkomen, dus waarom ga je niet mee naar haar toe?'

'Deze keer niet, lieve meid. Later.' Ik had de foto uit de krant bij me gestoken en even later liet ik haar die zien. 'De man vlak achter Max, links van hem. Doet hij je niet aan iemand denken?'

154

'Tjeem, ik zou haast zeggen van wel.' Ze bekeek de foto onder verschillende hoeken, leunde achterover, sloot even de oogleden over het heldere blauw en sperde toen haar ogen open. 'Billy Kell!'

'Het zou kunnen. En daar moet die beste Will Meisel achter zien te komen.'

Ze staarde me een poosje aan, in het duister tastend, niet zozeer wantrouwig tegenover mij maar zich er wellicht pijnlijk van bewust dat ik te veel verzweeg. 'Will, waaróm toch? Moet ik rustig blijven zitten pianospelen terwijl jij met je hoofd tegen een stenen muur beukt? Dan heb ik je net op tijd teruggekregen om mee te maken dat je je een buil valt.'

'Angelo leeft nog, ergens.'

'Geloof . . .' zei ze op vriendelijke toon. 'Will, lieverd, ze beweren dat het bergen verzet, maar dat heb ik nog nooit meegemaakt. Enfin, denk je dat Angelo als hij nog in leven is, misschien in contact staat met . . . die figuur?'

'Het zou kunnen.'

'Ik herinner me Billy Kell nog best. Een gemeen stuk verdriet, al heeft hij mij nooit werkelijk iets aangedaan. Echt iets voor hem, om een functie bij de Partij van de Eenheid te krijgen! Het moet me toch van het hart: als het nu blijkt dat je je iets sterk aantrekt dat alleen maar . . . Ik bedoel, het is zo'n tijd geleden! En je hebt trouwens *nergens* schuld aan. Bovendien, Ben . . . Will, zal de politie flink gezocht hebben. Daar zijn die lui voor en ze hebben er de middelen voor; die zouden de kwestie niet hebben laten rusten. Maar jij . . . hoor eens, als hij . . . als hij is gestorven, zou jij het waarschijnlijk nooit te weten komen. Of wel soms? Of misschien is hij nu kassier bij de bank of doceert hij natuurkunde of heeft hij god-weet-wat-voor rotbaantje, en jij . . . Ik zou je kunnen rammelen.'

'Ik ben oud,' zei ik. 'Ik heb geld. Ik zou hem kunnen helpen. Nu ik weet dat jij een grote meid bent geworden, is er niets dat ik liever zou doen.'

'Dan slik ik mijn woorden in. Als dat je taak is . . .'

155

'Het zou heel wat voor jou kunnen betekenen als ik hem vind, hé?'

'Lieverd, om walgelijk eerlijk te zijn: hoe weet ik dat nou?'

2

New York
donderdag 9 maart

Vandaag en gisteren vormen een afsluiting en een begin. *Drozma, ik ben er vrijwel zeker van dat Angelo nog leeft.* Ik zal de omstandigheden voor je proberen te schetsen.

Je kunt de Partij van de Organische Eenheid van alles voor de voeten gooien, ze treedt tenminste niet in het verborgene op. Ze neemt de benedenverdieping in beslag van een gebouw dat is opgetrokken toen Lexington werd herschapen in een van de avenues op twee niveaus. De andere zijn Second en Eighth Avenue – alle drie triomfen van technisch vernuft. De benedenzones zijn alleen voor auto's met elektronische bediening; in de bovenzones bestaat het rijverkeer alleen uit busverbindingen over smalle rijbanen in het midden; het dwarsverkeer gaat over viaducten.

Mijn kamer bevindt zich in een sjiek appartementengebouw in de binnenstad, bij de schimmen van de Bowery. Ik ben vanochtend vroeg op stap gegaan en voor mijn genoegen over de bovenzone van Second Avenue gewandeld. De jongens hebben een spelletje bedacht op die luchtbruggen: Je kunt niet tegen de hekken klimmen, maar door het gaas heen kun je wel zo nu en dan met een klodder kauwgum het dak van een bus raken. Wat voor puntentelling ze daarbij hanteren, weet ik niet.

Op de bovenzone van Lexington Avenue nam ik de bus. Het hoofdkantoor van de Partij van de Organische Eenheid bevindt zich meer naar de buitenkant van de stad, bij 125th Street.

Harlem is ook niet meer zoals jij het je herinnert, Drozma. De negers wonen overal in de stad, of vrijwel overal. Er zijn nog een paar mottige plekken waar de blanken geheel overheersen, maar ze slinken en zijn niet meer van belang. Harlem is nu nog maar een gewone stadswijk, waar je even veel blanke als zwarte gezichten tegenkomt. Maar op het bureau van de Partij van de Organische Eenheid ben ik niet veel zwarte gezichten tegengekomen... Welvarende tent. De wereld redden voor de zuiveren van harte legt geen windeieren. Dat heeft het nooit gedaan, lijkt me.

De blonde receptioniste had de glazige perfectie van een namaakdiamant. Ze taxeerde de goede snit van mijn kleding en schakelde haar welkomsthouding in: glimlach, kwaliteit B-1; semi-automatisch; suikeroompjes, voor de manipulatie van. Ze wuifde me verder door een matglazen deur met de naam DANIEL WALKER erop. Dat bleek een synthetisch vlotte endomorfe mesomorf van in de dertig te zijn, die zachte vetrondingen begon te vertonen. Alleen maar een opvangfunctionaris, één trapje hoger dan het blondje. Ik nam er mijn tijd voor en hield er een sigaar aan over. Niet al te schetterig, die Walker. Hij houdt zorgvuldig een openhartige blik op je gericht; hij spreekt met de holle stem van iemand die alleen citaten voortplant.

'Ik ben geïnteresseerd,' zei ik. 'Het lijkt me dat jullie niet zo'n beste pers krijgen.'

'Bent u van een krant, meneer Meisel?'

'Nee.' Ik zette een gechoqueerd gezicht. 'Gepensioneerd. Vroeger makelaar onroerende goederen.'

'Nooit opgewonden raken over de pers,' citeerde hij. Dat doet Joe ook niet. De hele pers is reactionair. Brengt de Organische Eenheid van het Volk niet tot uitdrukking.' Hij sprak hoorbaar met hoofdletters en ik zat er grimmig en wijs bij te knikken. 'In Ruimere Zin hebben we wel een goede pers. De kranten kunnen ons niet uitstaan, daar wordt over gesproken, en gesprekken leiden tot Intelligente Informatieverzoeken, zoals dat van u.' Ik wierp het hoofd in de nek; een oude bok die zich in zijn gelijk bevestigd voelde. 'Wat interesseert u het meest in de Partij, meneer Meisel?'

'Jullie Doelbewustheid,' zei ik. 'Jullie schrikken er niet voor terug duidelijk een Streven te Formuleren.' Ik stak de sigaar op met een aansteker waar ik achtenveertig dollar voor had neergeteld – en deed het op mijn elf-en-dertigst, om die meneer Walker met zijn openhartige blik het ding te laten taxeren. (Ik zal het mee terugnemen, Drozma. Er zit een wit-gouden naaktfiguurtje van zo'n anderhalve centimeter op; dat geeft een klap op het vuursteentje en wipt met het achterwerk. Esthetische waarde niet meer dan een dubbeltje; het is misschien wel lollig voor de kinderen). 'Wanneer je Alleen op de Wereld staat . . .' Ik zuchtte. 'Om u de waarheid te zeggen, meneer Walker, ik heb het gevoel dat de Partij mij in het Leven een Doel voor Ogen zou kunnen stellen.' Ik hield hem voor dat de wereld gevaarlijk op drift raakte. Internationalistische waanideeën. De eeuwige waarheden uit het oog verliezen. Scepticisme dat om zich heen greep. Ik vroeg me in stilte af of ik als scepticus ook om me heen kon grijpen. Wie weet.

'Wat u zegt,' antwoordde meneer Walker op vriendelijke toon en begon naar mijn biografische bijzonderheden te vissen. Ik liet me ontfutselen dat ik uit Maine kwam, weduwnaar was en geen kinderen had. Tot dusver republikein geweest, natuurlijk. Maar nu goddank niet meer. Dat waren reactionairen: ze zagen niet in hoe onvermijdelijk het was om in Azië in te grijpen. Ze hadden geen doel voor ogen staan. Ik was flink verontwaardigd op de republikeinen.

'Ze hebben hun tijd gehad,' citeerde Walker. 'Vergeet ze maar. Hebt u zich nooit afgevraagd waarom wij het over de Partij van de Organische Eenheid hebben?' Hij wachtte mijn antwoord niet af. 'Ik zal u iets in vertrouwen vertellen, meneer Meisel. U zult inzien dat het woord "eenheid" een ongemak met zich meebrengt. We kunnen onszelf moeilijk Unionisten of Unitariërs noemen, hèhèhè. Organisten trouwens ook niet. De term hiervoor, meneer Meisel, is *Organieten*. Iets dat we pas enkele dagen geleden van de leider hebben doorgekregen dus het is nog niet zwart-op-wit verschenen, maar u snapt natuurlijk de bedoeling. Binnenkort heeft iedereen het er over; onze vijanden ook, die zullen er de draak mee steken.' Er werden tien gemanicuurde vingers op me gericht. 'Gewoon hun gang laten gaan! Ook daar hebben we baat bij.' Dat was het enige moment dat het echte masochistische fanatisme van achter het masker van deze verslapte atleet te voorschijn kwam. 'En waarom Organisch? Omdat dit het enige woord is dat uitdrukking geeft aan de aard van de Samenleving en de Elementaire Behoeften van de Mens! De Maatschappij is een Eenheidsorganisme. Dus! Wat moet ieder eenheidsorganisme hebben? Voortbewegingsmiddelen. Middelen om de honger te stillen, om zich voort te planten. Zintuigorganen. In ieder geval een eenheidszenuwstelsel. Dus! Waarmee stilt de Maatschappij de honger?' Onder zijn bedrijvige vingers spuide zijn bureau pamfletten en folders totdat mijn zakken uitpuilden.

'Met landbouw en veeteelt en de mensen die daarin werkzaam zijn,' zei ik. Sommige van die pamfletten had ik al gelezen en ik had de ideeën ervan in mijn hoofd geprent, ideeën zo oudbakken dat het mensdom er zeker al duizend jaar geleden door gehypnotiseerd was geraakt of zich er vierkant tegen had gekeerd.

'En hoe staat het met zenuwstelsel van de maatschappij?'

'Nou ja, daar zit ik een beetje mee, eerlijk gezegd. Iedereen wil van dat zenuwstelsel deel uitmaken, lijkt me zo.'

'Nee, vriend, dat hebt u mis. U vindt het toch niet erg dat ik dat zeg? Niet iedereen. Jan- met-de-pet, meneer

Meisel, wél *geregeerd* worden. Vergeet niet dat Democratie gedefinieerd dient te worden als het grootste *nut* voor zoveel mogelijk mensen. Vraagt u zich maar eens af, meneer, hoeveel mensen weten wat goed voor hen is. Jan-met-de-pet heeft een inzicht aangepakte Heropvoeding nodig, meneer Meisel. Hij moet zijn juiste plaats in het Organisme vinden, begrijpen en aanvaarden. Of soms zelfs blindelings aanvaarden. Dus! Wie gaat hem dat aan het verstand brengen? Wie *kan* dat, behalve een elitegroepje van ter zake kundigen, van natuurlijke heersers, met andere woorden: het zenuwstelsel van de Maatschappij?'

Ik probeerde een gezicht te zetten alsof ik zojuist iets briljants had bedacht. 'Zo te zien zou dat wel eens een taak zijn die geknipt is voor de Partij van de Organische Eenheid.' Ik had de sigaar laten uitgaan, zodat de naakte meid van achtenveertig dollar er weer op los kon wippen. Ik pufte een rookwolk uit en keek zo zelfvoldaan op dat ik nog wee in mijn maag word als ik er aan terugdenk. Ook Walker was ingenomen met de situatie. Met zekerheid nam ik een glimp van minachting bij hem waar, die haastig verdween, zoals een wezeltje dat achter een steen op de uitkijk zit.

'U slaat de spijker op zijn kop, meneer Meisel.'

'Hebben ze van de Progressieve Arbeiderspartij ook niet zo'n idee?'

Dat kan een misstap zijn geweest, een ietwat te intelligente vraag voor die ouwe peer van een Meisel. Walker ging beter op zijn tellen passen. Rustig antwoordde hij: 'Die houden er wel een paar goede ideeën op na. Beter inzicht in de Maatschappij dan de oude partijen. Net als wij zien ze waar het grootste gevaar schuilt.'

Ik zette mijn oude Martiaanse nek schrap om een blos op mijn welgevormde wangen te voorschijn te brengen. 'U bedoelt natuurlijk die verdomde federalisten?'

Dat was precies het juiste geluid en ik geloof dat hij gerustgesteld was. Nog steeds op rustige toon zei hij: 'De ergste verraders van Amerika sinds de Burgeroorlog. Ja, die bedoel ik . . . Hebt u ooit in connectie gestaan met de Progressieve Arbeiders, meneer Meisel?'

'O nee, hoor.' Voor zover ik kan uitmaken, Drozma, was hij nu gerust.

Hij kwam tot een besluit. 'Ik wil u graag eens in gesprek brengen met Keller. Geweldige kerel; zal zeker bij u in de smaak vallen. Mocht u nog enige twijfel koesteren omtrent wat we doen, wat we voorstaan, dan kan hij die beter uit de weg ruimen dan ik.'

Terwijl hij me van opzij opnam alsof ik een kunstwerk was, bulderde hij in de telefoon: 'Bill? Hoe staat het ermee?' Ik kreeg een kil gevoel in mijn keel. Hiervoor was ik gekomen. Bill Keller. Billy Kell . . . Ik spande mijn ondeugende Martiaanse gehoor in, maar de stem van de andere kant was niet meer dan een blikkerig geknerp. 'Eh, Bill . . . Ik zou hem graag eens met jou in contact willen brengen wanneer je er even de tijd voor hebt.' Zeker een codeformulering voor 'tijd uittrekken om de doopceel van dat zachte ei te lichten.' Kort daarop legde Walker zijn hand over de microfoon en vroeg me op hartelijke toon: 'Kunt u zich vrij maken . . . laat op de middag?' Ik kon me vrij maken.

Hij werkte me met zachte hand de deur uit. Hij sloeg geen arm over mijn schouder want ik ben een stuk groter dan hij, maar verder stelde hij alles in het werk om me het gevoel te geven dat ik de Grijze Eminentie van Nergenshuizen was. 'In vertrouwen . . . Bill Keller zit *heel* hoog in de hiërarchie. Begrijpt u me niet verkeerd, het gaat volkomen democratisch toe. Maar ziet u, een leider als Joe Max, met al zijn verantwoordelijkheden en zorgen, kan niet zoveel tijd aan iedereen besteden als hij wel zou willen. Hij moet zich verlaten op een paar uitverkorenen.' Hij liet me zijn gekruiste vingers zien. 'Daar hoort Bill Keller *helemaal* bij!' Hij klopte me op de rug. De oude heer Meisel stapte het kantoor uit en zette zijn schouders schrap nu hij een doel voor ogen had.

Het leek me niet dat ze iemand achter me aan gestuurd hadden; het kon me trouwens niet veel schelen. Ze hadden mijn adres en als ze rond wilden snuffelen, moesten ze hun gang maar gaan. Ik heb de hele morgen rondgezworven en God-weet-waar geluncht. Ten slotte raakte ik in de dierentuin van Central Park verzeild. Die maartse dag was als een klein meisje dat net uit het bad komt: koel, geurig, bereid om ondeugende dingen te doen. Ik kon er nu op ingaan. We zijn bijna menselijk, Drozma: als je niet degene kunt vinden van wie je houdt, kan een vijand de op één na beste mogelijkheid bieden.

De beren hadden de voorjaarskriebel te pakken. Een oud kaneelbruin exemplaar banjerde neurotisch aan de voorkant van zijn omheinde stukje terrein rond: tien passen naar links, kop omdraaien, tien passen naar rechts en intussen klaaglijk in zichzelf pratend. De enige andere toeschouwer was op dat moment een jongen met een bruin gezicht, die na een poosje op mijn aanwezigheid reageerde met de bezorgde vraag: 'Wat loopt hij te jammeren?'

'Houdt er niet van opgesloten te zitten, vooral deze tijd van het jaar.'

'Zou u hem loslaten, meneer, als u kon?'

'Nee, ik blijf liever gezond.'

'Zou ons zeker behoorlijk toetakelen, hè?'

'Hm. Kan hem geen ongelijk geven.'

'O nee?'

'Het zijn mensen zoals wij geweest die hem hierin hebben gestopt.'

'Ja ... Tjee!' Hij kuierde weg en dacht er diep over na.

Het was over vieren toen ik op het kantoor van Organische Eenheid terugkwam. Het was druk in de hal. Walker was bezet. Een kwartier lang zat ik het komen en gaan van organieten gade te slaan. Heel wat treurige, gespannen, introverte gezichten; andere hadden een op macht beluste blik over zich. Sommige figuren zagen er berooid uit, een aantal welvarend. Slechts één ding hadden ze duidelijk met

162

elkaar gemeen: ze wilden allemaal iets. Veel variatie trof ik er niet bij aan, tussen een mannetje met een lijmende glimlach die waarschijnlijk op een baantje als enveloppendichtplakker uit was, en een uitgemergelde paranoïde kerel met een splinternieuwe opzet voor het heelal.

Ten slotte begeleidde Walker me door een wirwar van looppaden tussen bureaus naar een kantoor aan de achterzijde. Iets groots. Net als Mussolini meten ze rangen en standen af aan de hoeveelheid vloerkleed tussen deur en bureau. Toen die deur openging...

Drozma, de Martiaanse geur was er dicht genoeg om er plakjes van te snijden.

Maar ook zonder die lucht zou ik hem herkend hebben, de zware figuur die daar als Il Duce opdoemde. Zijn gezicht was alleen in de richting van volwassenheid veranderd. Dikkere wangen; een geroutineerde, half-toeschietelijke frons. Hij bleef een indrukwekkende poos wachten eer hij opstond om ons te begroeten. Zeer zeker een ondergeschikte – ik twijfel er geen moment aan dat die akelige mensenfiguur Joseph Max alle autoriteit belichaamt – maar toch liep William Keller naast zijn schoenen van de macht die hij kon uitoefenen.

In een munt-w.c. had ik nieuwe geurverdrijver opgedaan en het gezicht dat ik tegenwoordig heb, is goed. Weliswaar had Sharon me herkend, maar Sharon was met liefde aan me blijven denken en bovendien zag ze mijn blik van herkenning voordat ze op me af holde. Bij Billy Kell (ik moet hem William Keller leren noemen) geen enkele herkenning. Hij kwam potig achter zijn bureau vandaan, tolereerde grootmoedig het joviale voorstellen door Walker en bonjourde Walker toen met het licht optrekken van een wenkbrauw de deur uit. Keller spoot niet naar alle kanten ideologie uit. Hij stelde me ietwat stijfjes op mijn gemak en verwachtte dat het gesprek van mijn kant zou komen. Daar zorgde ik voor. Ik maakte gebruik van de aansteker; al babbelend strooide ik autobiografische gegevens doorspekt met partijleuzen rond. Ik moest zorgen dat ik het niet zo aandikte als bij Walker. Ten slotte remde hij me op vermanende toon en toch met eerbied voor mijn grijze haren af; 'Het interesseert me waardoor u zich tot ons hebt gewend, meneer Meisel. De partij ontleent haar kracht aan jonge mensen. Wij ontketenen hun kruisvaardersgeest, geven hun iets om in te geloven, en daarom zijn we niet tegen te houden. Mensen met uw achtergrond hebben meer de neiging zich vijandig op te stellen. Of apatisch of ontmoedigd. Het doet me goed dat u naar ons toe bent gekomen, maar vertelt u eens wat meer over de oorzaken en redenen van uw komst.'

Ik vroeg me af: Als ik nu eens achter dat bureau kwam staan en je net zo lang de strot dichtknijp tot je alles hebt verteld wat je weet? Het was een moment waarop ik me verschrikkelijk eenzaam voelde en het volle gewicht van negen ellendige jaren op mijn schouders drukte. 'Ik geloof dat de persoonlijkheid van uw leider daarbij van beslissende betekenis is geweest, meneer Keller. Ik heb de loopbaan van Joseph Max gevolgd op de radio en de televisie en toen, nou ja, toen kreeg ik opeens het idee dat ik iets wilde *aanpakken*... Ik ben zijn boek gaan bestuderen...'

Na uitgestreken ernstig te hebben nagedacht, knikte hij. 'De bijbel van de beweging. Het kan niet missen als je je aan *Het Maatschappelijk Organisme* houdt, het geeft antwoord op al je vragen. En zo te horen hebt u inderdaad de theorie onder de knie. Eigenlijk niet eens theorie; pure maatschappelijke feiten. Ik wil er vooral zeker van zijn dat u beseft dat hier van een serieuze zaak sprake is. We maken er geen spelletje van, voor beunhazen hebben we geen plaats en geen tijd... Er bestaan twee soorten leden van de partij: contribuerende en kaderleden. Het contribuerende lidmaatschap geldt voor iedereen die bereid is zijn contributie te betalen en zijn handtekening op een inschrijfkaart te zetten. Met het kaderlidmaatschap is het anders gesteld; dat krijg je pas na een studieperiode en een onderzoek.'

'Dat lijkt me reëel. Ik weet niet of ik daar goed genoeg voor zou zijn. Maar ik heb wel het gevoel dat ik thuishoor in de gelederen van de . . .' ik bracht een heel nederig glimlachje te voorschijn '. . . van de organieten.'

Onnatuurlijk zacht vroeg hij: 'Waar haalt u *die* term vandaan?'

'O, meneer Walker zei dat ze er binnenkort in de publikaties gebruik van gaan maken.'

'O . . .' Zijn masker was zo ongenaakbaar als een begrafenis. 'Toevallig had hij dat niet mogen zeggen.' Keller roffelde met zijn vingers op het bureau. 'Nu het toch gebeurd is, moet ik u verzekeren dat we dat woord *niet* zullen gebruiken. Een paar adviseurs van de tweede garnituur zijn er eens mee komen aanzetten. Ongeschikt, het wordt veel te gemakkelijk in het belachelijke getrokken. Natuurlijk had Max dat meteen door. Laten we maar zeggen, meneer Meisel, dat u er nooit van gehoord hebt.'

Verdomme nog-an-toe, die kerels zijn net zo gespeend van humor als de communazi's. Verbouwereerd hakkelde ik: 'Tja . . . ik wist natuurlijk niet . . .'

'Trek het u niet aan. Daar kon u geen weet van hebben.'

'Meneer Keller, zou er een mogelijkheid zijn dat ik . . . Hem ontmoet?'

Hij overwoog het in stilte, haalde de schouders op en knikte. Hij zag er nu vermoeid uit; het deed bijna menselijk en sympathiek aan. 'Zeker. Dat is te regelen. Vanavond, als u gelegenheid hebt. Max – o ja; hij houdt niet van dat ge-meneer; bij de kennismaking meteen Max zeggen; donderdagsavonds houdt Max open huis voor vrienden van de partij. 'k Wil u wel meenemen als u er iets voor voelt.' Hij wees mijn dankbetuigingen van de hand. 'Met alle soorten van genoegen. En nog iets: hij ziet graag dat andere leden van de partij onder elkaar een zekere vormelijkheid in acht nemen. Ik beschouw het als een gril die uit zijn grootheid voortkomt. Voor mij maakt het geen donder uit, maar wanneer we daar zijn, noemen we hem Max en zeggen we tegen elkaar meneer, snapt u ?' Ik knikte eerbiedig. 'Komt u om half negen bij mij thuis langs, als u wilt. Green Tower Colony, aan de wandelboulevard, laatste flatgebouw voor de brug. Als u nu naar de binnenstad teruggaat, kunt u straks het best op de benedenzone van Eighth Avenue een taxi nemen om bij mij thuis te komen. Zeg tegen de chauffeur dat hij die dievenautomaat van hem op de afslag Washington instelt.' Hij greep naar zijn telefoon. 'Tot vanavond dan.' Terwijl ik de deur uitging, hoorde ik hem met Walker bellen.

Ik koos een verkeerde route tussen de bureaus met ratelende schrijfmachines en telefoons door en belandde in een warwinkel van doodlopende paadjes, waaruit ik door een stenografe werd verlost. Dat nam een paar minuten in beslag. Toen ik de hal bereikte, stond Walker daar bij de waterkoeler. Met zijn uitpuilende grijze ogen staarde hij mijn kant uit, wellicht zonder me te herkennen. Zou een foutje in het toepassen van de partijterminologie hem zo de bibberatie hebben bezorgd dat hij met zijn grote hand geen plastic bekertje kon vasthouden?

Ik had Sharon willen opbellen. Maar na het onderhoud met dat onverstoorbare en gesloten iets dat eens Billy Kell was geweest, trad er een reactie bij me in en was mijn humeur om op te schieten. Ik zou een venijnige toon hebben aangeslagen en haar daarmee de schrik op het lijf jagen, of ik zou mijn mond voorbijpraten. Ik beloofde mezelf dat ik na het bezoek aan Max een gesprek met haar zou hebben, als het dan nog niet te laat op de avond was.

Ik stouwde in mijn eentje een saai avondmaal weg en vertrouwde daarna mijn goede gesternte en mijn dure eer toe aan een taxichauffeur die met mij door de stad naar de benedenzone van Eighth Avenue joeg. In de eenbaansoprit met zijn blinkend witte betegeling sloeg de motor vanzelf af. De bestuurder stopte een munt in een gleuf in de wand. Op zijn dash-board ging in een paneeltje een fel oranje licht branden; hij drukte op een knop met een *W*. Zonder dat hij er iets aan deed, begon de motor te lopen en reed de taxi een mysterieuze baan van gezoem en stralende verlichting op. Met beide handen van het stuur stak de chauffeur een sigaret op. 'Jezus, mán!' zei ik.

'Voor het eerst, maat? 'k Wen er zelf ook nooit aan.' Hij gleed naar de rechter zitplaats, legde zijn armen op de rugleuning en keek me aan alsof hij er een gezellig onderonsje van ging maken. De snelheidsmeter stond op 120. 'Niet zo druk verkeer om deze tijd van de avond. Het gaat allemaal met dat kijkoog daar. Menselijk is het niet. Maar weet u... ik wil niet beweren dat ik er aan gewend ben, alleen ga je denken: Jezus, lekker even de kans om me uit te rekken. Ik heb een schrikstrip op het stuur zitten, doet geen pijn, zorgt er alleen voor dat je er met je vingers afblijft.' Hij gaapte.

Ik zag een waas van lampen en pijlers voorbijschieten. 'Komen er nooit ongelukken van?'

'Geen enkel, zeggen ze. Komt door de scanner. Geeft de hele kar een diagnosetest, zodra je je halve dollar in de gleuf stopt. Ze hebben me daarmee een keer te pakken gehad. Contactpuntjes waren niet best; had ik nog niet gemerkt. Ik werd door de automaat naar de werkplaats geschoven, vlak voorbij de ingang. De monteur daar was heel schappelijk; het kostte maar drie dollar. Het mooiste was dat mijn vrachtje niet wilde betalen. Had er de pest in. Nou ja, een juf die een afspraak had. Gek, maar er zijn nog steeds mensen die denken dat de benedenzone elke oude brik toelaat. Aan beide kanten staat er een smeris om ze uit te ziften. Stomme provincialen meestal... Daar hebben we de afslag.'

'Nu al?'

Hij gnuifde. We zoefden via een ondergronds klaverblad naar een uitgang, waar hij met een zucht het stuur weer in handen nam. 'De ellende is,' zei hij, 'dat het niets menselijks heeft ...'

Green Tower Colony is een hoog oprijzend modern bouwwerk. Ik weet niet met wat voor materiaal het is afgewerkt maar het geeft een effect van groene jade met een halfmatte glans. Bij het torengebouw steken de pijlers van de brug nietig af maar de combinatie doet geen afbreuk aan de luchtige fierheid van de staalconstructie die nu als heel oud wordt aangemerkt. Kellers flat is op de veertiende etage, die onmiddellijk op de twaalfde volgt.

Keller liet me vriendelijk maar ietwat afwezig binnen. Hij was moe en niet ontspannen. Bij zijn bel stonden nog twee namen: Carl Nicholas en Abraham Brown.

Toen ik de rijkelijk ingerichte hal binnenkwam, hoorde ik gedempt door gesloten deuren iemand op een piano oefenen. De persoon in kwestie probeerde iets zinnigs te maken van Bachs *Tweestemmige Invention nr. 8;* iets waar zijn vingers en verstand nog lang niet aan toe waren. Dezelfde fout van de linkerhand werd twee keer herhaald terwijl Keller mijn jas aanpakte en me een deftige zitkamer binnenloodste. De pianist wist waar de fout zat maar had niet geleerd dat die alleen met langzaam oefenen te verbeteren was. Hoewel het gedempt klonk, schiep het een achtergrond van frustratie, van ongeduldig doelloos doorzetten. 'Whisky?' zei Keller. ''t Is nog een beetje vroeg om erheen te gaan.'

'Graag.' Hij ging aan de slag achter een fantastische huisbar. Behalve de hakkelige muziek was er nog iets dat me dwars zat. Niet de overvloedige bewijzen van dat er nauwelijks op geld was gekeken; ik wist al dat een messiaanse beweging als die van Max een goudmijn is. De legioenen van de eenzamen, van de mentaal en emotioneel ondervoeden, de verbijsterden en de haatdragenden, de verontwaardigde dagdromers . . . wie van hen zou niet bereid zijn vijf of tien dollar te schokken om een remplaçant te krijgen voor God, of Moeder, of Big Brother, of Nieuw Zion? Dat was het niet; het was iets dat ik in de uiterste hoek van mijn oog had waargenomen toen ik de kamer binnenkwam en waar ik verder niet naar had gekeken. Ik ontdekte het opnieuw terwijl Keller met de drankjes bezig was. Gewoon een schilderij bij de boogdoorgang van hal naar zitkamer. Ik werd erheen getrokken, en mijn starende blik met mij.

De achtergrond was melancholiek donker en ging over in zwart. Een spiegel, en misschien leek wel tegen alle logica in een deel van het licht uit de spiegel te voorschijn komen. Er keek een jonge man in. Je zag van hem alleen een blote arm en schouder, een deel van een afgewende wang. Dit alleen was voldoende om een nadrukkelijk beeld te scheppen van prille jeugd, terwijl daarentegen het gezicht in de spiegel getekend was door de bittere ervaring van vele jaren. Er was niets groteks aan, geen overdrijving van de leeftijd. Op zichzelf beschouwd kon dat zorgelijk uit het doek kijkende gezicht behoord hebben aan een man die dertig of veertig moeilijke en teleurstellende jaren achter de rug heeft. Ik neem aan dat iedere schilder met een levendige fantasie tot een dergelijke opzet had kunnen komen. Er lag een grote technische vaardigheid aan ten grondslag, maar ook die vind je bij talloze schilders. En toch . . .

'Vindt u het mooi?' vroeg Keller terloops terwijl hij achter me met mijn glas kwam aanzetten. 'Abe heeft soms de buitenissigste ideeën. Niet iedereen is er gek op.'

Ik hield mijn gezicht in bedwang. 'Nogal opzienbarend werk.'

'Dat kun je wel zeggen. Hij spant zich er niet echt voor in; hij kwakt het er zo op.'

'Abe . . . o, Abraham Brown? Die naam zag ik bij de bel staan.'

'Hm-hm.' Hij koesterde geen argwaan: Will Meisel voldoet prima. 'Vrind van me; woont hier in bij mijn oom en mij. Hij is nu aan het piano studeren; ik stoor hem niet graag, anders zou ik hem wel voorstellen.'

Je oom? dacht ik, maar ik zei: 'Een andere keer. Is hij . . . eh . . . ook in de partij geïnteresseerd?'

'Zo'n beetje.' Keller ging met zijn glas in de hand zitten,

zuchtte en waaide met een menselijk gebaar de rook voor zijn gezicht weg. 'Niet werkelijk politiek bewust. Nog maar een jonge snuiter, meneer Meisel. Zijn draai nog niet gevonden. Pas eenentwintig jaar.'

Ik moest iets anders aansnijden, anders zou ik mezelf verraden. 'Woont Max hier in de buurt?'

Keller glimlachte toegeeflijk; met zijn blik gaf hij te kennen dat ik niet erg opschoot met mijn whisky. 'Hier in huis, helemaal boven. Een dakstudio . . .'

Angelo leeft nog. Ik dronk mijn glas leeg, niet uit gehoorzaamheid maar wel vlug.

In de hal van het dakappartement werd ik netjes door een lijfwacht gefouilleerd en Keller maakte zijn excuus dat hij me er niet voor had gewaarschuwd. Het is maar goed dat de granaat vlak tegen de huid aansluit. Joseph Max bevond zich al te midden van een menigte kakelende bezoekers. Keller baande voor mij een weg door een woud van armen, boezems en cocktailglazen. Met mijn gedachten vertoefde ik beneden bij 'Abraham Brown'. Ik geloof dat mijn vaagheid ten onrechte werd aangezien voor de stomheid waarmee ik geslagen zou moeten zijn uit diepe verering in aanwezigheid van een groot man.

Van dichtbij bezien houdt de gelijkenis met Calhoun bij de kaak op. De rest van het grote vale gezicht is vaag van lijn en stopverfachtig onder een grijs wordende haardos. Ziekelijk uitpuilende ogen zoals bij Walker en met dezelfde vage blik, bijna die van een blinde. Waarschijnlijk wil hij uit ijdelheid niet aan een bril, en blind is hij bepaald niet: In één glimlachende blik had hij Will Meisel gewogen, gemeten en geclassificeerd. In hem, Drozma, constateerde ik iets van de paranoïde felheid van Hitler; een heel klein beetje van de norse intellectuele drift van Lenin en zijn druilerige baarddragende schooljongens; onverbloemde machtshonger in overvloed, maar bijzonder weinig van dat werkelijk krachtige dat we aan Stalin of Attila of Huey Long toeschrijven. Max is uit tirannenhout gesneden, maar de

170

kern is niet solide. Zijn eerste flinke nederlaag kon meteen wel eens zijn laatste zijn. Dan schiet hij zich een kogel door het hoofd of hij duikt in de godsdienst. Maar het partijapparaat dat hij heeft opgebouwd, hoeft het niet beslist tegelijk met hem te begeven.

'Meneer Meisel! Meneer Keller heeft het vandaag over u gehad. Fijn dat ik u leer kennen. Ik hoop dat u met ons zult willen optrekken.' Hij heeft een zekere charme.

Ik zei: 'Dit is een geweldig jaar voor Amerika.'

Dat had ik helemaal alleen bedacht. De uitpuilende ogen dankten me. Ik merkte hoe hij overwoog of deze woorden het goed zouden doen op een verkiezingsspandoek. Een oogverblindend platinablonde juffrouw begroet me onder haar glimlach. Er werden glazen geheven om ergens een toast op uit te brengen. Op een bevelende blik van Max nam Platina me op sleeptouw, voorzag me van een drankje en bleef zich met me bezighouden. Miriam Dane, een smeulend stuk vuurwerk!

Levendig vrouwelijk, en toch ietwat onwennig. Wanneer ze vergeet te glimlachen, zet ze een ongelukkig pruilmondje. Ze wekt de indruk alsof ze de oren spitst naar iets dat haar ieder ogenblik kan roepen. Ze ontplooide een kleinemeisjesontzag voor alles wat er over mijn lippen kwam. Ik neem aan dat ik in de partij zal worden opgenomen, Drozma, als ik het daarop aanstuur. Maar nu ik weet dat *Angelo leeft,* moeten we eerst de ontwikkelingen maar eens afwachten. Mijn plannen reiken niet verder dan morgenochtend; dan ga ik die flat bezoeken op een tijdstip dat Keller op kantoor dient te zitten.

Miriam keek naar iemand uit en vroeg even later: 'Abe Brown is toch niet met u en Bill meegekomen, hè?' Terwijl ze de vraag stelde, dwaalde haar hand af naar een ring met één enkele diamant die ze aan haar vinger had.

'Nee, die was aan het piano studeren. Ik ben niet eens aan hem voorgesteld... Beste meid, wat ben ik toch een onattente oude sok!' Ik besteedde een sinterklaasachtige blik aan de diamant. 'Abe Brown?'

Er was iets mis aan de manier waarop ze snoezig haar ontstemming wilde laten blijken. Ze acteerde dat ze iets aan het acteren was. Het moest lijken op een ontwapenende irritatie waarachter welbehagen verborgen ging; het bemantelde echter geen welbehagen maar onzekerheid. 'Er ontgaat u ook niet veel, meneer Meisel . . . mag ik Will zeggen? Ja, zo is het.' Daarna ging ze me aan dezen en genen voorstellen. Ik schudde iets vochtigs en onappetijtelijks dat toebehoorde aan senator Galt van Alaska, die zijn gebalk liet horen. Hij heeft net zo'n ruige ring met haar om zijn hoofd als William Jennings Bryan.

En dan Carl Nicholas. Ja, Drozma, er hing zoveel rook en parfum in die grote kamer van Max, dat ik de geur pas van die van Keller onderscheidde toen Miriam me naar hem meetroonde. Vet, oud en zielig om te zien. Zijn Salvayaanse ogen liggen diep ingebed in een ziekelijk gezwollen gezicht. In die negen jaar is onze ouderdom over hem gekomen, Drozma. Terwijl jij die overgang goedschiks hebt aanvaard zoals je alle onvermijdelijke zaken goedschiks aanvaardt, en het in mijn bijzijn over de 'bevestiging van je sterfelijkheid' had, is deze uitgetredene, deze Namir, niet meer dan een boze geest in een stopfles, onverzoenlijk, gevat in vet en zwak vlees en er nog steeds naar hunkerend om een weinig belangstellende wereld omver te werpen. Hij haalde piepend adem en raakte even mijn hand aan maar keek me nauwelijks aan, omdat hij volkomen opging in het doen en laten van Max. Toch maakte ik me een beetje bezorgd en poetste zo snel mogelijk de plaat. Miriam fluisterde me toe: 'Arme man, hij kan er niets aan doen maar ik krijg toch kippevel van hem. Ik weet dat ik niet zo zou moeten reageren. Hij heeft een boel voor de partij gedaan; Max slaat hem hoog aan.' Ze gaf me een klopje op de arm. 'Jij bent een aardige man. Ik ben een flauwerd, hè?'

'Niks hoor,' zei ik. 'Alleen maar jong en slank.' Dat viel in goede aarde. 'Heb je ... een volle baan bij de partij,

172

Miriam?'

'Tjee!' Met grote ronde ogen in haar knappe snuitje keek ze me aan. 'Wist je dat dan niet? Kleine ik ben secretaresse van . . . Hem.' Haar ogen duidden de naargeestige grootsheid van Max aan en raakten omfloerst. 'Het is iets geweldigs. Ik raak er nog steeds niet helemaal aan gewend.' Na een pauze die veel van een stil gebed had (nee, ik heb geen hekel aan Miriam; ze is wel leuk en ik heb het idee dat haar pijnlijke ervaringen te wachten staan) nam ze me mee om Max' beroemde collectie speelgoedsoldaatjes te bezichtigen.

Er is een speciale kamer voor ingericht: grote tafels, kistjes met glazen deksel. Indianen, Perzen, Hindoes op olifanten, rooinekken, Hollanders die tegen de Armada vochten. Sommige ervan zijn oud; één groep leek op een verzameling die ik in het museum van Oudestad ben tegengekomen: middeleeuws Frans. Ze zeggen dat Max ermee gaat spelen wanneer hij niet in slaap kan komen. Een gril die uit zijn grootheid voortvloeit?

Het was schemerig toen we die kamer binnengingen. Miriam deed het grote licht aan en verstoorde daarmee een gemompelde conversatie tussen twee mannen die aan de andere kant van de kamer in het donker hadden gestaan. Miriam negeerde het tweetal en begeleidde me van het ene kistje naar het andere. Een van hen was Daniel Walker, en zijn gladde, ronde gezicht zag er geteisterd en troosteloos uit. De andere – oud, met wit haar, nog groter dan ik, wanstaltig lijkbleek – was flink aangeschoten en keek glazig uit zijn ogen. Met een dwaze waardigheid trachtte hij zich overeind te houden. Toen we de kamer verlieten, fluisterde Miriam: 'Die oude heer, dat is dr. Hodding . . .'

Dezelfde Hodding, Drozma. Vroeger bij de Wales-stichting, en kennelijk nog steeds in contact met dat stelletje hier. Ik snap het niet. Misschien krijg ik de kans iets aan het licht te brengen.

Toen ik afscheid van Max nam, was het aan de donkere

173

vlekken onder zijn ogen te zien dat hij vermoeid was. Een interessante gewaarwording, dicht genoeg bij een groot man te komen om te merken dat hij uit zijn mond ruikt. Maar wat ik bij dat afscheid voor me zag was geen groot man; niet meer dan een kind dat in de rats zit, zo'n kind dat een ijzeren stang op de spoorrails heeft gelegd.

Ik heb heus wel eens een werkelijk groot man ontmoet. Dat is iets heel anders en het maakt het gemakkelijker om met boosaardige tuinkabouters als Joseph Max rond te springen. Ik ben in 30864 op het Witte Huis geweest, en zoiets blijft je bij.

3

New York
vrijdagmiddag 10 maart

Door de dikke voordeur van de flat hoorde ik iemand aankomen die mank ging. Ik wendde mijn veranderde gezicht af, hoewel ik besefte nooit een betere gelegenheid te zullen krijgen om waar te nemen wat die negen jaren hadden aangericht. De deur ging open. Het was over half elf; ik nam aan dat Keller wel naar zijn werk zou zijn. Namir? Die kon doodvallen.

De jongen is niet groter dan Sharon. Het drong tot me door dat ik naar zijn schoenen stond te kijken. Geen beugel; de linkerzool is dikker. 'Is meneer Keller thuis?'

'O . . . nee. Die is op kantoor.' Hij heeft een goede stem, volwassen en welluidend. Ik moest hem wel aankijken; zijn ogen zijn niet veranderd. Een V-vormig litteken boven het rechteroog. Geen teken van herkenning. 'Hij is een uurtje geleden het huis uitgegaan.'

174

'Ik had moeten bellen. U bent zeker . . . meneer Brown?'
'Inderdaad. U mag hier wel opbellen, als u wilt.'
'Nou, eh . . .' Ik strompelde langs hem heen naar binnen; een warrige en sullige oude baas. 'Ik geloof dat ik gisteravond wat heb laten liggen. Even hier een borrel achterovergeslagen voordat hij me mee naar boven nam om met Max kennis te maken. U was piano aan het studeren, geloof ik.'
'Iets laten liggen?'
'Dacht van wel. 'k Weet niet eens meer wát . . . aansteker, agenda, een of ander stom ding. Ooit last van gehad dat uw geheugen u in de steek liet? Zal wel niet, op uw leeftijd. En ik heb niet eens veel borrels gehad. Meisel heet ik.'
'O ja, Bill heeft het over u gehad. Kijkt u maar rond, als u wilt.'
'Ik wil u niet graag lastig vallen. Als ik iets heb laten liggen, zal de oom van meneer Keller het wel gemerkt hebben. O nee, die was al naar boven toe.'
'Meneer Nicholas? Die maak ik niet graag wakker. Hij is aan het kwakkelen en slaapt lang door . . .'
'O gut nee, valt u hem niet lastig . . . Rookt u?'
'Graag.' Ik gebruikte de dure aansteker om hem vuur te geven. Terwijl hij zijn aandacht op het vlammetje richtte, kreeg ik voor het eerst de kans zijn gezicht goed op te nemen. De engel van Michelangelo heeft zich bezeerd, Drozma. 'Ik vergeet ook altijd van alles,' zei hij. Ja, zelfs toen hij nog maar twaalf was, had hij die tact al.
'Ach, zo'n geheugen van tachtig jaar gaat je parten spelen.'
'U ziet er niet uit als tachtig, mijnheer.' Mijnheer? Zeker omdat ik oud ben. Een ouderwets beleefde aanspreektitel.
'Toch ben ik het,' zei ik en liet me kreunend in een fauteuil vallen. 'U hebt nog een jaar of zestig voor de boeg eer ze u een goed geconserveerd oudje kunnen noemen.'
Zijn flauwe glimlach verdween terwijl hij me met zijn jonge gezicht goed opnam. 'Hebben we elkaar al niet eens ontmoet?' Daar kon ik geen antwoord op geven. Voordat ik

mijn blik op het schilderij bij de doorloop naar de hal had gericht, ving ik iets van angst bij hem op. ''t Is uw stem,' zei hij. Angst, en ook iets uitdagends. 'Maar die kan ik niet thuisbrengen.'

'Misschien hebt u me gehoord toen ik gisteravond bij Keller was.'

Hij schudde van nee. 'Ik hoor nooit iets wanneer ik aan het spelen ben.'

Tja, die arme Bach . . . 'Bent u op het conservatorium?'

'Nee, ik . . . Misschien van het najaar; ik weet het nog niet.'

Maar waarom was hij bang? 'Ik ben woensdag naar een prachtig recital geweest. Een debutante. Sharon Brand. Het publiek brak de zaal af, en terecht.'

'Ja,' zei hij al te beheerst. 'Ik ben er ook geweest.'

En dan beweren wij Martianen dat we een zesde zintuig hebben! Hij was er ook en had aan Sharon teruggedacht. Misschien zelfs bij mij in de buurt op dat terras, net als ik kijken naar dat verlichte schip dat de stroom afzakte. Zo dichtbij dat we elkaar hadden kunnen aanraken. En omdat zijn gedachten zo sterk naar Sharon uitgingen, zou hij wellicht nu en dan zelfs hebben teruggedacht aan mij . . . een geest, een bewegende schim.

'Prachtig talent,' zei ik. 'Ze moet er wel alles voor hebben opgegeven, om het met haar negentien jaar zover geschopt te hebben. Dat weet ik trouwens wel zeker. Ik kende haar al toen ze nog een klein meisje was.'

Ik stond nog steeds onnozel naar het schilderij te kijken terwijl ik wist dat zijn hand met de sigaret erin halverwege zijn mond was blijven steken. Uiterst beheerst en beleefd zei hij: 'O ja . . .? Hoe is ze eigenlijk, wanneer ze niet op het podium zit?'

'Een schatje.' Ik had hem willen toebrullen. Hij had toch zeker overmand moeten zijn door de behoefte om uit te roepen: *Ik ook! Ik ook!* 'Meneer Keller zei dat u dat geschilderd hebt.'

176

'Hij had het daar niet moeten ophangen. De meeste mensen zijn er niet zo weg van.'

'Best mogelijk . . . maar waarom eigenlijk?'

'Te somber, misschien. Ik probeerde erachter te komen hoe Rembrandt zoveel betekenis kon meegeven aan zo'n donker tweede plan. Helaas ben ik geen kunstenaar, meneer Meisel. Ik heb alleen . . .' *Geen kunstenaar, Angelo?*

'Zeg, ik zou kunnen zweren dat ik ergens, ooit, uw stem heb gehoord.'

Toen gaf ik het op, Drozma. Al die voorwendsels werden me te veel. Ik weet het: daarmee moeten wij, waarnemers, leven. Maar als ik niet dat visioen had van hoe er over enkele eeuwen een eenwording zal komen, zou ik het waarschijnlijk niet volhouden om van de ene leugen naar de andere te leven. Het toevoegen van een menselijke leugen aan onze onvermijdelijke Martiaanse leugen was te veel voor me – dat was de hele kwestie. Ik liet me in mijn stoel terugzakken en keek hem hulpeloos aan. 'Dat heb je, Angelo.'

'Nee . . .' Hij deed een stap naar me toe en weifelde. Onnozel keek hij naar de sigaret die hij op het kleed had laten vallen. Hij raapte haar pas op toen er een kringel rook opsteeg. 'Nee,' zei hij.

'Negen jaar geleden.'

'Niet te geloven. Ik kán het gewoonweg niet geloven.'

'Mijn gezicht?'

'Nou?'

Ik sloot mijn ogen en sprak in het warrelende duister: 'Angelo, toen ik tegen de middelbare leeftijd liep – jaren voordat ik jou in Latimer leerde kennen – is mijn gezicht deerlijk verminkt geraakt. Een benzine-explosie. Voor die tijd had ik allerlei dingen uitgevoerd, acteren, doceren (zoals ik je moeder vertelde) en zelfs een poosje rondgezworven. Vlak voor dat ongeluk was ik goed in de slappe was komen te zitten . . . een uitvindinkje dat goed aansloeg. Ik had er dus het geld voor en daarom waagde ik de gok met een chirurg die een nieuwe techniek aan het ontwikkelen was. Prothetisch materiaal waarvan ik met geen mogelijkheid kan zeggen wat het voor spul is. Helaas had hij maar met ongeveer een derde van zijn experimenten succes, en over de mislukkingen brak een enorme herrie los. Nooit veel publiciteit aan gegeven. Hij moest ermee ophouden. Een paar jaar geleden gestorven; zichzelf naar de bliksem geholpen met een test om de ruim zestig procent mislukkingen uit te schakelen. Maar ik was een van zijn geslaagde gevallen, Angelo. Waar het op neerkomt: het spul is kneedbaar bij verhitting; als ik wil, kan ik de jukbeenderen vervormen en daar krijg ik een heel ander gezicht van.'

In ieder geval een kleiner leugentje, eentje dat geen afbreuk hoefde te doen aan onze relatie, als het tot een relatie tussen ons zou komen. 'Dat deed ik dan ook toen ik Latimer verliet. Ik nam een andere identiteit aan, wat de meeste mensen niet zo maar kunnen doen. Het was mogelijk dat de politie mij ervan zou verdenken dat ik iets te maken had met de verdwijning van jou en van Feuermann. Herinner je je Jacob Feuermann nog?'

'Allicht,' fluisterde hij, en ik kon hem nu aankijken. 'W-wat is er met oom Jacob gebeurd?'

Ik balanceerde op de rand van de verboden waarheid. 'Verdwenen, dezelfde nacht als jij. Nooit meer iets van hem gehoord. Jou proberen te vinden, misschien. Net als ik.'

'Mij vinden... waarom dan?'

Ik trachtte er niet eens antwoord op te geven. 'Geloof je dat ik Ben Miles ben?'

'Ik... ik weet het niet.'

'Herinner je je de grafsteen van Mordecai Paxton?'

'Mordecai... ja, zeker.'

'Ooit aan iemand verteld – die het weer aan mij kan hebben doorgegeven, wie ik dan ook mag zijn – dat je paardebloemen om die steen hebt aangebracht?'

'Nee, nooit.' En Namir lag ergens vlakbij te slapen? De deuren waren dicht en we spraken zachtjes.

'Heb je het ooit met iemand over die spiegel gehad?'

'O! Nee, beslist niet.' Hij zat op de vloer bij mijn stoel, met het hoofd op de knieën. 'Je zult wel betere dingen te doen hebben gehad dan naar mij zoeken.'

'Nee. En ik heb die spiegel nog steeds, Angelo.'

'Abraham. Abraham Brown, alsjeblieft.'

'Mij best; 't is een goede naam.'

'Ik heb . . . er mijn redenen voor gehad om deze naam aan te nemen.

'Tja,' mompelde ik, 'wat is eigenlijk je zelf? Ik leef al een hele tijd en ik weet het niet eens . . . Blij dat je me weerziet?' Een stuntelige menselijke vraag.

Hij keek op en trachtte een glimlachje op te brengen terwijl hij 'ja' mompelde. Een verward glimlachje.

'Wat wil je gaan doen, Abraham? Muziek?'

'Dat weet ik niet.' Hij kwam moeizaam overeind en liep op het schilderij af, met zijn rug naar mij toe. Hij stak een nieuwe sigaret op, alsof hij er hevig naar snakte. 'Bill heeft me een jaar geleden aan een piano geholpen. Ik . . . o, ik studeer erop.'

'Hm. Billy Kell.'

Hij keek niet om. 'Dus hem heb je ook herkend.'

'Foto in de krant. Ben hem gaan zoeken omdat hij heel misschien nog contact met jou zou hebben. Ik doe alsof ik hevig belangstelling heb voor de Partij van de Organische Eenheid.'

'Alleen maar doen alsof, hè? Je hebt Bill nooit gemogen, of wel?'

'Nee . . . Kijk me aan, Abraham.'

Hij deed het niet. 'Bill Keller en zijn oom hebben alles voor me gedaan. Ze hebben me in feite het leven gered. Een kans om opnieuw te beginnen, toen . . .' Hij zweeg.

'Ik heb gisteravond je verloofde ontmoet, bij Max.' Hij liet alleen maar een gebrom horen. 'Keller en zijn trawanten hebben niet je hersens gekocht, Abraham. Je weet best dat die bende machtzoekers niets voor jou is. Je kunt me niet

179

aankijken en zeggen van wel.'

'Laat dat!' Het klonk verstikt maar hij wilde zich niet omdraaien en er ging trouwens van zijn protest niet veel kracht
uit. 'Mijn hersens! Als je eens wist . . . als ik zulke goede
hersens had, zou ik . . .' Weer kon hij niet verder.

'Hoelang ben je al Abraham Brown?'

'Sinds ik in Kansas City ben opgepakt voor het breken
van een ruit.'

'Wat hebben ze toen met je gedaan?'

'Tehuis voor onbehuisden. Tuchtschool . . . zo mochten
we het niet noemen. De rechtbank trad als mijn voogd op.
Ongelukkig genoeg was het de ruit van een juwelierszaak,
maar dat had ik niet gemerkt.'

'Kansas City . . . was dat kort nadat je uit Latimer verdwenen was?'

'Kort daarna? Dat zal wel.' Hij sprak alsof het hem ineens
niet meer kon schelen deze droom van het verleden al of
niet opnieuw te beleven. 'Latimer . . . ik ben daar gewoon
weggelopen. Oudroestopslagplaats, een stukje bosland, ik
geloof dat ik daar geslapen heb. Twee of drie dagen lang
niets te eten gehad. Later kwam ik op een rangeerterrein,
waar een paar vagebonden me uit de nood geholpen hebben. Kansas City. Ze wilden dat ik bij hen bleef, maar ik
hoorde er niet bij . . . ik hoorde nergens bij . . .'

'Wacht eens even . . .'

'Wacht jij maar even. Ik heb van mijn leven nergens
bijgehoord. Ik was niet eens een goede vagebond, dus gaf
ik hen de bons.' Eindelijk draaide hij zich naar me om, vlug,
alsof hij me overrompelen wilde. 'Ik wilde niets. Denk je
dat eens in! Kun je dat? Twaalf jaar, honger hebben, geen
cent op zak, maar ik wilde *niets!* O, Jezus, er bestaat niets
verschrikkelijkers op de hele wereld. Nou ja, toen zag ik
die spiegelruit – laat op de avond – een mooi stuk baksteen
in de goot en dus dacht ik: *"Kijk!* Als ik dat nu eens doe,
misschien dat ik dan ergens belangstelling voor krijg" . . . als
een nachtmerrie, wanneer je wakker probeert te worden

180

door jezelf pijn te doen...'

'Vond je het interessant?'

'Het gaf een verdomd fijne klap... Zes jaar later was ik ervan af.'

'Nooit iets over je werkelijke verleden verteld?'

'Geen sprake van.' Hij grijnsde venijnig. 'De geschiedenis is een selectieproces. Weet meneer Miles dat niet meer?'

'Ik heb wat familie van je moeder ontmoet na haar dood. Aardige mensen.'

'Het waren inderdaad aardige mensen,' zei Abraham Brown. 'Op de tuchtschool diste ik drie of vier verschillende verhalen op. Dat is veiliger dan te doen of je geheugenverlies hebt geleden. De eerste twee of drie hebben ze proberen na te gaan, snap je, en toen kwamen ze tot de conclusie dat ik een pathologische leugenaar was. Kansas City is een heel eind van Massachusetts af, en dakloze jochies hebben geen donder te betekenen.'

'Is dat zo, Abraham?'

'Dat is de indruk die ik zes jaar lang heb opgedaan.'

'En was het zo belangrijk om niet naar Latimer terug te gaan?'

'Snap *jij* precies wat er allemaal in je omgaat?'

'Nee, maar jij bent nog steeds de jongen die belang stelde in ethiek...'

'Ach, Ben!'

'En je geeft jezelf nog steeds de schuld van de dood van je moeder. Daar moet je mee ophouden.'

Hij staarde voor zich uit, zonder te zien maar niet zonder begrip. 'Wie anders...'

'Waarom iemand de schuld geven? Dunn zou het kunnen zijn, omdat hij je daar onaangekondigd het huis in sleepte en een gezicht zette of hij de wrake Gods vertegenwoordigde, maar hij verrichtte alleen zijn taak zoals hij die zag. Waarom moet je de schuld op iemand gooien? Is de schuldvraag dan zo belangrijk?'

'Ja, als die mij onder de neus wrijft dat ik alles kan ver-

181

pesten waarmee ik in aanraking kom. Dat herinnert mij eraan om nooit te veel van iemand te houden of ergens te veel om te geven...'

Ik krabbelde overeind en pakte hem bij de polsen beet. 'Dat is een van de ergste valkuilen die op de hele wereld te vinden zijn. Daar ben je dan, groot van hart en geest als geen ander die ik ken, in die valkuil kringetjes aan het draaien met je staart tussen je tanden. Dacht je soms dat er nog nooit iemand gekwetst is geraakt? Je hebt een leven, maar je zegt: "O nee, er zitten vliegen op... weg ermee!"'

'Ik overleef het wel,' zei hij en trok een beetje aan zijn polsen. 'Miriam bijvoorbeeld, die past precies in mijn straatje, mooi versierd en opgepoetst, met het hart op de juiste plaats, en dan heb ik het niet over haar borstkas.' Ik neem aan dat hij mij wilde kwetsen door harde woorden naar me terug te slingeren. 'Net voldoende rottigheidjes in haar dat ik me niet hoef druk te maken of ik nu van haar houd of niet...'

'Klets! Ze is een argeloze meid die net zo kwetsbaar is als ieder ander. Ik geloof dat je met haar verloofd bent omdat Keller en Nicholas en misschien zelfs Max het zo bedisseld hebben.'

'Wat!'

'Jazeker... Wat is er gebeurd toen je van die school kwam?'

Hij gaf de pogingen op om zijn tengere polsen los te trekken. 'O, ik zag Bill op het televisiejournaal. 'k Ben toen naar New York gelift, meer niet. Wat heb jij...'

'Drie jaar geleden?'

'Twee jaar.'

'En dat jaar ertussen, Abraham?'

'Wat bedoelde je over... Keller en Nicholas...'

'Laat maar. Ik kan het mis hebben, en mocht het zo zijn dan spijt het me. Vertel me eens over het jaar na die school, Abraham.'

'Ik... ach, een goede misdadiger word ik nooit, ik was

182

gewoon een van de mislukkelingen van de school. Eigenlijk was ik een brave jongen. Een maand lang doorsmeerder bij een benzinestation, totdat ze iets uit de kassa misten. Ik had het niet gepikt, maar ja, dat strafregister van me. Een paar baantjes als bordenwasser. Die lukten ook niet zo best. 'k Heb me vaak afgevraagd of ik niet een goede pilaarheilige zou zijn...'

'Als je nu eens ophield met die zelfkastijding...'

'Ooit in een ton geslapen, meneer Meisel?'

Er werd gebeld. 'Abraham, je moet me beloven nooit aan Keller of Nicholas of wie dan ook te vertellen dat je mij in Latimer hebt gekend.'

Met zijn gekwetste, ietwat vinnige glimlachje keek hij naar me op. 'Ik *moet* beloven?'

'Als ik door het een of ander met die kwestie in verband zou worden gebracht, kan dat mijn leven kosten.' Zijn woede ebde weg. 'Net als jij, Abraham, ben ik kwetsbaar.'

Zachtjes en nu zonder enige verbolgenheid vroeg hij: 'Buiten de wet?'

De bel klonk opnieuw, langdurig en dringend. 'Ja, in zekere zin, en ik kan het je niet uitleggen. Als je er ooit een mond over opendoet, kan dat mijn doodvonnis zijn.'

Onmiddellijk zei hij van harte: 'Dan rep ik er met geen woord over.' Ik liet zijn polsen los. Met zijn kreupele gang liep hij naar de hal, vanwaar ik hem hoorde uitroepen: 'Hè, rustig aan! Bent u niet meneer Hodding?'

Hij zag er beroerd uit, die oude heer, zo beroerd en veranderd dat ik hem na gisteravond misschien niet eens zou hebben herkend als ik zijn naam niet had horen noemen. Toen was hij dronken geweest, met een glazige blik in de ogen. Nu waren zijn wangen vurig rood, zijn das hing onder zijn ene oor en zijn zilverwitte haardos piekte woest alle kanten uit. Hij schoof Abraham opzij alsof de jongen een meubelstuk was dat in de weg stond. 'Walker, ik moet Walker hebben...'

'Dan Walker? Die is hier niet. 'k Heb hem in geen dagen

gezien.'

'Wel verdomme, jongen, je weet best waar hij zit.'

'Niet waar.'

Ik ging er op af. Hodding zag er woest genoeg uit om lichamelijk geweld te willen plegen. Maar toen ging er een huivering door hem heen en liet hij zich neerploffen in de stoel die ik juist had verlaten. 'Niet op kantoor,' zei hij en frunnikte aan zijn rimpelige lippen. 'Daar ben ik geweest.' Toen zag hij mij staan en vroeg met zwakke, schorre stem: 'Brown, wie is dat, verdomme?'

'Een kennis van mij. Luister eens, *ik* weet nergens van, ik heb niets gehoord...'

'Dat komt heus wel, als jullie hem niet weten te vinden. Je zult zien...'

Iemand wiens stem me bekend in de oren klonk, zei: 'Hodding, láat dat gezwets!'

Zwijgend bleef hij in de deuropening staan, massaal en pafferig. Hij had om het zware lijf een zwart met oranje kamerjas geslagen die zelfs bijna de kwabbelige enkels nog bedekte. Zijn kunsthaar heeft de juiste witte tint; het zat in de war van het liggen op het kussen en zag er niet eens veel lichter uit dan de gezwollen wangen eronder.

Er gaat nog steeds kracht van hem uit. Zonder zich druk te maken, liet hij zijn blik over Abraham en mij gaan. Hij liep – geen waggelgang maar een onverbiddelijke deinende beweging – op Hodding af en keek onverstoorbaar op hem neer. Hodding stikte haast. 'Tien jaar. Tien stomme jaren geleden had ik moeten doodgaan...'

'Je bent hysterisch,' zei Nicholas-Namir.

'Is dat zo gek?' zei Hodding steunend. 'Jullie hebben me gekocht – ik heb niet erg gemarchandeerd, hè? Verdomme, ik meende het nog eerlijk ook. Ik dacht...'

Nicholas gaf hem een draai om de oren. 'Sta op, vent!'

Hodding kwam overeind en zwaaide als verdord onkruid in de wind. 'Jullie moeten Walker zien te vinden. Hij is gek. Ik ook, want anders zou ik niet... Hoor eens, Nicholas,

184

ik was dronken. Ik heb hem binnengelaten – ja, inderdaad, in het laboratorium. Gisteravond. Ik was dronken. Toen moet ik het hem verteld hebben. En nu . . .'

'Hou je mond. Kom mee naar de achterkamer.'

'Laat mij nu maar met rust, verdomme. Jullie moeten Walker beslist zien te vinden . . .'

Nicholas hief opnieuw zijn pafferige hand op. Hodding dook ineen. 'Naar de achterkamer. Je moet wat te drinken hebben. Maak je maar geen zorgen meer. Ik zorg wel dat alles in orde komt.'

'Maar Walker . . .'

'Die weet ik wel op te scharrelen.' Terwijl Abraham en ik er verbijsterd en met een onnozel gevoel bij stonden, waren ze verdwenen. De deur werd zachtjes gesloten.

'Abraham, wat heeft dat allemaal te betekenen ? Weet jij daar iets van?'

'Geen idee,' zie hij kortaf.

'Bij de Wales-stichting waren ze aan virusmutaties bezig, voordat dr. Hodding daar wegging . . . Heeft hij nu een eigen laboratorium?'

'Hoe weet ik dat nou . . . tja, verdorie, je hoorde wat hij daarover zei.'

'Met geldelijke en ideële steun van de Partij van de Organische Eenheid?'

'Ben, ik heb niets van doen met dat alles, met . . . met de partij. En waarom zou jij je ermee bemoeien?'

'Dat doe ik ook niet meer, voortaan. Het was alleen maar een opstapje om met Keller in contact te komen, in de hoop jou te vinden.'

'Nou,' zei hij uitgeblust, 'je hebt me dan gevonden. Maar waarom moet je me het hemd van het lijf vragen over de partij?' Hij had de schrik te pakken. In beperkte mate was hij me onwillekeurig aan het voorliegen. 'Ik ben er zelfs niet eens lid van en niemand heeft mij het lidmaatschap proberen aan te praten. Ik woon hier alleen maar.'

Ook daar was wel wat tegenin te brengen, maar dat wist

hij even goed als ik. 'Abraham, ga met me mee lunchen. We hebben heel wat dingen uit te praten.'

Hij schoof bij me vandaan. 'Ik moet studeren . . .'

'Ik heb Sharon woensdagavond ontmoet, na het recital. Waarschijnlijk zie ik haar vanavond weer. Ga je dan mee?'

Hij stond nu helemaal aan de andere kant van de kamer, met zijn voorhoofd tegen de koele ruit gedrukt. Even later kwam zijn antwoord: 'Nee . . . ze weet toch niet meer wie ik ben. Dat was iets uit de kinderjaren. Snap je dat dan niet?'

'Ze herinnert zich jou wel degelijk. We hebben het nog over je gehad.'

'Laat haar dan met de herinnering aan de kleine jongen met wie ze speelde, en hou mij erbuiten – begrijp dat dan toch, alsjeblieft. Goed dan – ik *heb* hersens. Ik was verdomme een wonderkind, en dat ben ik ontvlucht. Omdat ik niet aankon wat mijn verstand me duidelijk maakte. Dus ben ik een lafbek. Altijd al geweest.'

'Je gebruikt een denkbeeldige lafheid als pantser.'

Daar schrok hij even van terug maar hij vervolgde alsof ik mijn mond niet had opengedaan: 'En voor mij is de enige manier om niet knettergek te worden *helemaal niet te denken*. Jij meent het goed, maar je probeert me op te porren om iets belangrijks te worden. Ik geloof niet dat ik dat zou kunnen. Ik geloof niet dat ik *iets* wil worden.'

'Behalve misschien musicus?'

'Dat is een andere manier van denken. In de muziek kom je nooit iets gemeens of wreeds tegen. Ik zou graag Bach kunnen spelen voordat ze de wereld opblazen. Wanneer ze dat doen, zou ik aan het klavier willen zitten.'

'Ben je er zeker van dat ze dat zullen doen?'

'Niet dan?'

'Ik durf nog niet eens te voorspellen of een baby een hazelip zal hebben. Ga je mee lunchen?'

'Het spijt me.'

'Morgen dan? Morgen om twaalf uur, in het Blue River

186

Café?'

'Ik ... ga het weekeinde weg.'

Ik schreef mijn adres op een blaadje van mijn agenda en scheurde het uit. 'Bewaar dit ergens, Abraham.' Hij pakte het op, met een blozend gezicht, zich generend om zijn weigering maar zonder er van terug te komen. De stemmen van Namir en Hodding klonken als een geroezemoes achter de gesloten deur. Ik geloof dat Abraham me opnam toen ik wegging. Zeker weten doe ik het niet ...

4

New York
middernacht, vrijdag 10 maart

Het laatste stuk heb ik nog maar een paar uur geleden hier op mijn kamer zitten opschrijven. Ik voel me vannacht dermate veranderd dat de dag ver achter me lijkt te liggen. Toen ik vanmiddag klaar was met schrijven, belde ik Sharon Brand op. Ik zei haar niets over Abraham; ze vroeg ook niet naar hem, tenzij een deel van haar zwijgen als vragen worden uitgelegd. Ik nodigde mezelf uit om vanavond bij haar en Sophia Wilks op bezoek te komen. Ze wonen in Brooklyn. Ja, ik weet dat jij er ook een paar maanden gezeten hebt, Drozma. Was dat niet in 30883 , het jaar dat de brug voor het verkeer werd geopend? Die is nog steeds in gebruik; stukken ervan zijn honderd jaar oud. (Ik weet nog niet hoe de Dodgers het dit seizoen gaan doen). Ik had Sharon nodig, al was het alleen om me eraan te herinneren dat ik niet altijd bokken schiet ... Nu is het middernacht en ik verbeeld me buiten nieuwe geluiden door het rustige gemurmel van de stad heen te horen. Ze zijn er niet; mijn geest roept ze op omdat ik bang ben.

Drozma, je zult vaak de logica van de Voorschriften voor Waarnemers de revue hebben laten passeren. Met welk recht bemoeien we ons met het leven van Abraham of wie dan ook?

Met geen enkel recht, zou ik zeggen, want in dit geval zou 'recht' met zich meebrengen dat er een bovenaardse autoriteit bestaat die voorrechten en verbodsbepalingen uitvaardigt. Wij Salvayanen zijn geboren agnostici. Aangezien we niet in een dergelijke autoriteit geloven en de mogelijkheid ervan evenmin dogmatisch van de hand wijzen, grijpen we eenvoudig in menselijke kwesties in omdat we dat kunnen en omdat we – hoogmoedig of nederig – hopen het menselijk welzijn te bevorderen en menselijk kwaad te verminderen, voor zover wij goed en kwaad uit elkaar kunnen houden. Hoever is dat?

Na drieëneenhalve eeuw heb ik voor een empirische ethiek geen beter uitgangsaxioma weten te vinden dan: wreedheid en kwaad zijn vrijwel synoniem. Door de eeuwen heen hebben de menselijke ethische leermeesters verkondigd dat een wrede daad een boze daad is en in het algemeen onderschrijft de mens deze stelling, ook al handelt hij er vaak niet naar. Er treedt onvermijdelijk afkeer op bij elke openlijke poging om wreedheid tot vaste gedragsregel te verheffen.

Niet gesignaleerde wreedheden, wreedheden ontketend door primitieve angsten of geheiligd door institutionele gebruiken – die kunnen nog eeuwenlang voortduren. Ziet de mens echter Caligula in zijn duidelijkste gedaanten, dan zal hij hem uitbraken en zich bij de herinnering hieraan steeds weer onwel voelen.

Omgekeerd erken ik niets als kwaad tenzij wreedheid er het dominerende element in is. Hierbij is het duidelijk te merken dat de mens niet zozeer bereid is de logische lijn vast te houden. Om semantische orde te scheppen: Men dient onderscheid te maken tussen wreedheid uit nonchalance en boosaardige wreedheid. Uit menselijk oogpunt is het een kwalijk iets als een tijger een mens opvreet, maar die tijger is even onpersoonlijk als de bliksem of een lawine – hij houdt alleen een maaltijd, zonder kwaadaardige bedoeling. Een slager die een schaap slacht, doet dat al even onpersoonlijk. Ik vind zelfs dat hij daarmee een tamelijk gunstige overeenkomst heeft (al zou een sprekend schaap me vanwege deze uitspraak verwijtend toeblaten): de sappige bout van het dier in ruil voor een beschermd leven met goede voeding en een dood die heel wat milder is dan de natuur waarschijnlijk zou opleggen.

Als de term 'wreedheid' ook de niet uit boosaardige opzet voortvloeiende oorzaken van leed mag bestrijken, geloof ik dat het axioma kan worden gehandhaafd. Ik merk op dat een aanzienlijke hoeveelheid menselijke wreedheid niet boosaardig is, maar het gevolg van onwetendheid of sloomheid of eenvoudig beoordelingsfouten.

Dit wil niet zeggen dat een prettig en beperkt begrip als vriendelijkheid synoniem is met goedheid. De mens houdt zichzelf voor de gek met de illusie dat goed en kwaad zuivere tegenstellingen zijn: een van die mentale kortsluitingen waardoor men in het slop blijkt te raken.

Goed is een veel breder en veelomvattender aspect van het leven. Ik zie de relatie ervan tot het kwaad als weinig meer dan een coëxistentie. Maar het kwaad vreet aan ons, bestookt ons als een hoofdpijn, terwijl we het goed als iets even vanzelfsprekends aanvaarden als onze gezondheid; totdat we die kwijt zijn. Toch is het goed de drank, en het kwaad slechts een vergift dat zich soms in het bezinksel bevindt. In de loop van ons leven ontkomen we er niet aan dat we het glas wel eens schudden; dat is geen tekortkoming van de wijn. Het is goed rustig in het zonnetje te zitten; daar staat niet een scherp omlijnd en precies even groot kwaad tegenover. Waar is het bijbehorende kwaad van het luisteren naar de *Fuga in g?* Even absurd als de vraag wat het tegenovergestelde van een boom is.

Terwijl we talrijke partiële ambivalenties tussen geboorte en dood onderscheiden, zijn we geneigd hun partiële aard te vergeten en laten we ons verleiden tot de veronderstelling dat ambivalentie scherp omlijnd en alomtegenwoordig is. Het wil me voorkomen dat mensen en Martianen nooit erg wijs zullen worden als ze hun denken niet veel verder richten dan het bereik van de visuele taal van misleidende en gemakkelijk aansprekende beelden. Ik daag een ieder uit als op een weegschaal zoiets eenvoudigs als het evenwichtspunt tussen dag en nacht te bepalen.

Als ik mijn daden in het onpersoonlijke vlak moet rechtvaardigen (en dat dien ik wel te doen, vind ik), houd ik me met het leven van Abraham Brown bezig omdat ik geloof dat hij aanleg voor een zeer diepgaand inzicht heeft. Als ik het bij het rechte einde heb, zal hij dat inzicht (waarmee hij niet zichzelf kan helpen) vast en zeker aanwenden voor het verhelpen van menselijke problemen van zeer gevaarlijke en dringende aard. Als hij zonder rampzalige incidenten volwassen kan worden, waarbij dat inzicht volgroeid zal raken, zie ik niet in waarom hij niet zijn medemensen zou helpen het glas stil te houden en het bezinksel weg te gooien.

Daarbij zou hij zich van allerlei middelen kunnen bedienen: kunstzinnige scheppingen, ethische leerstellingen, zelfs politieke actie; maar dit lijkt me een kwestie van ondergeschikt belang. Het is zeker niet alleen om zijn intellect dat ik negen jaar lang naar hem op zoek ben geweest. Intellect op zichzelf is niets, of nog erger: Joseph Max is verdomd intelligent. Evenmin is het om zijn hart, dat gekwetst en in verwarring geraakt is, en ook niet om zoals hij nu is. Zoals hij zich op het ogenblik voordoet, kan hij dom, schuchter of onaangenaam zijn, zoals ik vanochtend heb gemerkt. Nee, bij Angelo (en bij Abraham) was en is er nog steeds een mengsel van intelligentie, nieuwsgierigheid, moed en goede wil te vinden. Die intelligentie raakt uit de koers en wordt geteisterd door de ingewikkeldheid van het leven om hem heen en in hemzelf. Zijn nieuwsgierigheid en moed, gesterkt door het blinde toeval en de onvermijdelijke eenzaamheid van het scherpe intellect, hebben hem op eenentwintigjarige leeftijd geconfronteerd met meer afzichtelijkheid dan zijn hart kan verwerken. Als hij tijd van leven heeft, zal hij in de toekomst nog veel afzichtelijker dingen meemaken en tot de ontdekking komen dat zijn hart sterker is dan hij dacht. Zijn goede wil is als een riviertje dat geblokkeerd is met afval, maar dat kan niet zo blijven: het zal weer gaan stromen.

Ik neem aan dat Abraham Brown zoals iedereen voor zijn sterven nu en dan gelukkig zou willen zijn. Ik heb veel geluk gekend en ik verwacht dat me nog wel meer ten deel zal vallen. Ik heb het nooit verkregen door het te zoeken. Lang geleden, toen ik op Maja verliefd werd en met haar trouwde, dacht ik (net als een menselijk wezen!) dat ik het geluk moest najagen. Zij noch ik hebben het weten te vinden voordat we het zoeken staakten, voordat het tot ons was doorgedrongen dat je je evenmin van liefde kunt meester maken als van de zonneschijn en dat de zon schijnt wanneer zij er zin in heeft. Toen Maja de moeilijke bevalling van Elmaja te boven was gekomen, waren we gelukkig, herinner ik me. Als je met alle geweld de oorzaak van het geluk wilt bepalen, zou ik zeggen dat het kwam doordat we het leven ten volle in overeenstemming met onze aard leefden. We hadden ons werk, ons kind, elkaar; de zon stond hoog aan de hemel. Toen ik haar bij de geboorte van onze zoon had verloren, kwam mijn volgende geluk een jaar later, toen ik met het Oudestad-orkest het *Kaiserkonzert* speelde en merkte dat ik voor het eerst die ongelooflijke octaafpassage aankon, je weet wel, waar die woedende storm afneemt en wegsterft zonder enige climax. Ieder ander dan Beethoven zou hier een *crescendo* hebben geschreven. Toen zag ik in (dacht ik) waarom hij het niet heeft gedaan. Mijn handen brachten dat inzicht in muziek over en ik was gelukkig, niet langer in de ban van een omzien in smart maar het levend zo goed als ik kon; en dat was niet gering.

Daarom denk ik dat Abraham Brown – als zijn rijpende geest hem door het complexe naar het eenvoudige kan leiden, als zijn nieuwsgierigheid en moed hem laten zien hoe betrekkelijk onbelangrijk een tuchtschool in Kansas City is, als de rivier van zijn goede wil haar bedding terugvindt – heus wel gelukkig zal worden, gelukkiger dan de meeste mensen. Hoewel ik weet dat het een van de meest essentiële dingen van de mens is, vind ik dan ook dat het nastreven van geluk gekkenwerk is.

Als je zo slim bent als ik met zekerheid meen te weten, Drozma, zul je uit de toon van deze overpeinzingen hebben opgemaakt dat ik Abraham al voor de tweede keer heb ontmoet. Dat is zo. Hij bevindt zich hiernaast, die hij als zijn eigen kamer mag beschouwen als hij dat wil. Het lijkt me niet dat de mensen van Max hem hierheen geschaduwd hebben, maar ik was toch niet van plan te gaan slapen en ik durf wel te zeggen dat ik hen stuk voor stuk aankan.

Het is mogelijk dat er iets veel belangrijkers in de stad rondwaart, en op het ogenblik zelfs al buiten de stad ook – iets waarvan de menselijke of Martiaanse geest een schok van afgrijzen ondergaat en zich afwendt en het bestaan weigert te geloven. Abraham gelooft dat het er is. Ik kan nog twijfel opbrengen, de hoop koesteren dat hij het mis heeft. Omdat ik er vannacht toch met geen mogelijkheid iets tegen kan ondernemen, blijf ik wakker in gedeeltelijke bespiegeling en heb deze subjectieve zaken voor jou opgeschreven, Drozma, omdat ik het gevoel heb dat er in de dagen en nachten die ons te wachten staan voor dergelijke dingen misschien geen gelegenheid zal zijn. Abraham slaapt op een pil die ik hem heb voorgeschreven; daarmee zal hij wel tot morgenochtend onder zeil blijven. Zo nu en dan laat hij een gesnurk horen; het lijkt wel een jonge hond die zich de hele dag in het zweet heeft gehold.

Nu wat Sharon betreft.

Het is nog steeds moeilijk om in Brooklyn de weg te vinden; gelukkig kan de mensheid nog met een paar probleempjes blijven worstelen die ze domweg nooit zal kunnen oplossen. Tegenwoordig kun je erheen door een nieuwe tunnel die van een elektronische verkeersweg is voorzien, een Robbie-weg noemen ze zoiets. Deze tunnelweg is eigenlijk een voortzetting van de benedenzone van Second Avenue. Sharon had gezegd dat het niet kon missen als ik de afslag Greene Avenue nam. Natuurlijk, zij is ook maar menselijk. Misschien kon ik het niet missen maar mijn taxi wel. We kwamen min of meer in de knoop te zitten op een gedeelte dat Greenpoint heette – een naam die nergens op sloeg – en toen probeerden we maar een keurige avenue die op den duur min of meer in Flatbush terechtkwam. Na verloop van tijd ontdekten we inderdaad de rustige straat waar Sharon woonde, helemaal aan de andere kant van Prospect Park. Ze had ongetwijfeld gelijk wat die afslag betrof; alleen hadden we daarna rechtsaf moeten slaan, en dan een paar keer rechts en links de hoek om en dan... ik weet het niet meer. Volgende keer neem ik de metro.

Het flatgebouw is een soort kolonie van musici die de toorn van hun buren ontvlucht zijn. Een woonkamer met vrouwelijke trekjes, maar Sharons muziekkamer is zo zakelijk als een laboratorium – alleen de piano, een boekenkast en een paar stoelen. Niets ter versiering, zelfs niet de conventionele buste van Chopin of Beethoven. Toen ze me daar binnenliet, vroeg ik: 'Niet eens een vaas met bloemen?' en antwoordde zij: 'Noppes.'

Maar dat was naderhand. Toen ik bij hen aankwam, beijverde ze zich als een volwassen gastvrouw om me van een drankje te voorzien en me met kussens te omringen. Bijna een lawine van kussens. Wat mij betreft, hoefde dat niet, maar Sharon vond het heerlijk ermee in de weer te zijn, hier een kussen tussenstoppen en daar nog zo'n rotding, op elke plek waar ik maar een botje had of zou kunnen hebben. Er vielen er een paar op de grond toen ik opstond om mevrouw Wilks een hand te geven, maar Sharon bracht ze weer op hun plaats. Ze lachte om zichzelf, maar ze liet zich er niet van afbrengen. Ze was onverbiddelijk, en ze zag er zo lief uit dat ik het wel van de daken had willen schreeuwen.

Voor mevrouw Wilks was ik een bejaarde voormalige pedagoog en musicoloog; bejaard genoeg om Rachmaninov vijftig jaar geleden in Boston nog te hebben horen spelen. Ik had 'ergens in het Westen' les gegeven totdat mijn gezondheid achteruitging. Ik was weg van Sharons talent en had me aan haar voorgesteld toen ik haar 'toevallig herkende' in het Blue River Café.

Die leugens komen me zo vlot over de lippen, Drozma! Ik voelde me er niet erg door bezwaard. Sharon verleende er vlot haar medewerking aan. Het zou heel lastig zijn geweest Ben Miles voor Sophia Wilks uit zijn graf te laten herrijzen, want naar menselijke maatstaven is ze sterk verouderd. Op alle terreinen van het leven met uitzondering van de muziek en het welzijn van Sharon, is Sophia vaag en vergeetachtig geworden. Herinneringen uit een ver verleden zijn voor haar in het heden gaan leven en brengen haar in de war. Ze ontving me vriendelijk maar vroeg niet eens of ze met haar vingers mijn gezicht mocht 'zien.' Ze installeerde zich met een ingewikkeld breiwerkje in wat kennelijk haar vaste hoekje van de woonkamer was; daarbij was ze zich wel van onze aanwezigheid bewust maar ze was niet helemaal met haar gedachten bij ons en gaf zich zwijgend over aan beelden die haar voor de geest zweefden en die wij niet met haar deelden. Wanneer ze zich in het gesprek mengde – en dat gebeurde maar twee of drie keer – kwamen haar opmerkingen niet erg à propos. Eén keer zelfs sprak ze Pools; een taal die Sharon nooit heeft geleerd. Sharon en ik waren echter stilzwijgend overeengekomen het nog niet over Angelo te hebben . . .

Onderweg had ik een avondblad gekocht en zonder in te kijken in de zak van mijn overjas gestoken. Toen Sharon met een tweede gin-vermouth voor mij uit de keuken terugkwam, pakte ze de krant uit mijn jas om de koppen te bekijken en zei: 'Hee!'

Ik kwam overeind, waarbij een paar kussens wegrolden, maar hield zorgvuldig mijn drankje vast en las mee over haar schouder. Omdat het een akelig bericht was dat Sophia misschien van streek kon brengen, hield Sharon verder haar mond en wees naar de vette kopregel op de voorpagina:

EENHEIDSPARTIJMAN DUIKT DE DOOD IN
Dertig etages omlaag uit Max' dakappartement

'Ik zal u de muziekkamer laten zien,' zei Sharon. Ze bleef even bij Sophia's stoel staan. 'Zit je lekker, lieverd?'

'Ja hoor, Sharon.' Voor alle zekerheid stopte Sharon er nog twee kussens bij. Ze stak een wijsvinger tussen de sluiting van mijn overhemd om me de gelegenheid te geven tegelijkertijd te lopen, te drinken en de krant te lezen.

10 maart. De 34-jarige Daniel Walker, bureaumedewerker van de Partij van de Organische Eenheid, is tegen het einde van de middag van het dakappartement van partijleider Joseph Max zijn dood tegemoet gesprongen. De heer Max deelde de politie mede dat Walker kennelijk overwerkt was geraakt en daardoor een zenuwinzinking had gekregen. Eerder op de dag was hij op bezoek gekomen in een geestestoestand die door de heer Max wordt gekenschetst als 'overspannen en onsamenhangend in zijn bewoordingen'. Hij bevond zich alleen in het woonvertrek van het dakappartement terwijl de heer Max zich op het tuinterras onderhield met andere bezoekers, zoals senator Galt van Alaska en de televisieacteur Peter Fry. Walker kwam naar buiten geheld en klom over het hek voordat de anderen beseften wat hij van plan was. Toen bleef hij even staan; getuigen verklaren eenstemmig dat er niet was wijs te worden uit wat hij zei. Daarna verloor hij zijn evenwicht of maakte een sprong en kwam dertig etages lager op de wandelboulevard terecht. De heer Walker was ongehuwd en afkomstig uit Ohio. Overlevenden uit de naaste familie zijn zijn moeder,

mevrouw Eldon Snow, en zijn broer Stephen Walker, die beiden in Cincinnati wonen.

Dat was het moment dat ik de Spartaans ingerichte muziek-kamer rondkeek en die lummelige opmerking over een vaas bloemen maakte. 'Noppes,' zei Sharon. 'Ben, je doet zo anders, alsof er iets is gebeurd. Maak van je hart geen moordkuil.'

'Ik heb hem gevonden.'

'Ja?' Het kwam er gefluisterd uit. Ze pakte me bij de re-vers van mijn jasje beet en keek me een hele poos zwijgend aan, ik denk om zonder woorden te weten te komen wat dat terugvinden me had gedaan. 'Hij... hij is zoals jij vermoedde betrokken bij die, die ...' – met een gezicht vol afkeer gaf ze een knikje naar de krant – 'figuren?'

'Ja, in zeker zin.' Ik vertelde haar alles, alle feitelijkhe-den, althans. Van mijn poging om te beschrijven hoe de Abraham Brown van 1972 was, heb ik waarschijnlijk maar een potje gemaakt. 'Hij heeft jouw debuut meegemaakt. Hij denkt dat je vast niet meer weet wie hij is ...'

'Tuchtschool ... arme knul!' Maar ik had geen levensecht beeld van hem neergezet; dat kan niet met woorden alleen. Ze maakte zich nog steeds bezorgd over wat mij kon over-komen, en al was dat lief en vleiend, ik had liever dat ze die bezorgdheid van zich afzette.

'Die Walker heb ik gisteren ontmoet. Een soort opvang-figuur voor dure naïevelingen, en voor dat baantje was hij wel goed. Hij schoot een heel klein bokje met het partij-jargon en ik geloof dat Billy Kell alias William Keller hem daarover onderhouden heeft.'

'En daarom springt hij van het dak af?'

'Ik heb nog een glimp van hem opgevangen toen ik daar het kantoor verliet. Keller had hem opgebeld. Walker zag er uit alsof hij een doffe dreun tussen zijn ogen had gehad.'

'En die ... Hodding?'

'Weet ik niet, schatje. En Abraham wist er beslist ook

196

niets van. Net of je alleen maar de staart ziet van een beest dat achter een boom verdwijnt.'

Ze kreeg een rilling over zich, stak de handen in het haar en wierp een blik om troost naar haar andere vriend in de kamer ... de piano. 'Niet dat ik iets van politiek afweet – veel geschreeuw en weinig wol, lijkt me – maar ik ben wel lid geworden van de Federalistenpartij, een poosje geleden. De kleuterafdeling, omdat deze dame nog niet meerderjarig is. Compleet met lidmaatschapskaart en zo, reken maar. Was dat verstandig, Ben – Will, bedoel ik ... Will – of heb ik me laten meeslepen door de goede dialectiek?'

'Ik voel wel wat voor hun opvattingen.'

'Jij gaat proberen Angelo bij die neo-nazi's vandaan te halen?'

'Dat zal hij op eigen kracht moeten doen.'

'En als hij dat nu eens niet doet?' Ze nam me met een lieve bezorgdheid op. 'Als hij helemaal bezeten is van hun flauwe kul en de vloer met je aanveegt?' Ik moet er toch voor zorgen dat ze niet aldoor aan mij denkt.

'Dat is hij niet en dat doet hij niet. Zóveel is hij niet veranderd, althans van binnen niet. Hij voelt zich uit dankbaarheid voor ontvangen gunsten aan Keller gebonden – en ik twijfel er geen ogenblik aan of dat heeft altijd al in Kellers bedoeling gelegen. Gevangen in banden van trouw aan iets dat helemaal buiten zijn sfeer ligt, een trouw die gevaarlijk diep in zijn jeugd wortelt. Hij is nog steeds de jongen die Billy Kell bewonderde. 't Is grappig ... ik moet er ineens aan denken hoe ik jou en Angelo die jonge hond van hem op dat achterplaatsje zag begraven. Jullie wisten waarschijnlijk niet dat ik uit het raam stond te kijken. Jij was een tegel aan het loswrikken, ik weet nog hoe je magere billetjes omhoog staken ...'

'Maar meneer! Denkt u toch om mijn fatsoen!'

'Nou, je had even tevoren met je witte broekje op iets stoffigs gezeten. Ja, de dingen van vroeger komen weer boven.'

'Ach, bovenkomen...' zei ze .

'Of ze zijn nooit weggeweest.'

'Waar je toen tegen opkeek, Sharon... denk daar eens aan terug.'

'Nou, we hadden een land, Ben, dat alleen van ons was. Een jaar of wat voordat jij in Latimer kwam. Dat begon bij een bepaalde scheur in het trottoir van Calumet Street, een grillige scheur die er uitzag als een monogram van een S en een A...'

'Vertel verder, Sharon.'

'We wisten al lang dat dat land bestond. En we hadden erover gefantaseerd. De bevolking was primitief, of liever zo'n beetje middeleeuws – een heel hoog percentage koningen en schurkachtige viziers, boze geesten die zich aldoor overal mee bemoeiden – tjeem, die waren niet in de hand te houden... Angelo heeft er een prachtige kaart van getekend, dus moest ik er ook eentje maken, alleen was die van hem beter. Op die van mij liep er een rivier dwars over een gebergte heen; maar dat nam hij niet. Het was *mijn* rivier en ik werd kwaad, dus ...' – ze drukte met haar vingertoppen zacht tegen haar oogleden – 'dus zei hij: "Nou, dan wordt het een rivier die ondergronds loopt, onder de bergen door." En hij veranderde zijn kaart zo, dat die rivier erop voorkwam. Dat ging prachtig – met grotten en ondergrondse meren en zo...'

'Daar heerste misschien wel een blauwachtig wit licht dat uit het niets te voorschijn kwam, en jullie stemmen weerkaatsten van de vochtige rotswanden.'

'Ach, jij weet er natúurlijk alles van! Enfin, op een goede dag besloten we dat we eindelijk op een bepaalde manier over die scheur zouden stappen en daar blijven – dat land heette Goyalantis – daar blijven zolang we er zin in hadden. Natuurlijk leek het voor andere mensen of we nog steeds in deze wereld waren. Een conventie waar we niet onderuit konden. We hadden erg met die zielepieten te doen, want ze keken dan naar ons (en – ach, jee! – ze kregen ons zelfs zo gek dat we ons wasten en ons haar kamden en havermout aten zonder er iets tegenin te brengen) en hadden het idee dat wij bij hen waren terwijl je er donder op kon zeggen dat het niet zo was. We zijn er gebleven ... ik kan me trouwens niet een of ander ceremonieel herinneren waarmee we teruggekomen zouden zijn. Ik denk dat het nooit bij ons is opgekomen om terug te gaan.' Ze deed haar ogen open en er stonden tranen in. 'Je handen zijn niet veranderd. Speel wat voor me.'

Kleine dingetjes. Een van de sentimentele nocturnes van Field, die me toevallig te binnen schoot omdat er buiten een zachte voorjaarsavond heerste. En toen de *Eerste prelude* van Chopin, zoals Sharon me had geleerd dat ze geïnterpreteerd zou kunnen worden. Ze keek op me neer maar ze kreeg ook Goyalantis te zien, doordat ze het nooit had verlaten. Hoewel er in Goyalantis gekleurde nevels voorkwamen, kon de lucht er ook van kristal zijn, een kristallen lens voor het waarnemen van deze andere wereld, die niet als enige een speciale manier van zien kent die wij de waarheid wensen te noemen. Ze zei: 'Ik had toch gelijk.'

'Waarover, lieve meid?'

'Over jou. Weet je, ik heb nooit willen geloven dat je dood was. Ik weet nog dat ik het pertinent tegensprak toen het mij gezegd werd. Ik denk dat ik het altijd van de hand ben blijven wijzen, hoewel ik merkte dat ik zelfs niet met moeder Sophia over jou kon spreken. Ik heb aldoor geweten dat de *Waldsteinsonate* op het recital ... dat het voor jou bedoeld was. Kijk, ze wilden niet dat ik het op het programma zou zetten; zelfs moeder Sophia voelde er niets voor om het na de suite van Carr te laten komen. Maar ik vond dat het daar hoorde. Net als ik het drie jaar geleden wist, toen ik er serieus aan begon te werken ...' Zo zacht dat ik het nauwelijks verstond boven een los akkoord dat ik had aangeslagen, vroeg ze: 'Wil je dat ik naar hem toe ga?'

'Alleen als jij dat wilt.'

'Ik schrik er een beetje voor terug, Ben.'

'Laat het dan rusten. Maar hij heeft Goyalantis niet verlaten.'

'Weet je dat zeker?'

'Zo goed als.'

'Maar misschien kan hij er beter weggaan. Voor mij is het een goed land. Ik leef met mijn dromen, en nu zijn ze nog zo vriendelijk om me ervoor te betalen ook, de lieverds. Maar voor Angelo? Je zei dat hij zijn geluk wilde beproeven met muziek.'

'Een wanhoop. Hij knokt ermee. Hoor maar.' Ik verknoeide een paar maten van de *Tweestemmige Invention nr. 8* op dezelfde wijze als Abraham had gedaan. Sharon rilde van afgrijzen. 'Dan begint hij opnieuw en speelt het precies zo – o gottegot!'

'Daar schiet hij niets mee op,' zei Sharon Brand. 'Vind je dat hij boven zijn macht reikt?'

'Jochie met twee handen vol koekjes wil een pruim plukken en laat de koekjes vallen. Maar daar kun jij beter over oordelen dan ik.'

Ze lachte, maar niet van harte. 'Nu en dan doe je echt een beetje lelijk. Ach, je weet dat ik hem zal ontmoeten, binnenkort. Vrouwelijke nieuwsgierigheid.'

'Laten we het dan maar op vrouwelijke nieuwsgierigheid houden.'

Ik ging vroeg weg, want ik kwam te weten dat Sharon die dag hard gewerkt had. Op verzoek van allerlei kanten was er een optreden met de New York Philharmonic vastgelegd voor april – de eerste vrucht die haar triomf afwierp. De voorbereidingstijd was kort. Ze zou de *Variations symphoniques* van Franck moeten spelen en ze vertelde me dat ze het stuk nog maar voor driekwart uit haar hoofd kende. Ze maakte er zich niet bezorgd over ook ... brrr!

De deur van mijn appartement was op slot, maar ik had de sleutel niet omgedraaid toen ik wegging omdat Abraham misschien in mijn afwezigheid zou komen opdagen. Ik had nog de draak met mezelf gestoken omdat ik die hoop koesterde, maar toch had ik ernaar gehandeld. En nu had ik moeite met de sleutel.

Het licht was uit toen ik de deur opende en de gloeiende punt van zijn sigaret zag. Hij maaide een schemerlamp om toen hij rondtastte en toonde een hulpeloos lachje toen ik het licht had aangeknipt. 'Handige jongen,' zei hij en liet zijn sigaret vallen toen hij de schemerlamp wilde overeind zetten.

We brachten de boel weer in orde. Hij was blij dat hij me zag, maar ook geneerde hij zich en was een beetje bang. 'De hond is weer thuisgekomen,' zei hij, 'met hangende pootjes.'

'Dacht je dat ik boos was?'

'Je had er alle reden toe.'

'Ach, hou op.' Ik mixte mijn Dubbele Dreun voor hem: drie vingers cognac en één appel-brandy. Geen mens kan van dat drankje houden, maar als je je toch al beroerd voelt, houdt het van jou. Abraham hapte naar adem en zei: 'Waarom hebben ze zich ooit druk gemaakt over het splitsen van atomen?'

'Wil je er nog eentje?'

'Straks. Eerst even de verschroeide lappen vel uit mijn keel peuteren . . .'

'Ik heb het in de krant gelezen, over Walker.'

Hij rilde, en dat kwam niet van het drankje. 'Wat zeggen ze?'

'Ze citeren Max: zenuwinzinking door overwerktheid.'

'Was dat alles?'

'Er staat hier dat zijn taal onsamenhangend was.'

'Geen sprake van, Ben; ik ben erbij geweest.'

'Will . . . Will Meisel. Daar moet je aan wennen. 't Kan van belang worden.'

'Sorry; ik zal mijn best doen. Ik dacht aan je zoals je vroeger was.'

Ik maakte een vriendelijker drankje. 'Drink dit wat rustiger op. Het zal de verschroeide plekken balsemen.' Er stonden hem schrikbeelden voor de geest en de woorden bleven hem in de keel steken. Maar zijn jonge gezicht was niet zoals vanochtend een slagveld. Het was het gezicht van een slaper die aan het ontwaken is terwijl hem een allerakeligste dag te wachten staat, maar hij ontwaakt in ieder geval. 'Abe, als ik nu eens opsom wat ik weet of veronderstel. Jij corrigeert me maar wanneer ik het mis heb.' Hij knikte dankbaar. 'Daniel Walker is – was – een man van de grote emotionele ommezwaai. Hij kon niet zo maar uit de Partij van de Organische Eenheid treden. Als het uit was met zijn liefde zou hij meteen doorslaan naar haat, waarschijnlijk met een fase waarin hij de hele wereld en alle stervelingen daarop haatte. Laten we hem manisch-depressief noemen, om hem een etiketje op te plakken. Geen middenweg: voor Daniel Walker alleen maar zwart of wit. Ik ben gisteren twee keer op het hoofdkantoor van de partij geweest. Walker deed een misstap, vertelde me iets dat verkeerd liep bij de leiding en dat al helemaal achterhaald was toen ik 's middags terugkwam. Hij kreeg van Keller op zijn donder voor die uitspraak. Walkers geest sloeg daarbij volkomen naar de andere kant door. Langdurige trouwe dienst, en dan zo'n dreun met een moker . . .'

'Bill? Kreeg hij van Bill op zijn donder?'

'Ja. Die had hem opgebeld, en ik zag Walker toevallig naderhand toen ik wegging. Volkomen uitgeteld, zo te zien. Dus Walker, meedogenloos omlaaggeknikkerd, en dr. Hodding, apezat, staken gisteravond de hoofden bij elkaar. Dat was bij Max thuis, waar ik hen zag, te midden van de snoeperige speelgoedsoldaatjes. Toen is Walker naar Hoddings laboratorium gegaan en heeft daar . . . iets weggepakt.' Abraham verbleekte onder zijn gebruinde vel; ik was bang dat hij het glas uit zijn hand zou laten vliegen. 'Zo maar een gok: een nieuw virus?'

Hij wist zijn glas veilig op de vloer neer te zetten. 'Nieuw, ja. Kan zich door de lucht verspreiden. Onbeperkt levensvatbaar, en geen afweer in het menselijk – o nee! in het *mammale* organisme. Dat mompelde dr. Hodding toen . . . nou, meneer Nicholas heeft hem slaappoeders gegeven toen jij weg was, maar die arme donder was niet helemaal weggesukkeld. Toen meneer Nicholas naar boven ging en mij alleen met hem achterliet, begon hij in bed te woelen en te prevelen. Mammaal – dat wil zeggen dat niet alleen wij het zijn, Ben – Will – dat bestrijkt alles. Het verspreidingsmiddel ook – een spul als stuifmeel.'

'Rustig, jongen. Dus Walker heeft het te pakken gekregen?'

'Ja.'

'Uitermate besmettelijk, dus.'

'Ademhalingswegen. Hij mompelde van alles over zijn apen en hamsters. Zei steeds weer: *"Macacus rhesus,* vijfentachtig procent." Ik weet niet of dat op de sterfte sloeg, maar ik denk van wel. Neurotoxine. Bereikt het zenuwstelsel via de ademhalingswegen. Ruggemergverlamming . . .'

'En Walker?'

'Had het vanmiddag bij zich. Ik bleef bij Hodding – urenlang, geloof ik – alleen maar nagelbijten en niet weten wat ik moest doen. Bill kwam vroeg thuis, om drie uur. Hodding sliep toen rustig. Bill ging naar boven, naar Max. Ik ging met hem mee; dat was niet naar zijn zin, geloof ik. Ze waren op het dakterras: senator Galt was over iets onbenulligs aan het oppijpen, Max deed alsof hij luisterde. Miriam was er, en die sukkel van een Peter Fry. Meneer Nicholas,' – Abraham beefde over heel zijn lichaam en stak de hand uit naar zijn glas en pakte het niet op – 'Nicholas nam er zijn gemak van in een luie stoel die op zijn omvang berekend was. God, wat een prachtig weer! Heerlijk warm . . . Ik geloof niet dat Galt en Fry wisten dat Walker daarbinnen was. Ik zag dat Miriam ergens over inzat, wist haar eventjes onder vier ogen te krijgen en vroeg wat er aan de hand was. Ze begon me iets te vertellen over Walker die zich een stuk in de kraag aan het drinken was, maar op dat moment kwam hij naar buiten schieten en holde op de leuning af. Niemand had hem kunnen tegenhouden, maar er was ook niemand die het probeerde. Hij stond daar te balanceren met dat . . . dat miezerige reageerbuisje. Zo te zien een groen poeder. Hij zwaaide ons ermee toe en riep: "Zweven door de lucht! Onsamenhangend was het niet. Hij lachte als een bezetene, maar het was geen wartaal die hij uitsloeg. Hij smeet het over de wandelboulevard; het zal wel volkomen uiteengespat zijn; zelfs de kurk is waarschijnlijk niet meer terug te vinden. Toen ging hij er zelf achteraan. Het was eigenlijk geen sprong – meer wegzweven, alsof hij dacht dat hij kon vliegen . : . Max . . . Max kreeg een soort attaque. Zijn hart, misschien. Hij werd bleek en stortte in. Ik geloof dat Miriam zich verder over hem heeft ontfermd. Meneer Nicholas zei: "Zorg dat die jongen verdwijnt!" En Bill bracht me haastig naar beneden. De politie heb ik niet gezien. De anderen zijn waarschijnlijk overeengekomen niet over mij te reppen; ik vraag me af vanwaar al die moeite. De politie heeft denk ik ook niet te horen gekregen dat Bill aanwezig was geweest. Hij bleef bij me – een uur of wat – totdat er iemand bij Max vandaan opbelde en hij ging weer naar boven. Toen . . . toen . . .'

'Toen ben je naar mij gekomen. Weten ze dat je hier bent?'

'Ik denk van niet. Gewoon weggegaan en niemand tegengekomen.' Hij kon nu verder drinken, maar het glas rammelde tegen zijn tanden.

'Heb je met die lui afgedaan, Abraham?'

Hij riep uit: 'Jezus, ik heb alle gelegenheid gehad om me af te vragen: "Wat is een politieke partij van plan, als ze iemand betaalt om uit te vinden, te ontdekken . . ." Ik *wist* het ! Ik moet het geweten hebben en wilde het niet zien. Alleen maar een of andere belangrijke abstracte research, zei Bill . . . ja, dat is iets dat *Bill* tegen me gezegd heeft, toen ik benieuwd was . . .'

'Rustig aan, vriend. Dat is waarschijnlijk ook wat Hodding zelf dacht, tenminste toen het begon. Hij was vroeger een geleerde van formaat. Met ergens een manco in zijn emoties, misschien alleen een te sterk ontwikkeld vermogen om zichzelf voor de gek te houden met zaken die buiten zijn specialisme vallen . . .'

'Maar waarom heb ik niet . . . waarom heb ik niet . . .'

'Waarom ga je niet wat slapen?'

Toen raaskalde hij verder over hoe hij ook mij alleen maar moeilijkheden zou bezorgen. Dat wil ik verder niet in mijn verslag vastleggen. Er waren vragen die ik had kunnen stellen. Nicholas, 'die er zijn gemak van nam in een luie stoel,' moet zeer zeker geweten hebben wat Walker bij zich had. Het kan zijn dat Max het pas te weten is gekomen toen het al te laat was. Max en Nicholas samen hadden beslist Walker kunnen overmeesteren en het spul van hem afpakken. Geen van die vragen heb ik uitgesproken. Ik pakte een slaappil en gaf die aan de jongen om te slikken.

Dus het bevindt zich ergens buiten, Drozma . . . waarschijnlijk. Ik klamp me aan vage mogelijkheidjes vast.

Walker kan het verkeerde reageerbuisje gestolen hebben . . . nee, want Hodding ontdekte het verlies 's ochtends toen hij akelig nuchter was en drommels goed wist wat het te betekenen had. Misschien is het niet zo'n 'geslaagde' vinding als Hodding meende. Hij kon niet zeker weten of het menselijk organisme er geen afweermiddelen tegen heeft. Misschien zal het door de wind verwaaid worden en zullen factoren die in het laboratorium niet te onderkennen waren het niet zo effectief maken. Misschien is het buisje zonder te breken in de rivier gevallen.

O, zeker, Drozma, misschien lopen er ook wel 'kanalen' over Mars.

5

Het opgaan van de zon was vanochtend heel geleidelijk en intens. Ik zat aan een van de ramen van mijn woonkamer en zag het morgengrauw boven de East River langzaam een roze tint aannemen, waarna er een vleugje goud doorbrak. Torenspitsen en daken aan de Brooklynse kant vingen het licht op als spinnewebben op de grond na een regenbui. Ik zag hoe een sleepboot de rivier over glipte op een karweitje dat van het duister van de nanacht iets betoverends meekreeg. Er werd een zachte streep rook over het water getrokken want er waaide een koeltje uit het oosten. De streep verbreedde zich tot een weg, aan mijn kant wit met goud, verderop uitlopend in een volkomen mysterie.

Abraham roerde zich en zuchtte. Zonder mijn hoofd te wenden wist ik het toen hij met zijn schoenen in de hand de kamer binnensloop. Ik zei: 'Niet weggaan.'

Hij zette de schoenen op de grond en kwam op kousevoeten naar me toe gehobbeld. Ondanks het schemerdonker kon ik zien dat zijn gezicht rustig stond. De woede en waarschijnlijk ook de angst waren eruit verdwenen. Een lege kalmte, uitgeblust, die iets van wanhoop weghad. 'Mijn hemel, ben je niet eens naar bed geweest?'

'Ik heb nooit veel slaap nodig. Je hoeft niet weg te gaan, Abraham.'

'Maar ik moet wel.'

'Nou, waarheen dan?'

'Dat weet ik niet; heb ik nog niet over nagedacht.'

'Toch niet terug naar Keller en Nicholas.'

'Nee . . . Ik kan je de overlast niet aandoen die ik iedereen die me kent bezorg.'

'Dat is alleen maar ijdelheid in het negatieve. Er was iets waarom je hierheen bent gekomen; waarom zou je nu dan weggaan?'

'Ik moest iemand spreken die weet te luisteren. Zelfzuchtige behoefte van mij. Dus heb ik . . . mijn hart gelucht. Maar . . .'

'Jij hebt Keller en Nicholas geen overlast bezorgd. Dat hebben zij jou gedaan, en dat zou je inzien als je het nuchter bekeek.'

''k Weet het niet . . .' Hij knielde bij het raamkozijn neer en staarde met de kin op de armen naar buiten. 'Goed, hè? En er is geen mens voor nodig om het goed te laten zijn. Alleen de ogen om het te zien. Oren voor het getoeter van de schepen; dat zal er niet meer zijn als . . . ach, wie zal zeggen of een eekhoorntje niet van een zonsopkomst kan genieten? Maar misschien zullen er niet eens meer . . .' Hij zweeg een hele poos. 'Heb je het zo al eens bekeken, Will? Als al die gebouwen daar eens leeg waren? Hopen staal en steen. Hoelang zouden ze overeind blijven staan, wanneer er niemand meer is om zich er iets aan gelegen te laten liggen? Zelfs geen ratten om het hout weg te knagen, misschien. De vogels zouden de daken kunnen gebruiken, geloof je ook niet? Meeuwen – waar nestelen meeuwen?'

'In dode bomen.'

'Maar andere vogels zouden er gebruik van kunnen maken. Het zouden mooie bergjes en rotswanden voor ze zijn. Een wereld van vogels, insekten en reptielen. Spreeuwen, eendagsvliegen, slangetjes die door niemand kunnen worden vertrapt of doodgeslagen. Bomen alom, of gras. Om te beginnen een koddig groen vingertje tussen twee tegels op straat, en dan niet te lang daarna . . . weet je, ik heb ergens gelezen dat het waterpeil veel sneller stijgt dan vorige eeuw. Misschien dat dat overal een eind aan maakt. De grote golven zouden zelfs met de best gebouwde torens korte metten maken, daar ben ik zeker van. Die beste brave Hudson een binnenzee. En het Mohawk-dal. Nieuw-Enge-

207

land zou een groot eiland worden en de staat New York een stel bergachtige kleine eilanden, en geen mens om de kousebandslangen te storen.'

'Niet zo best voor de speciale aanbiedingenacties in het souterrain van Gimbel. Abe, de Zwarte Dood van de veertiende eeuw heeft waarschijnlijk de helft van de Europeanen van de kaart geveegd, en dat was in een tijd dat Jan en alleman vlooien had, die het de pestbacil wel gemakkelijk maakten. De griep van 1918 heeft meer mensen het leven gekost dan de hele eerste wereldoorlog, maar statistisch had het voor het totale mensenras nauwelijks iets te betekenen.'

Hij rolde met het voorhoofd over zijn armen heen en weer. 'Ja, misschien vinden ze het wel nodig een paar waterstofbommen te gebruiken om de boel vlot te laten lopen. Daarmee zal het wel lukken; daarmee en met een stijgend waterpeil.'

'Abe, ik geloof toch dat er nog wel tijd is voor een kop koffie eer de wereld vergaat.'

Hij slaakte een intense zucht en stond op met een flauw glimlachje. Misschien had hij een besluit genomen, of hij gaf alleen gevolg aan mijn aandringen omdat hij zich nergens meer erg druk op maakte. 'Goed. Die maak ik wel even. Ik zal niet weglopen.'

'Wil je zeggen dat je nooit meer voor iets zult weglopen?'

Hij keek in de deuropening naar me om en bukte zich om zijn schoenen aan te trekken. 'Nou, ik zou niet eens durven voorspellen – ik citeer – of de baby een hazelip zal hebben. Moet je het sterk en zwart hebben?'

'Sterk genoeg om een biljartbal krulletjes te bezorgen.'

We zaten in de keuken het ontbijt nog wat te rekken – het was trouwens een goed ontbijt, en Abraham was niet te beroerd om zich er te goed aan te doen – toen Sharon kwam opdagen.

Ik geef dit maar gebrekkig weer, want ik kan er de woorden niet voor vinden om uit te leggen wat het is wanneer iemand een kamer binnenkomt. De atmosfeer verandert.

De hele oriëntatie is iets dat nog nooit eerder is voorgekomen. Als die iemand Sharon is, heeft die veranderde atmosfeer iets pittigs en tintelends, is gericht op warmte, op wat we hoop noemen: louter een term voor een verlangen om voort te leven. Misschien een hele woordenstroom voor het proces van de bel te horen, Abraham te zeggen dat hij zich muisstil moet houden, naar de voordeur te lopen, een stralend stukje menselijkheid in konijnebont verpakt te zien en natuurlijk, omdat het Sharon is, zonder hoed.

'Ik kom in elk geval binnen, dus mag het? Hoe kan iemand zó vroeg op zijn? Hoe ik weet dat het vroeg is? Omdat er nog ei op je kin zit.' Ze schopte de deur achter zich in het slot. 'Mis, aan de andere kant.' Ze veegde het met een minuscuul zakdoekje schoon en trok me omlaag om een kus op dat plekje te geven. 'Om het goed te maken voor dat arme ei.' De jas slingerde ze ergens neer. Ze had een herfstbruine pantalon aan en een pittige gele blouse, in zangerige harmonie met de diepblauwe ogen. Je ziet tegenwoordig alleen maar pantalons, behalve voor avondkleding; niet zo leuk voor dikke meisjes, maar Sharon flatteert het. 'Saf een steekje voor me aan, Will . . . ik bedoel steek een saffie aan . . . ik bedoel ik kon niet wegblijven. Jij hebt gewonnen.'

'Is er het een en ander gebeurd toen je niet in slaap kon komen?'

Ze keek me over het vuurtje heen met een nogal hulpeloos glimlachje aan. 'Doe je aan telepathie of iets dergelijks? Niet dat ik het heel erg zou vinden, hoor . . . O, er begon me van alles te binnen te schieten, er kwam geen eind aan . . . Alsjeblieft, Will, ik kan er ook niets aan doen dat ik negen jaar ouder ben, hè? Maar . . . breng me naar hem toe.'

'Weet je het zeker?'

'Ach, driedubbel doorgehaalde druiloor, ik krijg geen rust voordat ik hem gezien heb. Al is het de eerste en de laatste keer. Dat wist jij ook wel. En die gang naar de Green

Tower zou ik niet graag alleen maken. Kijk eens . . .' Ze maakte een knoopje van mijn overhemd los, blies een mond vol rook door de opening naar binnen en deed een stap achteruit om de uitwerking te bekijken. 'Zó gaat dat, fraaie figuur die je bent. Allerlei gekke ideeën bij de mensen losmaken; dan moet je de gevolgen maar dragen ook.'

Ik sloeg een arm om haar middel en troonde haar mee naar de keuken. Ik voelde de schok van verrassing in haar als een elektrische lading en haalde mijn arm weg.

Abrahám stond aan de andere kant van de overladen tafel. Hij spreidde zijn kleine bruine handen iets uit en gaf zichzelf steun met zijn vingertoppen. Met onwezenlijk schorre stem zei hij . . . 'Niet kijken, Will, maar je smeult nog na.'

Evenmin als Sharon reageerde ik er op. Ik weet niet hoelang ze elkaar zwijgend stonden aan te staren. Lang genoeg om de wereld een eindje te laten doordraaien. Ik weet nog hoe ik een lepeltje opraapte en heel voorzichtig weglegde om de stilte niet te verbreken. Ze hadden nog geen van beiden iets gezegd toen Sharon om de tafel heen stapte. Ze bracht haar handen naar zijn voorhoofd en liet ze langzaam omlaag gaan over zijn ogen en wangen en mond, totdat ze op zijn schouders bleven rusten. Hij zei geen woord, maar zij sprak alsof ze ergens op antwoordde, ernstig en ietwat verwonderd: 'Zo, dacht jij dat je van een andere vrouw dan ik zou kunnen houden?'

Ik zei: 'Niet om het een of ander, Abraham, maar het einde van de wereld is afgelast.' Het kan tot hem zijn doorgedrongen; ik weet het niet zeker. Ik ging de woonkamer in en schoot mijn overjas aan. Bij de voordeur wierp ik een blik omlaag en prevelde: 'Nou, Elmis, niet op je sloffen naar buiten.' Mijn schoenen stonden bij de fauteuil, waar ik ze had uitgeschopt en zorgvuldig schoof ik er mijn viertenige voeten in. Er was uit de keuken niets te horen dat op een gesprek wees. Ik ging met de lift naar beneden en maakte een wandeling van verscheidene kilometers door de stad die in de ochtend lag te baden. Er was een koel windje maar het deed weldadig aan.

Na een poosje merkte ik dat ik door iemand gevolgd werd. Ik legde hier en daar belangstelling voor een etalage aan den dag maar kon de figuur in kwestie niet nauwkeurig opnemen. Een kleine man in onopvallend beige, die zelf ook nadrukkelijk etalages bleef bekijken en het gezicht afgewend hield. Ik sloeg een paar keer willekeurig een hoek om, voldoende om er zeker van te zijn dat hij het op mij had voorzien. Er viel niet aan te twijfelen ... hij bleef me op de hielen zitten. Ik klom naar de bovenzone van Second Avenue en liep daar een paar blokken door voordat ik bij een bushalte bleef staan om achter me te kijken. Hij was er niet meer. Dat kwam me eigenaardig voor. Als er een bus kwam, zou hij me kwijt zijn, tenzij hij mij aan een andere schaduw had overgelaten. Ik kuierde van de halte weg en ging een *drugstore* binnen, waar ik een barkruk opzocht en bij een kop koffie het trottoir in het oog hield. In de tijd dat ik daar zat, kwam er niemand anders binnen. Er was zelfs niemand die mijn kant uit keek, behalve een onschuldig uitziende vrouw die een blik op het aangeplakte menu wierp en toen doorliep.

Ik kon geen achtervolger ontdekken toen ik geleidelijk weer op mijn appartement af koerste. Ik had zo'n anderhalf uur zoekgebracht. Het was nu over tienen en ter voorbereiding van een voorjaarsbui was de lucht grauw betrokken geraakt.

Iemand die ik van achteren herkende, haastte zich naar de zelfbedieningslift toen ik de hal binnenkwam. Opvallend platinablond haar en een fraaie deining van de heupen. Dat was niet zo best. Ik graaide naar de liftdeur, die ze juist wilde sluiten. 'Hé, halló, Will. Wat een bof! Ik ben net op weg naar jou toe.'

'Mooi zo.' Ik pijnigde mijn min of meer lamgeslagen hersens af naar een geschikte afleidingsmanoeuvre. 'Het is een beetje rommelig boven ... Wil je misschien mee ergens

211

naar toe? Heb je al ontbeten? In ieder geval koffie . . .'

'O, nee hoor!' Ze knipperde me aanlokkelijk met haar wimpers toe. 'Al die omhaal, en bovendien heb ik al een ontbijt gehad.' Ze gaf een duw tegen de knop en de kooi begon te stijgen. Ik had kunnen vragen hoe ze wist op welke etage ik woonde, maar ik deed het niet. 'Ik vind het helemaal niet erg, Will; ik heb wel meer gezien hoe jullie mannen met twee linkerhanden huishouden, alles slingert overal rond . . .'

'Maar . . .'

'Nee, het geeft heus niets; pieker er maar niet over!' Ze maakte zich van mijn arm meester en drukte hem tegen zich aan. 'Ik *moest* gewoonweg iets met je bespreken, verschrikkelijk belangrijk, voor mij bedoel ik . . .' Miriam Dane kwetterde door en slaagde er in eigenlijk niets te zeggen, totdat we voor mijn deur stonden.

Ik deed nog een poging. 'Ik heb een kennis te logeren; hij is niet goed geweest en . . . nou ja, hij ligt nu uit te slapen. Maar een klein appartementje. Heus beter als we . . .'

'Doe niet zo moeilijk. Ik zal me erg koest houden, en het is maar een kwestie van een minuutje.' Het was niet precies dezelfde vrouw die ik bij Max had leren kennen. Op vage wijze had ze iets ouders over zich gekregen. De vorige keer had ik niets van onwrikbare vastberadenheid bij haar opgemerkt. Die bezat ze nu wel; er drong een staalharde glans van tot me door. Ze borg haar glimlachjes en gekwetter op omdat ik niet langer de vriendelijke sinterklaas uithing. Ze keek me strak aan, alsof ze de sleutelring uit mijn zak wilde hypnotiseren. Het lukte haar niet. Ik staarde terug, niet van zins grof of onaangenaam te worden maar ik pakte evenmin mijn sleutels. Er was van de glimlach geen spoortje over. Een kleine schoen met een glittersteen op de gesp begon op de vloer te trappelen. Ze liet alle voorwendsels varen en zei met onbewogen en duidelijke stem: 'Ik moet beslist Abe Brown spreken.'

Ze hadden hem gisteravond dus toch gevolgd. Gevolgd,

maar niets ondernomen. Nóg niets. Te druk, misschien: Max en zijn jongens konden wel eens de handen vol hebben aan de dood van Daniel Walker. Ze zeggen dat de politie van New York al dertien, veertien jaar ongelooflijk betrouwbaar is. 'Waarom, Miriam?'

'Waarom?' Haar welgevormde schouders gingen iets omhoog en zakten weer. 'We zijn per slot van rekening verloofd zoals je weet. Ik zou kunnen vragen wat jij ermee te maken hebt.'

'Hij is naar mij toegekomen. Dát heb ik ermee te maken.'

'Nee toch! Hij is meerderjarig. En het gaat toevallig over de partij.'

De strijd was in volle hevigheid ontbrand. Ik zei: 'Toch wil ik weten waarom.'

'Jij bent geen lid. Met wat voor recht wil je dat weten?'

'Hij is ook geen lid.' Ik had mijn stem vrij sterk verheven, in de hoop dat er iets van door de dikke deur zou dringen.

'Je hoeft niet zo'n keel op te zetten.' Ik kon het wit van haar boze ogen zien. 'Dat slaat nergens op, meneer Meisel. U moet niet zo moeilijk doen.'

'Goed dan. Komt u binnen. Maar mag ik wel even in uw tasje kijken?'

'M-mijn tasje?' Toen merkte ik dat ze wat rouge op haar gezicht had gedaan: Haar wangen lieten ongezonde roze vlekjes zien toen het bloed eruit wegtrok. Haar rechterhand schoot op het blauwe tasje af en mijn hand klemde zich over die van haar heen voordat ze de knip open had. Ik zou in een lastig parket komen als ze ging schreeuwen. Ik dacht niet dat ze het zou doen, en ik bleek gelijk te hebben. Ze liet de tas los, week terug en bleef met de hand tegen de felrode lippen gedrukt staan.

Daar zat het, in het tasje. Een .22, speelgoedachtig, maar gevaarlijk genoeg. Ik heb trouwens een hekel aan die dingen. Ik controleerde de veiligheidspal, liet het pistool in mijn broekzak glijden en gaf haar het tasje terug. 'Die heb ik om me te verdedigen,' verklaarde ze, nu op aandoenlijke

toon. ''k Moet overal naar toe; de raarste buurten soms.'
Het aandoenlijke ging over in een met moeite gehandhaaf-
de waardigheid. 'Ik heb er een vergunning voor. Die kan
ik u laten zien. Hierzo . . . ergens.' Terwijl ze in haar tasje
rommelde, brak er een traan los en biggelde naar haar
mondhoek. Onwillekeurig, net als de korte snik en het likje
van haar tong over de mondhoek toen haar handen druk
bezig waren. 'U hoeft niet zo verdomd *rot* tegen me te
doen . . .'

'Laat die vergunning maar zitten,' zei ik. 'Dat schiettuig
krijgt u van me terug wanneer u weggaat.' Ik drukte een
paar keer op de bel en stak luidruchtig de sleutel in het slot.
'Komt u mee?' Onbeleefd beende ik als eerste naar binnen.

Sharon zat met haar voeten onder zich getrokken in de
leunstoel bij het raam. In ieder geval had Abraham onze
stemmen buiten de deur niet opgemerkt. Hij zat naast haar
op de vloer, in stilte verzonken, zich vaag bewust van haar
hand die door zijn haar speelde, en waarschijnlijk van weinig anders om hem heen. Sharon glimlachte en zei zachtjes:
'Ik wist dat jij het was; daarom deed ik niet open. We hebben onszelf in een coma gepraat en . . .'

Toen stapte Miriam achter mij binnen en zei: 'Ooo . . .'

Ik maakte een gebaar met mijn hand, een vage menselijke
aanduiding dat ik er niets aan kon doen. Toen Abraham
Miriams uitroep hoorde, keek hij om. Hij kwam niet meteen overeind maar staarde haar onthutst aan. Toen hij eenmaal stond, vlocht Sharon haar vingers door de zijne en ik
kon zien dat hem dat goed deed. Sharon was geconcentreed
maar liet geen emoties blijken. Zo bereidt een artillerist zich
op een voltreffer voor.

Miriam zelf had er waarschijnlijk nooit mooier uitgezien.
Ze had de worsteling met de tranen gewonnen: haar ogen
waren vochtig maar er kwamen geen druppels. Tot in de
puntjes gekleed in haar blauwe pantalon, witte bontjasje
en het glinsterende dingsigheidje van een hoed op de witte
glans van haar kapsel, vormde ze een beeldige, diep veron-

gelijkte pin-up. Met onbewogen stem zei Sharon: 'U bent zeker juffrouw Dane?'

Met een minachtend fonkelende blik trachtte Miriam haar weg te kijken. 'Abe, ik wil *beslist* niet op een of andere manier roet in je eten gooien, maar Bill Keller wil je spreken. Nu meteen.'

'Het spijt me.' Abraham sprak met vlakke stem. Hij was zich pijnlijk van zijn eigen woorden bewust maar ik wist dat hij rust had weten te vinden. 'Ik heb er geen behoefte aan om hem te zien.'

'Wat !'

'Sorry, Miriam. Zo is het, en niet anders.' Ik zocht met een slap gevoel in de knieën steun tegen de muur; een oude man die zich onopvallend met zijn eigen zaken bemoeit. Wat Abraham gezegd had, moest wel afdoende zijn. De komende paar minuten zouden niet bepaald feestelijk zijn, maar de jongen had geen hulp nodig. 'Als je Bill ziet, zeg hem dat maar. Ik ga er niet meer naar toe, Miriam, ik wil niemand daar meer zien.'

Ik geloof niet dat Miriam op iets dergelijks voorbereid was. Ze was op stap gegaan naar een van de kook geraakte, gemakkelijk te hanteren jongen. Ze staarde naar haar vingers, liep rood aan en trok bleek weg, en wist niet haar toenemende verslagenheid en angstgevoelens te verbergen. Die laatste hadden volgens mij weinig met de relatie tussen haar en Abraham te maken. Na een paar vergeefse pogingen om iets naar voren te brengen zei ze zachtjes: 'Abe, er bestaat ook zoiets als trouw. Of is dat iets nieuws voor je?'

Abraham knikte. 'Ze moeten me maar als een uitknijper beschouwen, Bill en meneer Nicholas en de anderen. Dat is mij best. Ik vind het zelf ook, alleen om een andere reden: Ik heb mijn loyaliteit geschonken aan iets waarvan ik had dienen te weten dat het niet van blijvende aard zou kunnen zijn. Ik ga niet terug, Miriam.'

Sharon zei: 'Er bestaan nog andere loyaliteiten, juffrouw Dane. Uw leider Joseph Max vertoont wat ik een gebrek

215

aan loyaliteit noem ten opzichte van zijn medemensen.'

Het leek me niet dat Miriams instelling om Sharon te negeren nog lang stand zou houden. Maar ze bleef het proberen. Met een starre blik naar Abraham en toen naar de ring aan haar linkerhand, fluisterde ze: 'Zelfs niet tegenover mij, blijkbaar . . .'

Sharon zei: 'Mensen veranderen.'

Zelfs daarmee kreeg ze Miriams blik niet op zich gevestigd. Het was als nog een antwoord op dezelfde kwestie toen Abraham zei: 'Dr. Hodding was al een gebroken man toen de partij hem opkocht, nietwaar, Miriam? Afgeknapt, een man die zijn toevlucht tot alcoholische dromen zocht omdat hij zelfs van het goede werk dat hij voor de Wales-stichting gedaan heeft de schrik te pakken kreeg; waarom wilde een organisatie die een officieel ingeschreven politieke partij heette te zijn iemand subsidiëren om een ziekte uit te vinden . . .'

'Dat is gelogen! Zo zit het helemaal niet in elkaar, Abe!'

'Zo is het wel gebeurd.' Abraham schudde het hoofd. Ik zag hoe er zich in de diepe schaduw onder zijn ogen smartelijke trekken en misschien ook iets van onzekerheid begon af te tekenen. 'Jij was daar op het dakterras, Miriam, en je hebt me een keer gezegd dat er in de partij niets voorvalt of jij weet er alles van af.'

'Maar je snapt het niet. Wij wisten niet wat Hodding aan het . . .'

'*Wisten niet?*'

'Nee, dat wisten we niet. Hij . . . ik zou je kunnen vertellen . . . goed dan, ik *zal* het je vertellen, al mag het eigenlijk niet . . .'

Sharon ontdekte dat ze haar vrije hand tot een vuist had gebald. Zorgvuldig strekte ze haar vingers en zei: 'Ja, doet u dat.' Nog steeds slaagde Miriam er in haar te negeren.

'Abe, Max is er zojuist achter gekomen wat Hodding in werkelijkheid was; vanochtend pas. Daarom moet je mee terug. Nicholas zegt dat jij met Hodding alleen bent geweest, het een en ander van hem hebt opgevangen. Max moet je beslist spreken, het uit jouw mond vernemen; dat ben je ons toch wel verschuldigd, lijkt me. En Bill, Bill Keller héeft het niet meer, Abe. Hij is ingestort. We hebben geen van allen veel slaap gehad en Bill is er beroerd aan toe, hij vraagt voortdurend naar jou...'

Ze had net als ik door dat dit hem aan het weifelen bracht. Misschien merkte ze niet Sharons hand op, die hem meer duidelijk maakte dan ik ooit had kunnen bereiken als ik met woorden tussenbeide was gekomen. 'Ach kom, Bill is er beroerd aan toe ...'

'Nou en of! Ik kom net bij hem vandaan. O, Abe, hij heeft zoveel voor jou gedaan; en niemand vraagt je partijwerk te doen, alleen dat je naar hem toe gaat om met hem te praten. Heeft hij je ooit eerder om hulp gevraagd ...?'

'Miriam, als hij zich beroerd voelt, heeft hij er niets aan om met mij te praten, want ik heb juist verworpen waar hij in gelooft. En je hebt niet afgemaakt wat je begon te vertellen ... Wat is dr. Hodding nu opeens, sinds vanmorgen?'

'Dat is een rotopmerking.' Miriam kon een zekere waardigheid opbrengen als ze dat wilde. 'Ik heb niet de indruk dat je er op vooruitgegaan bent bij de mensen met wie je op het ogenblik optrekt, Abe. Dat moet me werkelijk van het hart. Hodding is wat hij altijd is geweest, alleen wisten wij dat niet. Goed dan, maar zet je oren wijd open. Je zult het niet leuk vinden, misschien weiger je wel te geloven wat we uiteindelijk uit die arme geschifte oude man hebben losgekregen ...'

Zonder zich tot iemand in het bijzonder te richten, zei Sharon: 'Welke methodes?'

Eindelijk keek Miriam haar aan. *Pardon?*

'Ik ben benieuwd naar de methodes die zijn toegepast om uit een arme geschifte oude man informatie los te krijgen.'

De strijd was nu natuurlijk ten volle ontbrand, en Sharon had een moment gekozen waarop ze met een beetje aansporing Miriam tot een uiting van hysterie zou kunnen krijgen.

Het lukte niet helemaal. Miriam zette grote ogen op en sputterde, maar wendde zich tot Abraham: 'Abe, als je je gedachten lang genoeg kunt losrukken van je fantasierijke vrienden om naar mij te luisteren: wij hebben niets ondernomen dat niet door de noodsituatie wordt gerechtvaardigd. Een man als Hodding kan niet met handschoenen worden aangepakt. Ik probeer je duidelijk te maken wat hij is. Dat hebben wij ontdekt.' Ze verhief haar stem. 'Hoe, doet er niet toe – jij hebt zo'n zwak, zacht trekje in je karakter – dat is trouwens niet van belang. Abe, Hodding heeft de afgelopen drie jaar voor de Chinezen gewerkt.' Ik geloof dat ik lachte, maar Abraham deed het zeker niet. 'Hij heeft van onze voorzieningen hier in Amerika gebruik gemaakt om iets voor gebruik in Azië uit te dokteren. En ons om de tuin leiden met zijn gepraat over zuiver wetenschappelijk onderzoek, onderzoek dat een humanitair doel zou kunnen dienen . . . Dat viel bij Max natuurlijk in goede aarde – Max dacht dat Hodding bezig was aan . . . aan . . .'

Abraham was spierwit geworden. Ik geloof dat hij ook begreep waarom ze aarzelde. Hij zei: 'Krijgt de pers het zo te horen – dat verhaal?'

'Zeer zeker!' schreeuwde Miriam, op het randje van hysterie. 'Zeer zeker, wanneer we ermee klaar zijn.'

Met het hoofd scheef keek Sharon naar haar opgetrokken kousevoetjes en liet ze zachtjes op de vloer zakken. Ze wilde haar mond opendoen, maar Abraham weerhield haar. Hij zei: 'Alles wat jullie nog nodig hebben, is een bekentenis zwart-op-wit van Hodding? Iets in die geest?'

'Die hebben we al,' beet ze hem toe.

'Dan hebben jullie mij helemaal niet nodig, Miriam. Daar zit een luchtje aan.'

In een pathetisch vermoeidheidsgebaar legde ze een hand tegen haar voorhoofd. 'Dus je wilt het niet inzien. Net een verwend kind. Nog wel met een nieuw stuk speelgoed ook.' Met hetzelfde vertoon van vermoeidheid en vage onverschilligheid nam ze Sharon op: 'En wie bent u dan wel, of mag ik dat niet vragen?'

'Een jeugdlid van de Federalistenpartij.'

'O, van dát stelletje. Ik had het kunnen weten. En deze klunzige tweederangs spion' – ze nam me van top tot teen op; ik liet het over mijn kant gaan – 'hoeveel betalen jullie hem, als ik vragen mag? Niet dat het er veel toe doet. Enfin, juffrouw . . . juffrouw . . .'

'Brand, Sharon Brand.'

'O ja. Ik heb meen ik uw foto ergens gezien. U schrijft kinderboeken of zoiets, hè?'

Sharon gniffelde. 'Hm-m. Lekkere dikke.'

'Nou, u zou uw nikkerbaas van de Federalistenpartij kunnen mededelen dat vriend Meisel als spion een afgang betekent . . .'

'O, die snuffelneus die jullie me vanochtend achterna stuurden . . .' zei ik. ''k Had me al afgevraagd waarom hij het zo gemakkelijk opgaf. Dat was om u op te bellen, zeker? Om u te laten weten dat ik werkelijk de deur uit was, of iets dergelijks?'

Maar ze liet me nu links liggen. 'Uw eigen methodes hebben zo te zien meer resultaat gehad, juffrouw . . . Brand? Het vergt wel veel van je voeten, als je zo jong begint. Eigenlijk mijn schuld; alleen had ik nooit gedacht dat Abe het op kinderen had voorzien. O . . . hier . . . dit zal u misschien van pas komen wanneer u groot bent.' Ze wrong de ring van haar vinger en smeet hem met een houterig gebaar op de vloer. Behalve dat Sharon haar voeten wat opzij schoof om de ring onder de stoel te laten rollen, keek ze er verder niet naar en verroerde ze zich evenmin.

Zelfs nadat ze had toegegeven aan die behoefte aan een fysieke daad, moet Miriam nog een kleine, onverbeterlijke hoop op succes hebben gekoesterd. Ze kwam met smekend uitgestoken handen op hem af. Hoewel ik bijna niet aan het resultaat twijfelde, betrapte ik me er toch op dat ik de adem inhield. Talent had Miriam zeker.

Het was niet zijn gereserveerde zwijgen waardoor ze haar

beheersing verloor. Iets anders, iets dat ik bij hem waarnam; hoewel hij het trachtte te verbergen, moet Miriam het ook hebben opgemerkt. Ik hoorde haar adem stokken, ik zag haar blindelings naar haar handtasje grijpen. Ook zag ik Sharon overeind springen. Als Miriam haar beweging had voltooid, zou Sharon zich waarschijnlijk vóór Abraham hebben geworpen eer hij haar had kunnen weerhouden. Maar vlugger dan haar hand herinnerde Miriams geest zich waar het pistool was. Ze kreeg een brok in de keel en wendde zich af, ongevaarlijk en beklagenswaardig. 'Ik zal . . . wat jij zegt aan Joe Max overbrengen.' Ik vond het interessant dat ze het nu over 'Joe Max' had. 'Abe, je begaat een verschrikkelijke vergissing.'

Ik was blij dat Abraham er geen antwoord op gaf. Ze liep me langzaam voorbij maar keek me niet aan; ze dacht waarschijnlijk niet eens aan het pistool, dat ik haar trouwens niet zou hebben teruggegeven. Ze smeet niet de deur met een klap dicht.

Sharon had haar armen om Abraham heen en drukte zich stevig tegen hem aan. 'Will,' zei ze over haar schouder: 'Will, is het zonnetje misschien toevallig hoog aan de hemel vriendelijk gaan schijnen? En ik bedoel niet wat mij betreft.'

6

New York
zondagavond 12 maart

Sharon is vandaag met ons mee naar buiten getrokken. Een dagje uit, een half-geïmproviseerde picknick. Geen vlucht, tenzij Sharon het een beetje als zodanig beschouwde. De lente is van het jaar vroeger dan ooit ingetreden. Vannacht is er een zacht regentje gevallen, en vandaag lag de aarde er gewassen en geurig en voorjaarsachtig bij. We troffen helgele winterakonieten in het bos aan, en de eerste kleine witte viooltjes die zich in hoekjes van het gesteente verbergen.

We hadden een wagen gehuurd, Abe en ik, en om ons een moeizame zoektocht door Brooklyn te besparen, wachtte Sharon ons bij een uitgang van de metro in een buitenwijk op. We waagden ons niet op een Robbie-weg maar namen de oude brug over het water en volgden een van de fraaie autowegen van North Jersey, totdat we een bescheiden weggetje bereikten dat ons naar de Ramapobergen beloofde te leiden. Wij drieën onder elkaar, en bij stilzwijgende afspraak repten we onder het rijden met geen woord wat er vrijdagmiddag in de Green Tower Colony gebeurd was of had kunnen zijn.

Voor het overwegen van een grote ramp voor het menselijk ras moet je blijkbaar afstand nemen. Meer dan de Martiaanse afstand. Als de zwarte wiekslag te dichtbij komt, schemert het je voor de ogen. Of je nu Martiaan of mens bent, je moet dan de blik afwenden, niet zozeer omdat je op een uitweg rekent of jezelf voor de gek wilt houden, maar omdat je hart je zegt: 'Ik ben er niet klaar voor.' Of misschien zegt het: 'Dit was niet nodig geweest. Er zou wel een andere manier te bedenken zijn...' De piloot boven Hirosjima... kon hij omlaag zien?

In de voorjaarsachtige bossen kwamen we bepaald niets tegen dat ons aan ellende deed denken.

Sinds het binnenvallen van Miriam waren er geen figuren van Max meer komen opdagen. Abraham en ik waren niet gevolgd toen we dat autoverhuurbedrijf opzochten. Er kwam niets achter ons aan gescharreld toen we de autoweg verlieten en dat landweggetje volgden. Sharon had een mand met etenswaar meegenomen en wij de wijn, een lekkere catawba ergens uit het merengebied van South Carolina vandaan.

221

Ik kon de blik afwenden van de alledaagse lelijkheid van onze huurauto, ik kon onze benauwde Amerikaanse kleding vergeten en me indenken dat we ... dat we waar dan ook waren. Misschien op een bergachtig eiland in het land waar eens het leven van de mens een aantrekkelijk studieobject moet zijn geweest, althans volgens Theocritus, Anacreon en andere stemmen. Pan is nooit gestorven. Hij kijkt toe en blaast zachtjes op zijn fluit overal waar aarde en bos, veld en hemel bijeenkomen en de arcadische zoon van Hermes hun harmonie bieden.

Vaak genoeg, Drozma, denk ik aan je overgrootvader; hoe hij gezwoegd heeft aan het verzamelen en kopiëren van de geschriften van zijn eigen overgrootvader, die Hellas heeft gekend zoals het werkelijk was, toen de zon er hoog aan de hemel stond. Die geschriften zouden kunnen worden gepubliceerd, als de eenwording ooit mogelijk zou blijken. Ik heb me vanmiddag die eenwording trachten voor te stellen. Die droom werd verdrongen door een ander beeld, dat van een glazen buisje vol groen poeder.

Ik zag Abraham lekker languit gaan liggen, met het hoofd op Sharons schoot. Hij zei: 'Will, ik begin mezelf aan te praten dat het niet kán gebeuren. Daar bestaat in ieder geval een goede kans op, hè?'

'Een kansje, ja.'

'Wat Hodding heeft ontwikkeld, was niet zo krachtig als hij meende. Of misschien niet zo gemakkelijk te verspreiden, niet zo levensvatbaar buiten het laboratorium. Of het buisje is in de rivier gevallen en ongebroken naar zee gevoerd.'

'Heeft Hodding het in zijn ijlen nog over de incubatietijd gehad?' Ik vroeg het wel maar wilde het eigenlijk niet eens weten.

'Ik heb er niets van opgevangen ... Naar zee meegevoerd; maar op een gegeven moment moet de kurk toch loslaten, en wat dan? Er leven zoogdieren in zee; die brengen het vroeg of laat over op ...'

'Niet doen,' zei Sharon en legde haar hand over zijn ogen. 'Nou, 't is niet gebeurd,' zei Abraham, om haar te gerieven. 'Wat vandaag aangaat, is het niet gebeurd.' Ze boog zich over hem heen totdat haar voorovervallende haar zijn gezicht verborg, en fluisterde hem iets toe waarmee ik volgens hen niets te maken had. Ongetwijfeld iets dat in verband stond met het uurtje dat ze mij hadden alleen gelaten in een meditatie die in mensenogen op een sluimering leek, en verder het bos in waren gewandeld. Het zijn heel lieve en natuurlijke kinderen wanneer de beschaving wat minder greep op hen heeft. In staat om elkaar zwijgend aan te voelen; dat kan van pas komen als het mocht blijken dat ze nog jaren met elkaar zullen optrekken, en niet een paar fonkelende momenten die ze vlak voor de climac van een wereldramp hebben weten mee te nemen.

Het leek of hij zijn gedachten dezelfde kant uit had laten gaan, want even later zei hij: 'Will, als we ervan uitgaan dat er niets is gebeurd toen Walker dat ding weggooide – aangenomen dat ieder van ons nog een portie van een jaar of veertig, vijftig voor de boeg heeft – hoe moet het dan met die veertig of vijftig jaar van mij? Ik dacht aan werk. Deze jongedame hier, met haar blauwe ogen, zit niet met dat probleem opgescheept – zij weet al wat ze kan. En het lijkt me dat de meeste mensen niet met zo'n probleem te maken hebben gehad. Een enkeling heeft een duidelijke roeping voor het een of ander, en de grote meerderheid beschouwt werk alleen maar als een onontkoombaar kwaad. Als iets dat je af moet maken om de gelegenheid te scheppen voor spel van welke aard ook, of ze ontdekken een manier om zich er helemaal aan te onttrekken – waar ik niets aan heb, maar als ik ergens een roeping voor heb, verdomme, klinkt het meestal alsof er honderd stemmen tegelijk aan het roepen zijn. Een locomotief zonder rails . . . Laatst vertelde jij me dat je nogal wat hebt rondgezworven en allerlei dingen hebt aangepakt. Heb je ooit het soort werk ontdekt dat je werkelijk zou willen doen? Iets dat van al het andere maar inleidende probeersels maakte?'

Ja, maar dat kon ik niet zeggen. Ik wrong me weer in het menselijke referentiekader en zei haastig: 'Ik kan je niets anders dan een mottig doekje voor het bloeden bieden: probeer erachter te komen wat je het beste ligt, en hou je daaraan. Het kan wel even duren eer je dat ontdekt. Ik kaats het probleem alleen maar naar jou terug.'

Hij glimlachte. 'Ja, maar dat kon wel eens een doekje voor het bloeden zijn dat de motten niet door hun strot kunnen krijgen. En je ontdekt het door vallen en opstaan? Vooral door vallen?'

'Misschien. Toen je twaalf was, hield je je nogal bezig met de godvergeten mysterieuze zaken die we bij voorkeur samenvatten onder de naam ethiek.'

'Ja.' Hij keek me een hele poos aan; zijn donkere ogen stonden vaag. 'Ja, dat deed ik, Will...'

'En?'

'Ja, dat doe ik nog steeds. Voortdurend meer leren en minder ervan afweten.'

'Ach, na een tijdje kom je tot een synthese die je kan bevredigen. Misschien wanneer je de dertig gepasseerd bent, als je boft.'

'En om het intensief bezigzijn met ethiek in termen van levenswerk te vertalen?'

'Het uitdragen. Schrijven. Prediken. Handelen, al is tot handelen overgaan altijd gevaarlijk.'

'Altijd?' vroeg Sharon.

'Altijd, tenzij je de eventuele consequenties heel ver kunt voorzien. Soms lukt dat met een bepaalde mate van zekerheid – voor de praktijk voldoende. Kun je dat niet, dan zijn de beproefde maatregelen... nou ja, in ieder geval veiliger, zoals de gewone man altijd al geweten heeft. Niet per se beter, natuurlijk.'

'Ik vraag me af,' zei Abraham, 'of ik ooit zal vinden dat ik genoeg weet om tot handelen over te gaan.'

'Mocht het niet zover komen, blijf dan je hele leven

studeren en doe een beetje je mond open wanneer je denkt dat je iets te zeggen hebt.'

Hij grinnikte en gooide een handje dennenaalden naar me toe. Sharon klemde zijn hoofd tussen haar handen en rolde het nogal krachtdadig heen en weer. 'Ik wil je vanavond mee naar huis nemen. Je hebt moeder Sophia nog niet ontmoet.' Ik zag haar gezicht zoals hij het niet kon zien. Ze dacht niet alleen aan moeder Sophia maar ook aan de piano. 'Hoelang is het geleden, Abe, dat je geschilderd hebt?'

Hij weifelde; er lag een frons op zijn voorhoofd, die zij met een vinger wegstreek. 'Een hele poos, Sharon.'

'Misschien,' opperde ik, 'sluit het niet voldoende aan bij een bestudering van de ethiek?'

'Misschien.' Daar keek hij van op; zijn belangstelling was gewekt. 'Je kunt iets verkondigen in olieverf, maar . . .'

'Toch niet al te best,' beweerde Sharon. 'Propaganda leidt tot kwalijke kunstuitingen.'

'Maar denk je dan niet te veel in termen van muziek?'

'Nee. In de muziek bestaat dat probleem helemaal niet. Je gaat gewoonweg niet naar propaganda zoeken in de muziek, tenzij je al een warhoofd bent.'

'Ja. Maar in de beeldende kunst . . . neem nu Daumier, Goya, Hogarth . . .'

'Die zijn blijven voortleven,' zei Sharon, 'omdat ze grote kunstenaars waren. Al waren hun maatschappijopvattingen dusdanig geweest dat we ze in de twintigste eeuw niet lustten, hun werk zou toch gangbaar zijn gebleven. Cellini was een druiloor. De vroomheid van Blake en El Greco kom je vandaag de dag bijna niet meer tegen. Maar hun werk doet het nog steeds.'

'Ik geloof dat je gelijk hebt,' zei Abraham na een poosje. 'Will heeft geloof ik ook gelijk. Schilderen is niet voldoende voor een moralist die op de tuchtschool is geweest.'

Er ging een lichte schok door Sharon heen en ze drukte harder met haar vingers tegen zijn hoofd, maar Abraham bleef glimlachen. Het leek me dat ik iets had opgevangen dat haar was ontgaan. Ik zei: 'Abe, dat is voor het eerst dat ik je zonder verbittering over het verleden hoor spreken.'

Hij wurmde zijn hoofd opzij om vrijwel zonder vertoon van vrolijkheid naar zijn geliefde op te kijken. Ik denk dat hij daarmee bij haar de herinnering opriep aan woorden die ze eerder gewisseld hadden. 'Ik geloof niet dat ik verbitterd ben, Will. Nu niet meer.'

'Zelfs niet op dr. Hodding en de figuren die hem gekocht hebben?'

Abraham murmelde: 'In de eeuwige kringloop gevangen.' Hij ging toen rechtop zitten, trok Sharon in de holte van zijn arm en kuste haar op het haar, omdat hij aanvoelde dat zij op dat moment de beschermde wilde zijn.

'Dus nu is onze jongen boeddhist,' zei Sharon.

'Allicht. Boeddhist, taoïst, confucianist, mohammedaan . . .'

'Wacht even. Eén vrouw is zat voor jou . . .'

'Hoera! Mohammedaan, christen, socratist, hindoe . . .'

'Oké, maar wel een beetje veel voor een meisje om op één zondagmiddag tegelijk te verwerken, en ik vind toch . . .'

'Daar wen je wel aan,' zei Abraham. 'Een sluier hoeft niet. Het betekent alleen maar dat je je schoenen moet uitdoen als je door het huis naar de boom der wijsheid in ons achtertuintje loopt.'

'Je hebt de Mithras nog vergeten.'

'De leveranciersingang,' zei Abraham. 'Ruimte genoeg. En denk eens aan het Griekse Pantheon, dat wat mij betreft altijd van de voordeur gebruik mag maken.' Hij stak zijn tong naar me uit; echt nog een jochie van een jaar of twaalf. 'Syncretisme in North Jersey; nou, nou! Will, er huist nog altijd leven onder deze bast.'

We hielden ermee op omdat Sharon, die er haar gemak van wilde nemen, niet meer meedeed. Maar het leek wel of Abraham er alleen maar nuchterder van werd. Over haar doezelige hoofd heen keek hij mij aan en vroeg ten slotte:

226

'Heb je die spiegel nog?'

Weifelend zei ik: 'Die neem ik altijd mee, Abraham.'

'Nou . . .?'

'Ik heb het mezelf nooit helemaal kunnen vergeven dat ik je erin heb laten kijken toen je nog maar twaalf was.' Met onuitgesproken vragen in haar blik keek Sharon naar hem op. 'Sindsdien heb ik er zelf vaak genoeg in gekeken.'

'En wat heb je ontdekt?'

'Ach, als je ertegen kunt, als je hem maar vaak genoeg een beetje zus en een beetje zo draait, vind je meestal wel iets dat in de buurt komt van de waarheid die je zoekt. De meeste mensen zouden beweren dat het alleen maar een vertekening in het brons is en dat je fantasie voor de rest zorgt. Daar kan ik geen ja en geen nee op zeggen.'

'Een spiegel?' zei Sharon slaperig.

'Een dingetje dat ik altijd meeneem. Noem het een talisman. Ik heb het jaren geleden van een archeoloog gekregen. Een kleine Kretenzische handspiegel, Sharon, waarvan ze beweren dat hij zo'n zevenduizend jaar oud is.'

'Zie je nou wel, schatje, toch weer modern spul.'

'Hm-m,' zei ik, 'ja, als je in ethiek geïnteresseerd bent, kun je je aan ergere dingen bezondigen dan hanteren van geologische tijdsmaatstaven. Nou, Sharon, er is geen enkele golving of andere onregelmatigheden in het spiegelvlak te bekennen, maar die moet er wel zijn want dat verdomde ding ziet er geen twee keer hetzelfde uit. Ik zou niet graag hebben dat je er onvoorbereid in keek. Meestal krijg je er niet je gezicht in te zien zoals andere mensen het waarnemen. Hij kan je erg oud weergeven, of heel jong. Anders. Dingen waar je niet het flauwste vermoeden van had; en wie zal zeggen of er enige waarheid in schuilt. Een trucding. Een stuk speelgoed . . .'

Toen ik er niets meer over zei en geen aanstalten maakte om de spiegel te voorschijn te halen, merkte Sharon doezelig met haar hoofd tegen Abrahams schouder op: 'Will, doe niet zo akelig voorzichtig.'

'Dat ben ik heus niet. Maar ik ben een paar jaar geleden tot de ontdekking gekomen dat de menselijke geest vluchtig brandbaar spul is in een wereld vol brandende lucifers.'

Abraham ving mijn blik rustig op en zei: 'We zouden er niet voor terugschrikken om erin te kijken, Will.'

Van de gordel die onder mijn overhemd verborgen zat – dezelfde waarin ik mijn oude zelfmoordgranaat bewaar en het reserve-exemplaar dat Bevoorrading me heeft toegestuurd – maakte ik de spiegel los en gaf hem Abraham in de hand. Ze staarden erin; twee jonge, onbedorven gezichten naast elkaar. Niet zo verschrikkelijk jong. Eenentwintig en negentien. Uit bepaalde obscure situaties die ik zelfs nooit zou kunnen onderzoeken, had Eenentwintig zich onbezoedeld naar buiten weten te werken: Negentien was een trotse volwassene en een bescheiden priesteres van wat wellicht de grootste tak van kunst is.

Drozma, ik voelde iets van de vredigheid over me komen die wij waarnemers ervaren wanneer het einde van een dienstopdracht niet ver meer is. Wat Abraham had gezegd, was niet juist: ze waren wel degelijk bang. Maar dat was van vrijwel geen belang. Wat wel telde, was dat ze hun blik niet lieten afwenden door alles wat ze daarbij ervoeren: angst, schrik, verbazing, teleurstelling. Ik weet niet wat het was. Ze kunnen zich beiden goed in woorden uitdrukken. Ook zij beseften dat het verder reikte dan het beperkte terrein dat met woorden kan worden bestreken.

Ik kon ernaar raden, op grond van het emotionele spel van licht en schaduw op hun gezichten: verbijsterd, verrukt, geschrokken, gekwetst, soms geamuseerd en vaak vertederd. Ik kon eruit opmaken wat ik met goed fatsoen mocht weten. Ik vroeg Abraham niets toen hij me de spiegel teruggaf. Met dat luie glimlachje dat ik van hem kende van jaren geleden, van een zomermiddag op het kerkhof van Byfield en van nog een paar vrijwel stille zomermiddagen in het bos, zei Abraham: 'Nou, zo te zien zijn we menselijk. Ik had er al een vermoeden van,'

'Ja. Jij, en de maker van deze spiegel, Mordecai Paton.'

Hij grinnikte en merkte zachtjes op: 'Hai, die Mordecai! Nou zeg . . . is ze in slaap gevallen?'

'Nou niet helemaal,' zei Sharon. Ik geloof althans dat ze dat voor zich uit mompelde. Ik had ook in de spiegel gekeken voordat ik hem wegstopte en ik had er niets van mijzelf in gezien.

Ik zag niets van mijzelf, Drozma.

Wist jij, mijn tweede vader, dat er een moment zou komen dat ik er in keek en alleen het beweeg van vriendelijke bomen tegen een heldere hemel achter me zou zien? Een sneeuwbalbosje, een welige begroeiing die de open plek van het eigenlijke bos scheidde en waar het tierde van het onschuldige drukke gescharrel van allerlei vogels. Dat, en de esdoorns met hun bladknoppen vol nieuw leven dat zich begon te roeren, en de dennebomen, en verderop in de hoogte een witte wolk die langs trok . . . Had je ook voorzien dat dit moment geen pijn met zich zou meebrengen, of alleen de dag en nacht aanhoudende pijn waarmee wij en het mensdom moeten leven vanwege onze sterfelijkheid en die we ervaren als een soort achtergrondmuziek, niet zo sterk verschillend van de nachtelijke paringsroep van boomkikkers of de ingebeelde muziek van eendagsvliegjes in de ondergaande zon? Wist je dat ik er om zou kunnen glimlachen en de spiegel nonchalant wegstoppen, me als een mens uitrekken, en Sharon eraan herinneren dat we moesten opbreken.

'Hij heeft gelijk,' zei ze. 'Ik heb liever niet dat moeder Sophia warm eten voor zichzelf probeert klaar te maken . . .'

Ditmaal waagden we ons met de auto in de doolhof van Brooklyn, waarbij Sharon als gids optrad en deed alsof er niets aan was. In de flat van Sharon maakte ik een andere Abraham mee, een Abraham van wie ik wel het bestaan kende maar die ik nog nooit werkelijk had gezien. Het kwam tot uiting in zijn gedrag tegenover Sophia Wilks; een vriendelijkheid en aandacht die volkomen gespeend waren van de neerbuigendheid die je vaak bij heel jonge mensen aantreft. Hij mocht haar graag en het kostte hem geen moeite er duidelijk voor uit te komen. Ze bekeek zijn gezicht door het met haar vingers af te tasten, een onderzoek dat ze waarschijnlijk vanwege de opgetogen klank van Sharons stem langer dan anders rekte. Ze glimlachte over haar bevindingen; zij die zelden glimlachte, zelfs wanneer ze zich amuseerde.

Na het eten, toen Sharon en Abraham naar de muziekkamer gingen, bleef ik met Sophia over Abraham zitten praten. Achter de meeste van haar vragen gingen andere, onuitgesproken vragen schuil. Ze legde meer belangstelling voor zijn geaardheid aan den dag dan voor zakelijke omstandigheden, en ik vertelde haar alleen de dingen die Sharon mij had kunnen vertellen over de jongen die vroeger in Latimer had gewoond. In Latimer had Sophia nooit van hem gehoord, behalve na zijn verdwijning, en dan nog slechts via de hakkelende en door verdriet verhaspelde woorden van een meisje van tien. Ik paste op met mijn stem, maar er bestond nauwelijks gevaar dat Sophia ooit Meisel in verband zou brengen met die grappige oude quasi-Poolse heer die een monument voor zichzelf had willen oprichten. Ze vertoefde met haar geest elders, en de rustige herinnering aan Benedict Miles die zij bewaarde was op zichzelf al een monument.

'Moet een kunstenares trouwen, meneer Meisel? Ik ben wel getrouwd, maar pas toen het me duidelijk was geworden dat er geen grote hoogten voor mij waren weggelegd; mijn man was trouwens zelf muziekpedagoog. Sharon is één en al vuur en toewijding. Wist u dat ze al zeven jaar lang nooit minder dan zes uur per dag heeft gestudeerd, en vaak zelfs tien of twaalf?'

Ik debiteerde een dooddoener, over hoe het voor iedere kunstenares weer een op zichzelf staande vraag moest zijn, een vraag waarop alleen de persoon in kwestie antwoord kon geven. Helaas was dat waar en schoten we er niets mee op, maar dat wist Sophia even goed als ik. 'We hebben haar nooit achter de vodden gezeten, mijn zuster en ik. Er is een jaar geweest, meneer Meisel, toen ze vijftien was en bij ons was komen inwonen, dat ze van de piano opstond zonder er een idee van te hebben waar ze was. Op een keer heeft mijn zuster haar op weg naar haar slaapkamer tegen de deurstijl zien botsen. Want, begrijpt u wel, ze was helemaal niet in die kamer; ze bevond zich ergens – dat kunt u zich denk ik wel voorstellen – ergens waar niemand met haar mee kon. We hebben dat jaar zó in angst gezeten, mijn zuster en ik. Het was te zwaar, dachten we ... we hebben haar nooit aangespoord en haar soms zelfs proberen af te remmen, maar dat konden we ook niet doen. Die angst sloeg nergens op, ziet u. Zó'n vlam brandt nooit op. Het zijn alleen de kleine vlammen die ... Ha, daar heb je haar!' De piano in de andere kamer had zich laten horen. 'Nee ... nee, dat is Sharon niet. Hé, kan hij ...?'

Ik zei haastig: 'Hij is een beginneling. Iets, ik weet niet wat, heeft hem naar de muziek getrokken. Hij zal waarschijnlijk spoedig genoeg ontdekken dat zijn talenten elders liggen.'

'O juist.' Ik was er niet zo zeker van of ze het begreep, en het beviel haar niet. Abraham speelde de sombere *Prélude nr. 4* van Chopin vrijwel zonder fouten, met een redelijk toucher en enig inzicht. Ik prevelde Sophia toe dat ik dadelijk terugkwam en kuierde de muziekkamer binnen toen Abraham er de laatste akkoorden van inzette. Ik ving de vragende blik op die hij omhoog richtte. Er lag zelfs iets geamuseerds in; ik zou niet kunnen zeggen hoe echt dat was; misschien een zekere zelfbescherming. Ook zag ik Sharon onwillekeurig flauwtjes het hoofd schudden.

Ze gaf er meteen een mildere wending aan door te zeggen: 'Dat is het nog niet.' Ze kwam achter de pianokruk staan om haar armen om hem heen te slaan en haar mond bij zijn oor te brengen: 'Wil je dat *echt,* Abe?'

'Ik weet het niet precies.'

'Het is een verdomde hijs. Enfin, dat weet je. De kwestie is dat ik niet geloof dat je het louter voor je eigen genoegen wilt; anders zou het goed zijn. Maar als ik jou ken, Abe, zou je ermee willen geven, aan anderen. Daarvoor heb je jarenlang acht uur per dag nodig, en je hebt best kans dat het er niet in zit.' Over zijn hoofd heen keek ze mij aan, en de angst had haar te pakken. 'En het zou ten koste kunnen gaan van ... ach, andere dingen, dingen die meer waarde hebben, dingen die je beter zou kunnen.' Ja, ze was verschrikkelijk bang, en ik kon haar niet helpen.

Maar Abraham zei: 'Ik geloof dat het een koortsachtige bevlieging was, Sharon. Ik voel al iets van lekker koel zweet op mijn voorhoofd.' Hij had zijn mond niet helemaal in bedwang maar hij glimlachte ermee. 'Wil je iets voor me doen?'

'Alles,' zei ze, bijna huilend. 'Alles, nu of wanneer dan ook.'

'Speel het zoals het hoort te klinken.'

'Nou, er bestaat niet één bepaalde manier waarop het hoort te klinken,' zei Sharon Brand. 'Maar ik zal het zo goed mogelijk doen.' En dat deed ze uiteraard. Het zou wreed van haar geweest zijn minder dan op haar best te spelen, want dat zou hij hebben gemerkt. Maar hoeveel anderen zouden dat op zo'n moment hebben aangevoeld? Ik heb heel wat pianisten meegemaakt, menselijke en Martiaanse. Ze vallen onmiddellijk in twee categorieën uiteen: Sharon, en dan de rest. Ik ben trouwens nooit zo dol op die prelude geweest. Ze keek me met nogal verwoed knipperende ogen aan en ging onmiddellijk door met de kleine, ietwat grappige *Prélude nr. 7,* die in A; eenvoudigweg omdat er iets op diende te volgen; het stuk kon niet in de lucht blijven hangen.

'Ik heb een speciaal hoekje in de tempel,' zei Abraham. Hij stak een sigaret tussen haar lippen, gaf haar vuur en kuste haar op het voorhoofd. 'Het hoekje waar je alles het best kunt horen. Help me onthouden dat ik je vertel dat je

232

een mopneusje hebt.'

'H-hou je van mopneusjes?'

Ik ging weer naar Sophia toe . . .

Abraham moest een beetje zijn hart bij me luchten toen we op weg naar huis gingen. Gelukkig is de automobiel de enige machinerie van de mens waardoor ik niet geïntimideerd raak. Ik voel me er bijna in thuis, zolang het ding maar op de grond blijft. Het lijkt me niet dat ik ooit de vliegauto zal proberen waarmee ze op het ogenblik aan het experimenteren zijn. Dat rotding draagt zijn vleugels gevouwen op de rug, net als een tor; die slaat het dan doodleuk uit bij een vaartje van honderdtien kilometer en dan gaat het de lucht in. Intrekbare propeller. Een traag geval, haalt in de lucht nog geen vijfhonderd kilometer, maar van mij mogen ze het houden. Wel leuk, natuurlijk, jongelui die nu eens op een andere manier hun nek willen proberen te breken. Terwijl we door die rustige straten scharrelden, die tegen middernacht vrijwel geen verkeer meer hadden, kon ik naar Abraham luisteren zonder mijn hoofd al te veel bij het rijden te hoeven houden. Hij wilde het over de tuchtschool hebben. Niet zozeer voor zichzelf, leek me, maar om antwoord te geven op eventuele vragen die ik niet had uitgesproken.

Hij had zich in die omgeving in zichzelf teruggetrokken. Hij had maar een paar vriendschappen aangeknoopt en die, zei hij, werden overschaduwd door de wetenschap dat daar nooit iets erg lang kon standhouden. Ik kwam met iets alledaags aanzetten waaruit moest blijken dat de groei van de mens veel overeenkomst met de ontwikkeling van insekten vertoont: oude poppen die op de vuilnishoop belanden en nieuwe die uitkomen.

'Toch,' zei hij, 'heb ik als grotere tor waarschijnlijk meer weet van mijn vroegere stadia van torrendom dan bijvoorbeeld een kakkerlak.' Hij vervolgde met een nogal akelig en ingewikkeld woordgrapje waarbij hij *pupil* van *pupa* afleidde. Uit respect voor onze Martiaanse gemeenschap weiger ik er nader op in te gaan.

Hij vertelde me nog meer over hoe de verdoolde jongens kwamen en gingen. Het was een grote instelling geweest met, naar ik meen te mogen opmaken, een leiding die op tamelijk menselijke wijze haar taak vervulde. De jongens waren van allerlei pluimage: de psychologische gevallen, de stompzinnigen, de meerderheid die normaal werd genoemd, de paar uitblinkers. Ze vormden een besloten, neurotische gemeenschap, en Abraham vond dat ze behalve hun stuurloosheid weinig met elkaar gemeen hadden. Eigenaardig genoeg, was er zelfs bij sommigen geen verbittering te bespeuren. Ze hadden meer van elkaar dan van de leiding te verduren. Wat hij aan geweldpleging had meegemaakt, was in hoofdzaak stiekem van aard geweest. Er heerste strenge discipline en de school had serieuze pogingen ondernomen om de vechtersbazen uit te ziften of aan banden te leggen.

'Ik had altijd een mes bij me,' zei Abraham. 'Niet dat ik er ooit gebruik van had kunnen maken, maar het hoorde zo. Zoiets als een clubspeldje. Een nieuweling werd een paar keer op zijn donder geslagen, dan papte er iemand met hem aan en zorgde dat hij een mes kreeg, het geijkte taaltje ging spreken en verder met rust werd gelaten. Ik wist een paar boeken te pakken te krijgen. De laatste twee jaar had ik een bevoorrecht baantje, in de zogenaamde bibliotheek. Afgezien van de fysieke sensatie, was zelfs het aftuigen van een nieuwe kandidaat niet meer dan een ... hoe zal ik het zeggen ... een plichtmatig routineklusje. Ze hadden nog iets anders met elkaar gemeen dan hun stuurloosheid: het gevoel van niemand geeft iets om mij. Degenen die bezoek van hun ouders kregen, waren er het ergst aan toe. Maar wij allen vonden of verbeeldden ons of trachtten ons voor te stellen dat er nooit iemand was geweest die veel om ons had gegeven. Ik wist wel beter, Will, en heel wat anderen ook, maar daar kon je niet voor uitkomen. Je *moest* je wel inbeelden dat je ongewenst was, anders was je daar een

234

verstotene. De school van de paradoxen; misschien niet eens zo'n gekke voorbereiding op wat ons buiten te wachten stond. Weet je, Will, de oude schoolgemeenschap. Oudleerling Brown kijkt op een kostelijke tijd terug.' Het had echter geen verbitterde klank. 'Will, ik vraag me wel eens af . . . zou het mogelijk zijn dat iets rechtsomkeert maakt en dan zichzelf een doffe dreun verkoopt, zoals de menselijke geest dat doet?'

'Weet ik niet. Heb jij ooit een nieuweling helpen aftuigen?'

Opmerkelijk mild van toon zei hij: 'Het antwoord daarop zou je haast kunnen raden.'

'Hm-m, dat heb je nooit gedaan.'

'Bijna helemaal juist. Ik heb nooit iemand op zijn donder helpen slaan, maar daar staat tegenover dat ik nooit het lef heb gehad om het tegen te gaan. Op één keer na.'

'En die ene keer?'

Hij stroopte zijn linkermouw op en liet me bij het licht van het dashboard zijn arm zien. Het litteken was bijna wit en liep van de elleboog tot de pols. 'Ik ben trots op die korporaalsstreep,' zei hij. 'Die geeft aan dat ik bij één gelegenheid wel wat lef heb getoond, en ik heb er iets van geleerd.' Ik hoorde in zijn stem nog steeds niets anders dan rustige bespiegeling, zonder droevige of gelukkige accenten. 'Ik heb er dit van geleerd: tenzij je een gorilla bent, moet je je niet met de geintjes van de chimpansees bemoeien.'

Even later merkte hij op: 'Straf, dat is waar het hele systeem mee besmet is: tuchtscholen, gevangenissen, viervijfde van het strafrecht. Genees degenen die nog te genezen zijn, stop de ongeneeslijken ergens weg waar ze de anderen geen kwaad kunnen doen; en de rest is niets anders dan het mensdom dat aan een wond zit te peuteren en min of meer behagen schept in de pijn die het doet.' Hij had het evenzeer tegen zichzelf als tegen mij. 'Van wat ik allemaal gelezen heb, Will, hebben verlichte figuren al zeker een eeuw lang op dit inzicht gehamerd. Geloof jij dat de justitie

235

het binnen nog eens een eeuw zover zal weten te brengen?'

'Het eerste dat daarvoor nodig is, zal een wetenschap van de menselijke geest zijn, en die bestaat nog niet. Ik kan de justitie er geen verwijt van maken dat ze niet onder de indruk is van het gooi- en smijtwerk met jargon dat we psychologie noemen. De verschillende Freudiaanse stromingen zien geen kans de verschillende behaviourismen een halt toe te roepen, en omgekeerd. We beschikken over een eerste begin van kennis van de menselijke geest, maar het is een wetenschap die traag vordert omdat de mensen er als de dood voor zijn. De Grieken konden wel zeggen: ken uzelf, maar hoeveel mensen zouden dat aandurven, zelfs al hadden ze er de middelen voor?'

Ik zei dit in hoofdzaak omdat ik hem daarmee verder aan het praten hoopte te krijgen, waarover en op welke wijze dan ook. Dat zou hij wel hebben gedaan, denk ik, maar de wereld stond opeens stil.

Komt het door mijn vooringenomen kijk op de historie, Drozma, dat ik voor een dergelijke kwestie zulke merkwaardige menselijke clichés gebruik?

Al een half blok tevoren zag ik de man van het trottoir stappen. Het was een goed verlichte straat in de buurt van de oprit naar de brug, en er was vrijwel geen verkeer – geen koplampen achter ons, alleen een rood achterlicht een blok of twee verderop. Tijd genoeg, geen enkele haast. Zonder paniek zocht mijn voet de rem op, want we hadden een kalm gangetje en er bestond geen enkel risico van een aanrijding van de man, die nu op zijn knieën was gezakt in het licht van mijn wagen en het oranjegele schijnsel van een natriumlantaarn. Ik had de situatie volkomen in de hand en kwam met gemak en geruisloos zo'n anderhalve meter bij hem vandaan tot stilstand. We kregen zijn gezicht van opzij te zien maar hij wendde zijn gezicht niet naar ons toe. Hij bleef in die geknielde houding, aanvankelijk met de handen tegen de kin geheven, in de klassieke gebeds pose. Toen zakten de armen krachteloos weg; ik zag hoe de vingers van de linkerhand levendig in de weer kwamen, alsof hij de lucht ter hoogte van zijn dijbeen aan het krabben was. Zijn mond viel open en toen ik haastig uit de wagen klom en op hem af ging, begon hij op zijn knieën te slingeren.

Op het moment dat ik hem bereikte, viel hij om. Ik wist hem op zijn rug te laten zakken en te voorkomen dat hij met het hoofd tegen het asfalt sloeg. Een tamelijk oud heertje, proper, keurig gekleed. Hij deed me aan een mus denken, met zijn spitse neus en kraaloogjes die star open bleven. Zijn wangen waren gloeiend heet. Zo'n hevige koorts heb ik maar één keer eerder meegemaakt, lang geleden, toen een mens met wie ik bevriend was aan de malaria bezweek. Ik geloof dat deze man iets wilde zeggen, maar er kwam niet meer bij hem uit dan: 'Eh... ah...', geluiden waar strottenhoofd en tong geen vat op hadden. Er trad geen verstikking in. Enkele ogenblikken lang waren zijn fonkelende oogjes strak en klaar op mij gevestigd. Ik weet zeker dat hij had willen spreken.

Ik staarde over hem heen naar Abraham, die ook zijn gloeiende huid had gevoeld. Bij ons kwam er evenmin een woord uit.

7

New York
donderdagavond 16 maart

Vandaag pas wordt er voor het eerst in de krant van de ramp melding gemaakt. Gisteravond om tien uur – woensdagavond, maar een kleine week nadat ik het wonder van Sharon had bijgewoond – zond de radio een verwarrend bericht uit dat er moeilijkheden zouden zijn ontstaan. We hoorden het aan, Abraham en ik, merkten de onderdrukte hysterie op in de stem van de nieuwslezer, alsof er iemand achter zijn spraakwaterval een strakke bassnaar beroerde. Hij meldde alleen dat er 'verscheidene' gevallen waren geconstateerd van wat een tot dusver onbekende ziekte kon zijn, en wel in Cleveland, Washington, New York en aan de Westkust. Het wekte belangstelling in medische kringen, hoewel er 'uiteraard' geen reden tot ongerustheid was. 'Aan de Westkust?' zei Abraham. De nieuwslezer ging haastig over op de jongste berichten over echtscheidingszaak waarin een televisieactrice en een worstelaar betrokken waren.

'Luchtverkeer,' zei ik. 'Parijs en Londen liggen op maar enkele uren afstand . . .' Abraham bracht me iets te drinken. Van praten of lezen kwam niet veel terecht. Het grootste gedeelte van de avond zat hij bij mij in mijn saaie woonkamer, die me meer dan ooit voorkwam als een goed bekleed hol in de rimboe van het onbekende. Het liet ons geen van beiden los; we voelden de paniek in elkaars gedachten aan. Voordat we naar bed gingen, belde Abraham Sharon op. De gebruikelijke praat tussen verliefde mensen – 'Wat heb je de hele avond uitgevoerd?' – en omdat hij het niet over het nieuws op de radio had, ging ik ervan uit dat zij het niet had gehoord. Toen hij had opgehangen, verklaarde hij eenvoudig: 'Ik kon het niet . . .'

Door de drie dagen die sinds zondag waren verstreken, hadden we de gelegenheid gekregen ons aan een wankele hoop vast te klampen. De man die we op straat hadden aangetroffen . . . ach, het kon longontsteking zijn geweest of wel tien andere ziekten. Dat zeiden we elkaar toen en dat hadden we drie dagen volgehouden. Abraham had om een ambulance getelefoneerd, die snel ter plaatse was en de ingestorte man haastig weghaalde, na een paar vragen van de medische assistent, die kennelijk zorgwekkende gedachten in zijn achterhoofd had en ze niet onder woorden bracht. Waren er nog meer van die gevallen? Ik had het de jonge arts bijna gevraagd maar hield mijn mond. Toen we weer op weg naar huis waren, begonnen Abraham en ik woorden te wisselen. We wisten dat ze onwaarachtig waren, maar ze bezorgden ons een vage, onwezenlijke geruststelling.

Vanochtend had de *Times* zoals gebruikelijk de beste, zuiver zakelijke verslaggeving en diste met akelige terughoudendheid cijfermateriaal op. In New York en omgeving waren vijftig patiënten in ziekenhuizen opgenomen, en zestien van hen waren gestorven. In Chicago eenentwintig gevallen gemeld, zes doden. New Orleans dertien en drie. Los Angeles tien en drie. Het is nu de vierde dag sinds zondag, de zesde sinds vrijdag. Volgens de *Times* was het eerste geval waarvan melding was gemaakt dat van een huisvrouw uit The Bronx; zondagochtend; ze was maandagmiddag overleden.

The *Times* drukt een verklaring af van de American Medical Association: de ziekte 'gelijkt op een ongewoon heftige soort influenza, met enkele afwijkende kenmerken. Over het hele land worden medische hulpbronnen aangeboord om in het onwaarschijnlijke geval van een noodsituatie te kunnen optreden. Er bestaat geen reden tot ernstige ongerustheid.' Einde citaat.

Daarop aansluitend beschrijft de *Times* het verschijnsel zonder aanhalingstekens en zo te zien zonder zich straffe beperkingen op te leggen. De eerste symptomen komen overeen met die van een verkoudheid: lopende neus, matige koorts, algemeen onwel zijn. Na enkele uren stijgt de temperatuur scherp en treedt er doofheid op, gepaard gaande met heftige geluiden in het hoofd en valse smaak- en reukindrukken. Gevoelloosheid in handen en voeten, benen en onderarmen, weldra gevolgd door een meer algemene motorische verlamming, die in tot dusver alle gevallen tot verlamming van keel en tong heeft geleid; de patiënten kunnen dan niet spreken of slikken. De koorts blijft enkele uren lang, in één geval zelfs twaalf uur, zeer hoog en vertoont daarbij geen schommelingen. In de meeste gevallen is delirium waargenomen; het gedrag van de patiënten wijst op levendige visuele hallucinaties voordat er bewusteloosheid intreedt, hetgeen het geval is in het derde of vierde uur na het begin van de belangrijkste symptomen. Bij fatale afloop treedt de dood tijdens een diep coma in, na een geleidelijke vermindering van koorts, en kan aan verlamming van de hartspier te wijten zijn. Bij alle gevallen met dodelijke afloop duidelijke ademhalingsstoornissen volgens het patroon van Cheyne-Stokes. Bij 'enkele' andere patiënten nam de koorts niet af tot ver beneden de normale lichaamstemperatuur maar bleef tussen de 38 en 38,5 zweven, waarbij de patiënten wel buiten bewustzijn bleven maar zich een lichte verbetering van de onwillekeurige reflexen voordeed: prognose kennelijk onzeker. Behalve in het citaat van de Medical Assosiation verzekert de *Times* ons niet dat we nergens bezorgd over hoeven te zijn. Evenmin doen ze een gooi naar de oorsprong en de oorzaak. Ook zeggen ze niet onomwonden dat het arsenaal aan geneesmiddelen en antibiotica zonder uitwerking is gebleven, maar er komt een zinnetje in voor dat me niet uit het hoofd wil: 'In sommige gevallen heeft de patiënt op de medische behandeling gereageerd.' Dus zo kwalijk is het ermee gesteld. Ik neem aan dat een krantelezer enigszins van het medische jargon op de hoogte moet zijn om te kunnen begrijpen wat dat inhoudt. Je kunt van de *Times* niet een verklaring verwachten in de geest van: 'Ze proberen zoveel mogelijk verlichting te bieden, want ze weten toch niet wat ze moeten beginnen.'

Ik ben geen nadere berichten over de dood van Daniel Walker tegengekomen. De afgelopen drie dagen nergens enige vermelding van Max of van de Partij van de Organische Eenheid. Daar maakte ik vanochtend een opmerking over, met de vraag of Max de dans had weten te ontspringen. Abraham zei: 'Nee, dat zal hem niet lukken.'

Het is beangstigend om bedwongen, stille woede waar te nemen op een gezicht dat voor tederheid geschapen is. Het effect was des te erger door zijn tengere gestalte en zijn zachte stem. Ik keek of die uitdrukking van zijn gezicht zou wegtrekken, maar het gebeurde niet. Hij had de krant op tafel opengeslagen en stond erop neer te kijken, maar alsof de zwart-en-witte rechthoek een venster was, alsof er onmetelijke verten achter lagen. 'Wat gaat er in je om, Abraham?'

Hij zei alleen maar: 'Ze zullen de dans niet ontspringen.'

'Sta je te denken aan wat Miriam heeft gezegd? Dat Hodding in dienst van de Chinezen staat en zo?'

'Jezus . . . dát waanidee zullen ze heus niet gebruiken, Will. Dat was maar een eerste opwelling, denk ik; geen bal waard. Nee, ze zullen wel hopen op de doofpot, hopen dat niemand er verband tussen legt. En dat kan niemand, tenzij een van ons zijn mond opendoet, ik bedoel een van degenen die er op het dakterras bij waren. Het lijkt me niet dat Fry of senator Galt er iets van heeft doorgehad, dat zijn schertsfiguren, nullen. Nicholas, Max, Miriam . . . en Bill, en ik . . . die vijf konden wel eens de enigen zijn die dat weten.'

'Moet je van je hart een moordkuil maken, Abraham?'

Volkomen volwassen, zonder spanning in zijn stem en zelfs zonder me aan te kijken, zei hij: 'Ik heb mijn besluit nog niet genomen . . .'

Die middag gingen we de deur uit. Geen bepaald doel voor ogen. Een bus van het centrum vandaan, naar het westen over 12th street, te voet terug naar het centrum door de West Side. We zagen niemand op straat in elkaar zakken. Misschien was het een beetje aan de rustige kant voor een doordeweekse middag. Net niet de normale hoeveelheid gepraat en gelach bij degenen die ons passeerden. Op onze zwerftocht kregen we een keer of zes de bel en de sirene van ambulances te horen, maar dat zou anders ook zijn gebeurd. In iedere grote stad eisen ziekten en ongevallen dag en nacht hun slachtoffers . . .

Hodding is dood. Dat hebben we in het avondblad gelezen.

Zijn huis en zijn laboratorium in een voorstad op Long

Island waren in brand gevlogen na een 'explosie van onbekende herkomst'. De lijken van hem en van zijn vrouw,
zijn schoondochter en zijn negenjarige kleinzoon zijn geï-
dentificeerd. Het viertal bevond zich in het laboratorium
toen de explosie zich voordeed. Volgens de krant was het
laboratorium een privé-onderneming die dr. Hodding had
voortgezet na zijn pensionering bij de Wales-stichting. Dr.
Hoddings zoon bevond zich elders; tegenover de krant zou
hij hebben verklaard dat het laboratorium was ingericht
voor biologische research op beperkte schaal, nauwelijks
meer dan liefhebberij van een gepensioneerde onderzoe-
ker. De jonge Hodding is architect en beweert dat hij niet
weet wat voor werk zijn vader onder handen had, maar hij
is er zeker van dat er in het laboratorium nooit iets werd
bewaard dat een ontploffing had kunnen veroorzaken. De
politie, zo zegt de krant, onderzoekt de mogelijkheid of een
geestelijke gestoorde een bom heeft geplaatst.

'Dat is één,' zei Abraham. 'De eerste die zijn mond niet
meer kan opendoen. Als Fry en Galt een polis hebben, mogen hun verzekeraars zich vast een beetje bezorgd gaan maken.' Toen volgde hij een andere gedachtengang: 'Will,
zoiets heeft voor niemand enig nut als wapen, tenzij er een
middel bestaat om de gebruikers te immuniseren. Ik denk
dat Max zijn eisen wilde opleggen aan de wereld, met in-
begrip van Azië. Hij zal de Federalisten nog meer haten dan
de anderen omdat hij zichzelf al ziet als ... nou, zoiets als
de eerste president van de hele wereld. Hij zou er geen been
in zien een paar miljoen stuks menselijk vee af te slachten
als hij daardoor de grote baas kon worden; natuurlijk om
bestwil van de wereld, nooit anders dan om bestwil van de
wereld. Maar eerst zou hij over een middel moeten beschikken waarmee zijn getrouwen immuun kunnen worden gemaakt.'

'Misschien was Hodding daaraan bezig en niet verder dan
halverwege gekomen: hij heeft de ziekte weten te ontwikkelen maar de afweer niet.'

'Dat lijkt mij ook,' zei Abraham met dezelfde dreigende kalmte die hij de hele dag al vertoonde. 'Dus nu hebben ze om de waarheid te verdoezelen en zich aan de consequenties te onttrekken de enige figuur vermoord die er vrijwel alles van afwist en die al heel wat moet hebben gedaan om een immunisatie of een geneeswijze te vinden. Ook zijn familie is om het leven gebracht, maar dat telt voor hen niet mee; nog zo'n uitvloeisel van het principe dat het doel de middelen heiligt. Ik heb dat kleinzoontje een keer ontmoet. Een kien jochie . . .'

'Wil je me iets beloven, Abraham?'

'Als ik dat kan.'

'Ga niets ondernemen zonder dat ik erbij ben.'

Hij kwam over mijn stoel gebogen staan en glimlachte me met meer onverbloemde genegenheid toe dan hij ooit tegenover mij aan den dag had gelegd. 'Dat kan ik je niet beloven, Will.'

Even later zei ik: 'Dat begrijp ik.' Ik had die belofte ook niet kunnen doen, dus ik moest mijzelf voorhouden dat ik hier genoegen mee moest nemen. Ik heb er iets bijgeleerd sinds die avond op het kerkhof, toen Namir me ontglipte. Namir zal niet nogmaals ontkomen en het lijkt me toe dat Keller gelijk met hem zal moeten sterven. Keller is een doorknede zoon van zijn vader en ik geloof niet dat ze in het ziekenhuis van Oudestad iets met hem zouden kunnen beginnen. Het enige probleem is nu nog hen lang genoeg van menselijk contact te isoleren dat ik kan doen wat me te doen staat. En ik moet ertoe overgaan voordat die smeulende vlam in Abraham uitslaat tot een of andere actie waarvoor hij niet de kracht bezit om haar te volvoeren.

Dat avondblad had niets bij te dragen tot onze kennis van de verspreiding van de ziekte. Somberder dan de *Times*. Geen cijfers. De radio heeft er de hele avond over gezwegen. Abraham slaapt nu, denk ik. Gelukkig heb ik dat niet nodig.

New York
vrijdag 17 maart

Uit het ochtendblad van vandaag: New York en omgeving 436 gevallen gemeld, 170 doden.

Ik geloof dat ze er goed aan hebben gedaan om de parade op St. Patrick's Day te laten doorgaan. Het zou niet in het algemeen belang zijn geweest zo'n lang verwacht en traditioneel evenement af te gelasten, ondanks het voor de hand liggende risico dat grote samenscholingen de epidemie zullen bevorderen. We zijn er niet heengegaan. Abraham heeft de hele dag een verstrooide indruk op me gemaakt; hij stelde zichzelf vragen en eiste er antwoord op. Volgens het avondblad was er niet veel publiek en ontstond er 'enige consternatie' toen een van de deelnemers aan de parade door een 'plotselinge hartaanval' van zijn paard stortte. Een hartaanval?

Er werd om zes uur ook een verklaring uit het Witte Huis uitgezonden, waarin het volk tot kalmte wordt gemaand. Paniek, zei president Clifford, was gevaarlijker dan een epidemie. 's Lands medische hulpbronnen zijn toereikend om de . . . noodtoestand het hoofd te bieden. Met het woord noodtoestand had hij enige moeite; hij wist zijn stem niet volkomen in bedwang te houden en zijn gegroefde, nog altijd knappe gezicht verstrakte zich toen hij de lettergrepen er vlot trachtte uit te brengen. Zijn make-up voor de televisie was ook niet al te best. Ik denk dat ze de diepe rimpels in zijn voorhoofd wat wilden verzachten, maar het resultaat was dat we alleen maar een verschrikt, in de grond dapper en fatsoenlijk mannetje te zien kregen, dat een last te dragen heeft die voor iedereen te zwaar is.

De bb-eenheden, zei hij, zijn geplaatst onder het commando van de bevelhebber geneeskundige dienst van de landstrijdkrachten. Deze generaal kwam na Clifford op het beeldscherm in een vertoning met veel geschetter en wenkbrauwengefrons van die-flauwekul- moet-maar-eens afgelopen zijn. Vermijd grote menigten, zei generaal Craig, ga alleen de deur uit voor belangrijke werkzaamheden, geef gevolg aan alle – herhaal: alle – opdrachten van plaatselijke medische autoriteiten en BB-functionarissen. Alle theaters, sportvelden, cafés en andere openbare gelegenheden zullen voor de duur van de noodtoestand gesloten blijven. Gebruik uw radio om op de hoogte te blijven van de maatregelen die uw overheid neemt. De pandemie ... hier haperde Craig even en schudde zijn grote hoofd alsof hij door een bromvlieg werd lastig gevallen; hij had 'epidemie' willen zeggen maar het andere was hem ontglipt. De pandemie, zei Craig, wordt door een nieuw virus veroorzaakt, wellicht een mutant van het poliomyelitis-virus. Er worden pogingen in het werk gesteld om het te isoleren en een serum te ontwikkelen. Daar is tijd voor nodig. Nogmaals: vermijd grote menigten, ga alleen de deur uit voor ...

Uit de nieuwsberichten van tien uur: Meldingen over de ziekte zijn binnengekomen uit Oslo, Parijs, Londen, Berlijn, Rome, Caïro, Buenos Aires, Honolulu, Kioto.

Vrijdag middernacht

Zonder al te hebben geslapen, ben ik uit bed gekomen om iets op te schrijven dat Abraham heeft gezegd voordat hij naar zijn kamer ging. Ik moet met tegenzin toegeven dat de ziekte ook hem kan treffen, dat hij morgen dood zou kunnen zijn; mijn behoefte om op te schrijven wat hij gezegd heeft, vloeit uit die erkenning voort.

Toen ik de radio had afgezet, hadden we het een poosje over wat de mens de tweede wereldoorlog noemt, waarmee bedoeld wordt de fase van de twintigste-eeuwse oorlog waaraan in 30945 gedeeltelijk een einde kwam – zes jaar voordat Abraham werd geboren. Bij het ophalen van enkele (voor menselijke oren bijgewerkte) herinneringen, had ik het over 'de miljoenen die opgeofferd konden worden.'

'Niemand mag opgeofferd worden,' zei Abraham.

8

Uit de *Times:* Over het gehele land 14 623 gevallen gemeld, 3 561 doden; stand van vrijdag 20.00 uur. Meer dan vijfentwintig procent sterfte; het percentage neemt toe. De patiënten bij wie de koorts tot even boven de normale lichaamstemperatuur afneemt, sterven alleen maar trager. Maar verscheidenen van degenen die het eerst door de ziekte zijn getroffen, vertonen 'waarschijnlijke' symptomen van herstel: temperatuur normaal of bijna normaal, bewustzijn teruggekeerd hoewel meestal met letsel aan de zintuigorganen en uiteenlopende gradaties van plaatselijke verlamming die blijkbaar te wijten is aan beschadiging of vernietiging van zenuwweefsel. Ze noemen het paralytische polyneuritis. In de krantekoppen wordt het al afgekort tot para.

Abraham is vanochtend vroeg naar Brooklyn gegaan om Sharon op te zoeken. Ik ging naar de Green Tower Colony.

Para . . .

Op straat is het niet meer zoals donderdagmiddag. Je wordt nog steeds gepasseerd door menselijke wezens in groepjes van twee of drie, niet meer. Ze kijken je vluchtig aan en wenden de blik snel weer af. Ze klampen zich vast aan zichzelf en aan de gezichten die ze kennen en doen eenkennig tegenover vreemden. Je hoort hun stemmen, die niet altijd als afzonderlijke stemmen tot je doordringen. Over de hele stad hangt een gefluisterd *para.* Dat ene woord in eindeloze herhaling, een ver geroffel, of een reus die in zijn woelige slaap ligt te steunen. *Para.* Eén woord, en het betekent . . .

Een man wankelt over het trottoir, steekt om steun te zoeken een hand uit naar de muur van een gebouw; ook de andere hand komt erbij, alsof hij iets wil omhelzen dat er nooit is geweest. Van beide handen beginnen de vingertoppen te dansen. Niemand schiet te hulp wanneer zijn knieën het begeven en zijn voorhoofd tegen de muur drukt. Het stelletje dat achter hem had gelopen, wijkt uit en holt half struikelend naar de overkant. De vrouw houdt een zakdoek tegen haar mond en de man kijkt onder het hollen met een lege grijns ontsteld achterom. Ze zouden wel willen helpen, maar . . .

Para betekent een hondje dat midden over Third Avenue hobbelt en zijn riem achter zich aan sleept. Rijverkeer is er haast niet meer. De Sussex spaniël heeft een afwijking in zijn loop – nu en dan weigert een achterpoot dienst – maar hij zet door, op zoek naar iets. Naar hulp, neem ik aan. Het kopje gaat ettelijke malen rukkend naar rechts; hij probeert te blaffen maar er komt niet meer dan een verstikt gepiep uit. Dan begeven beide achterpoten het; worstelend tracht hij verder te gaan door met zijn voorpoten te trekken. In de hondeogen geen verwijtende blik maar de wil tot doorzetten. Er komt langzaam een auto aan, die voor hem uitwijkt. Een vrouw wijst en schreeuwt de bestuurder toe: 'Hij heeft het ook te pakken! Rij hem dood!' Gehoorzaam rijdt de wagen achteruit en schiet naar voren, en daarna in een onvaste koers verder de stad uit, alsof het mechanisme zelf walgde van iets dat op het moment noodzakelijk leek. De vrouw licht een straatpapierbak uit zijn houder en smijt hem naar die vlek van bloed en goudgele vacht. Onder normale omstandigheden had ze die bak niet eens kunnen optillen. Ze haalt haar lippenstift te voorschijn, werkt zorgvuldig haar mond bij, peutert aan een plek waar de papierbak aan haar kleren was blijven haken, maar loopt verder zonder acht te slaan op de poederdoos die uit haar vingers in de goot is gerold.

Para betekent dat een man een voordeur opengooit en naar weerskanten de straat aftuurt. Hij huilt en schreeuwt (niet naar mij of wie dan ook): 'Die rotzakken verdommen het om hier te komen!'

Para betekent gepeupel dat een slijterij leegrooft. Dat zag ik op de hoek van Third Avenue en 23rd Street. Ze waren zeker met zijn tienen, waaronder een paar vrouwen. De winkel was waarschijnlijk gesloten, want er lagen scherven spiegelglas op straat. Het was een ietwat komisch gezicht zoals de plunderaars te werk gingen, totdat een vrouw zich uit de troep losmaakte en met drie flessen als een baby tegen de borst geklemd op mij af holde. 'Het eeuwige leven hebben we toch niet!' riep ze terug, en ze gilde van het lachen toen twee mannen haar achterna kwamen. Ik weet niet wat er gebeurde toen ze haar te pakken kregen; ik maakte me over 23rd Street uit de voeten. Voordat de avond gevallen is, zullen ze hoogstwaarschijnlijk op de plunderaars gaan schieten. Daar zullen groepjes gewapende burgers wel voor zorgen als de politie het niet kan opbrengen.

Para betekent een man die in de goot ligt, terwijl zijn grijze haar merkwaardig kringelt in een bruinige stroom water uit een lekke brandkraan. Hij heeft een baard van enkele dagen en zijn kleren zijn gerafeld; er zijn hier en daar knopen losgesprongen die een onschuldig, nietszeggend bloot laten zien. Hij is vrij oud. Dronken is hij niet. Zijn star omhoogstekende schoenen zijn gebarsten en hebben gaten in de zolen. Dronken is hij niet; de ophaaldienst zal hem wel meenemen wanneer er tijd voor is.

Para betekent een rat die haastig uit een verlaten restaurant komt schuifelen. Er zouden in New York geen ratten meer bestaan. Dit exemplaar blijft voor mij zitten. Het is niet schuw, het merkt me niet eens op; het is alleen maar aan het doodgaan. Geen enkel verweer wanneer ik het met mijn voet naar de goot schuif.

Er reden geen bussen meer over de bovenzone van Lexington Avenue. Toen ik over de trappen terugging, merkte ik acht tot tien kraaien op die naar het noordwesten vlogen. Vreemd; je ziet nooit kraaien boven de stad. Noord-west, richting Central Park. Ik geloof dat de Robbie-weg nog functioneerde maar een taxi zag ik nergens. Ik daalde verder af naar de metrozone en daar werkte de geldwisselautomaat nog. Via een tourniquet liep ik een verlaten perron op en bleef een poos in de druilerige sfeer staan wachten. Er kwam nog een man aan; hij zag mij en ging aan het andere einde van het perron staan.

De trein kwam langzaam binnen. Ik zag twee mannen in de bestuurderscabine zitten en een derde erbuiten . . . voor het geval er eentje zou instorten? In de wagon waar ik instapte bevonden zich nog twee passagiers, een magere vrouw die geluidloos voor zich uit zat te praten en een neger die met een strak gezicht naar de neuzen van zijn schoenen keek. Ze zaten ieder in een uiteinde van de wagon; iets in de blik die ze me toewierpen, maakte me duidelijk dat ik in het midden moest gaan zitten of de volgende wagon nemen. Ik ging in het midden zitten . . . Er bevonden zich maar een paar voetgangers op de bovenzone van Lexington Avenue toen ik bij 125th Street de trap omhoog had genomen. Ze haastten zich voort, alsof ze dringende geheime opdrachten te vervullen hadden, en gaven elkaar de ruimte. Ik zag binnen niemand rondlopen toen ik door de grote ramen van het kantoor van de Partij van de Organische Eenheid naar binnen keek. Bij de ingang werd ik door een agent staande gehouden. 'Werkt u hier?'

'Nee. Is het gesloten?'

Hij sprak met het tot het uiterste beproefde geduld van iemand die genoodzaakt is hetzelfde liedje te zingen totdat hij er beroerd van wordt: 'Openbare bijeenkomsten zijn verboden. Alleen het kantoorpersoneel mag naar binnen.'

'Kent u misschien meneer Keller van gezicht?'

Hij nam me met een uitgestreken gezicht van top tot teen op. Misschien liet hij zich er door mijn sinterklaasachtige uiterlijk van weerhouden om dingen te zeggen die hij graag had kwijt gewild. 'Ik ken er niemand van, vader. Dit is mijn wijk, op straat. Alleen personeel mag naar binnen.'

'Oké, ik wil niet eens naar binnen. Maar eh . . . 't Is alleen vanwege dat verbod van openbare bijeenkomsten, hè? Ik bedoel . . . er steekt niets achter het gerucht dat de ronde doet, over die lui van de Organische Eenheid?'

Het was een grote, rustige Ier en hij verkeerde bepaald niet in een gelukzalige stemming. 'En wat is dat dan voor een gerucht?'

Drozma, ik zal nooit weten of ik er juist aan heb gedaan. Het was een stap die ik meer emotioneel dan beredeneerd deed. Er kleefde iets van menselijke wraakzucht aan; ik ben te lang uit Noordstad weg. Ik zei: 'In de metro gehoord. Ook op andere plaatsen – iedereen heeft het er over. Ik heb niets met die rotpartij te maken, maar ik ken Keller een beetje. Die werkt hier; 'k dacht even vragen hoe het zit, met dat gerucht.'

Hij spreidde een monumentaal geduld tentoon. 'Wat voor gerucht?'

'Nou zeg, daar hebt u toch wel van gehoord!' Ik deed mijn best er zo warrig en dom en bejaard mogelijk uit te zien. 'Over die Walker, die bij Max van het dakterras is gesprongen. Vrijdag een week geleden, dacht ik.' Hij zette zich aandachtig schrap. Een vrouw, die ik maar vaag even zag, kwam over het trottoir voorbij toen ik daar stond te praten. Ik weet niet zeker of ze haar pas heeft ingehouden om me af te luisteren; ik denk van wel. 'Het gerucht gaat dat hij een reageerbuisje had met een soort beestjes erin, een virus of zo, en dat hij dat naar beneden heeft gegooid voordat hij zijn sprong nam.'

Het sloeg aan, dat merkte ik. Een moment van sombere spanning, misschien wel afgrijzen, en toen baste hij: 'Ik zou zulke praatjes maar niet rondzaaien.'

'O nee, dat doe ik heus niet. Maar andere mensen wel. In de metro heb ik het net nog gehoord; die ene vent die tegen een ander stond te kakelen.' Ik haalde mijn schouders op en schuifelde er vandoor. 'Ach, Jezus, Keller zou me toch niet zeggen waar het op staat.' Ik liep langzaam door, als de dood dat hij me zou terugroepen om me te ondervragen. Dat gebeurde niet. Mijn vertolking van een halfzacht oud baasje was blijkbaar overtuigend. Uit mijn ooghoek zag ik hoe hij het gebouw binnenging; om te telefoneren denk ik. Ik weet het niet, Drozma. Misschien kwam het door de oude zwerver in de goot. Of die kleine Sussex spaniel. Het is niet wat een waarnemer volgens het boekje had moeten doen, maar onder eenzelfde drang der omstandigheden zou ik het hoogstwaarschijnlijk weer doen.

Ik liep door, in westelijke richting, over 125th Street.

Ik kan het niet als één geheel overzien, Drozma. Nog niet, en misschien nooit. Ik weet (alleen met mijn verstand) dat de mens, door de blinde bezetenheid van enkelingen en de bijna onbewuste berusting van de massa, zich weer eens in een ramp gestort heeft waarvan het verre van zeker is dat hij het zal overleven. Ik weet (in theorie) dat een verstandiger samenleving figuren als Joseph Max zou kunnen ontdekken en uitziften voor dat ze hun plannen ten uitvoer leggen. Maar wie kan zich de realiteit van een dergelijke samenleving precies voor de geest halen of uitleggen hoe zoiets te bereiken is?

Met een wetenschap van de menselijke geest die nog wankel in haar kinderschoenen staat, komen we (in theorie althans) op het gebrek aan bereidheid bij de mens om zichzelf onder de loep te nemen; maar dat is een te simpele voorstelling van zaken. Ook zelfkennis, als die door meer dan een handjevol mensen per generatie zou worden verworven, is niet meer dan een middel tot een doel waarvoor mens noch Martiaan voldoende wijsheid bezit om het te bevroeden. Deze kwesties besef ik vrij duidelijk, maar op het ogenblik kan ik alleen maar bepaalde op zichzelf staande beelden van mijn tocht van vandaag voor ogen krijgen.

Para betekent een klein negermeisje, ongeveer zo oud als Sharon toen ik haar leerde kennen. Met grote open ogen zonder een traan erin botste ze op 125th Street tegen me op en zei toonloos: 'Sorry meneer. Ik zag u niet. Mijn pappa is dood.' Ik ondersteunde haar; anders was ze gevallen.

Misschien wist ze het wel maar ze liep houterig door, terwijl ik me verzette tegen de aanvechting om haar achterna te gaan en te zeggen dat ... nou ja, wat? Wat dan? Ik kon hem toch niet meer tot leven brengen.

Van 125th Street klom ik naar de wandelboulevard. Een paar blokken verder naar het noorden een glazen, buisje ...

De snelliften in de Green Tower Colony waren buiten werking. Wel was er een rij zelfbedieningsliften en er is nog stroom, zolang het duurt. Ik nam een van deze liften en bleef een poosje vrijwel gedachteloos voor Kellers deur wachten. Ik merkte dat het kaartje met Abrahams naam erop nog steeds boven de bel zat; ik haalde het eruit en stopte het in mijn zak. Door het koude staal waarmee ik in aanraking kwam, werd ik er terloops aan herinnerd dat ik Miriams pistool nog bij me had. Daarna drukte ik al even terloops op de bel. Ik zou een van mijn granaten moeten gebruiken, en misschien beide. Beide, als Keller én Nicholas aanwezig waren of als ik gewond raakte en niet kon wegkomen.

Nicholas deed open.

Verder bedacht ik dat ik al verscheidene dagen geen geurverdrijver had opgedaan. Dat leek toen niet van belang. En hoewel ik meteen toen Abraham had besloten naar Brooklyn te gaan, wist waar ik zelf naar toe zou gaan, had het nog steeds niet van belang geleken. Nicholas deed open. Hij herkende Will Meisel en deed een stapje achteruit, met een menselijke blik vol verontwaardiging, afkeer, boosheid, ontoeschietelijkheid. Die moeite had hij zich kunnen besparen, besefte hij toen ik de deur achter me had dichtgetrokken en mijn Martiaanse lijflucht tot hem doordrong. Met nuchtere kalmte zei hij: 'Ik had het kunnen weten.'

'Is uw zoon hier, die zich achter de naam William Keller verschuilt?' Ik sprak Engels; dat gaat me bijna natuurlijker af dan mijn moedertaal.

Hij waggelde weg om de deur naar de achterkamers te sluiten en hield zijn stem volkomen onbewogen: 'Mijn zoon zit in Oregon, of misschien in Idaho, met een nieuw gezicht. Het zou verloren tijd zijn als u hem probeert te vinden; dat zou mij waarschijnlijk niet eens lukken.' Het klonk nuchter en oprecht; ik geloof dan ook dat het waar was. Is het inderdaad zo, dan zal ik Keller voor de komende jaren aan andere waarnemers moeten overlaten. Een dergelijk wezen kan zich niet lang verborgen houden, en geduld is altijd onze sterke kant geweest.

Ik wees naar de deur die hij had dichtgetrokken. 'Wat is daar?'

Hij stond ertegen geleund, waarschijnlijk om met zijn omvangrijke lichaam mij de doortocht te verhinderen. 'Een van mijn leerlingen, die in leven had moeten blijven om zijn taak te verrichten.'

'Joseph Max? Had hij hier zijn toevlucht gezocht?'

'Zijn toevlucht? Er was niemand naar hem op zoek. Hij kwam mijn raad inwinnen en kreeg de ziekte te pakken toen hij hier was. De ziekenhuizen zijn al overvol en kunnen geen hulp bieden. Je hoeft je er verder niet druk over te maken, Elmis. Hij is dood.'

'Para . . . ?'

'Ja.'

'Een passende ontknoping, lijkt me . . . De Partij van de Organische Eenheid is ook dood, Namir. Of zal het binnenkort zijn . Er zouden enige moeilijkheden bij jullie op kantoor kunnen ontstaan. Misschien dat de boel kort en klein wordt geslagen. In ieder geval zal de partij naar behoren opdraaien voor wat er gebeurd is. Had u gedacht dat het anders had kunnen lopen?'

'Och, daar heb ik niet bij stilgestaan.' Hij hief zijn pafferige handen op en liet ze weer zakken. 'Het doet er niet toe waaraan het wordt toegeschreven, als het lukt, hè? De partij is van geen belang; een hulpmiddel dat nuttig is geweest en nu heeft afgedaan. Net als ik; zoals je ziet heb ik nog maar een jaar of twee te leven.'

'Nou, minder nog. Een jaar of twee zou veel te lang kunnen zijn.'

'Haatdragend, Elmis?'

'Nee. Een kwestie van saneren. Ik had het niet uit de hand moeten laten lopen, negen jaar geleden.' Hij zette een gezicht alsof het hem niet aanging. 'Als u me iets wil zeggen, zal ik het aanhoren. Dat is bij de wet voorgeschreven.' Ik hield hem het pistool onder de neus. 'Gaat u daar zitten.'

Hij gehoorzaamde met een vaag glimlachje. Met mijn linkerhand deed ik achter mijn rug de deur naar de andere kamers op slot. Hij vroeg: 'Mag ik een sigaret? Ik heb er de smaak van te pakken gekregen.'

'Natuurlijk. Zorgt u wel dat ik uw handen kan blijven zien.' Ik wierp hem een pakje en lucifers toe. 'In de toekomst zoals die u voor ogen stond, had u heel wat menselijke wezens in het leven moeten houden . . . om levensmiddelen en tabak voort te brengen, een paar machines aan de gang te houden, de straten te vegen als u van plan was er straten op na te houden.' Gehuld in een rookwolk begon Namir te lachen. 'Over gedetailleerde plannen heb ik me nooit het hoofd gebroken. Ik wilde alleen maar die wezens uit de weg helpen ruimen. Het op touw zetten van een zinvolle beschaving zou een taak voor anderen zijn geweest; maar, zoals je zegt, misschien zouden ze er wel iets in hebben gezien om menselijke wezens ergens nuttig voor te maken.'

'Ik geloof dat u met genoegen vernietiging als een doel op zichzelf bent gaan beschouwen, hè? Andere doeleinden die u misschien aanvankelijk nog voor ogen hebben gestaan, zijn weggevaagd door het genoegen van ruiten ingooien, de arme menselijke hond een blikje aan zijn staart binden, lelijke woorden op muren kalken. Kan ik u op enigerlei wijze duidelijk maken dat het nastreven van het kwaad een beuzelarij is?'

'Zo bekijk jij het.' Hij sloot zijn ogen. 'Ik vind nog altijd dat je de mensen het best kunt helpen zichzelf uit te roeien, want ze zijn het leven niet waard.'

'Niet waard . . . wie bepaalt dat? Naar wiens maatstaf?'
'De mijne uiteraard.' Hij zat er met zijn ogen dicht volkomen kalm bij. 'De mijne, omdat ik hen zie zoals ze zijn. Er
zit geen waarheid in hen. Ze projecteren de verlangens van
een inhalig aapje tegen het vlak van de eeuwigheid, en dat
noemen ze de waarheid. Over beuzelarij gesproken . . . Ze
vinden een grotere aap uit, die ergens achter de wolken
huist – of een eindje voorbij de Melkweg, wat op hetzelfde
neerkomt – en noemen die God. Deze uitvinding gebruiken
ze als een autoriteit, als rechtvaardiging van elke wandaad
uit wreedheid of hebzucht of ijdelheid of wellust die ze met
hun bekrompen geest weten te bedenken. Ze hebben het
over rechtvaardigheid en beweren dat hun wetten voort-
vloeien uit zin voor rechtvaardigheid (die ze nooit hebben
omschreven), maar geen enkele menselijke wet is ooit uit
iets anders voortgekomen dan uit vrees, vrees voor het onbekende, het andere, het moeilijke, vrees voor het eigen
ik. Ze voeren oorlogen, niet om een van de luidkeels
verkondigde verheven doelstellingen die ze weten te verzinnen, maar louter en alleen omdat ze een bijna even grote
hekel aan zichzelf hebben als aan hun buurman. Ze wauwe-
len over liefde – liefde – maar de menselijke liefde is ook
al niets anders dan een projectie van het ape-ik op het ge-
fantaseerde beeld van een andere aap. Ze bedenken liefde-
rijke godsdiensten als het christendom; als je wilt weten hoe
ze die belijden, hoef je maar te kijken naar de gevangenissen, de krottenwijken, de legers, de concentratiekampen en
executieplaatsen. Nog beter: kijk in de niet zo goed verborgen harten van respectabele personen en zie hoe de maden
erin rondkronkelen, de maden van de jaloezie en de haat
en de angst en de hebzucht. Ze zijn stompzinnig, Elmis. Ze
hebben altijd hun best gedaan de enkelingen te smoren en
uit te roeien die buiten het normale stramien vallen en een
beetje visie of een uitzonderlijke aanleg hebben. En dat zullen ze altijd blijven doen. Dacht jij soms dat Christus in de
twintigste eeuw een langer leven beschoren zou zijn geweest

dan tweeduizend jaar geleden? Elke dag van elk jaar slikt Galilei zijn woorden weer in, ledigt Socrates opnieuw de gifbeker; maar tegenwoordig is de zwerm aangegroeid tot een paar miljard en is de wereld kleiner geworden. Er zijn dan ook eenvoudiger kruisigingsmethodes uitgevonden, die niet zoveel hinderlijke publiciteit ontketenen. Die paar miljard kruipen overal rond over de hulpeloze Aarde. Ze vernietigen en verkrachten, roeien de bossen uit, vervuilen de lucht met rook en radioactief stof en het martelende lawaai van de machine. In plaats van grasland benzinestations. De meren zijn poelen van menselijk vuil. Twee jaar geleden lag het hele havengebied van San Francisco vol dode vissen; zelfs de zee is ziek van de bezoedeling door de mens, en dat noemen ze vooruitgang. Ik heb gedaan wat ik kon, Elmis, en ik hoop dat je mijn dood redelijk netjes zult afwerken. De vloer van deze kamer is van een nieuw soort glas; de granaat zal hem niet aantasten. Ik heb altijd een hekel aan rommel gehad.'

'U formuleert een met redenen omklede aanklacht,' zei ik. 'Het valt me op dat u het louter op abstracties baseert. U moet toch wel persoonlijker redenen hebben gehad om de mens zó te haten.'

'Nee.' Zijn diepliggende Salvayaanse ogen namen me nieuwsgierig op, eerlijk, dacht ik, en met tijdelijke belangstelling voor wat ik te zeggen had. 'Nee, ik dacht van niet. Als waarnemer besefte ik opeens hoe blind de Salvayaanse verwachtingen zijn, hoe vruchteloos het is iets te ondernemen dat van de menselijke aard afhankelijk is. Ik ben uitgetreden omdat ik inzag dat uitroeiing de enige remedie was voor de situatie met de mens. Uiteraard, als je eenmaal de oorlog verklaart aan het mensenras' – hij haalde gemoedelijk de schouders op – 'wordt het spoedig een persoonlijke kwestie. Het is best mogelijk dat na verloop van tijd mijn eigen ijdelheid en ambitie een woordje zijn gaan meespreken. Doet er niet toe. O ja, ik heb erg mijn best gedaan op Joseph Max.' Hij gaapte grondig. 'De jammerlijke wankelmoedigheid van figuren als Walker en Hodding heb ik niet over het hoofd gezien; dat was het materiaal waarmee ik moest werken, het risico dat ik op me nam ... Doe me een plezier, Elmis, en bespaar me dat ik nog naar het pleidooi van de verdediger moet luisteren. Gebruik dat pistool nu maar meteen. Ik ben het moe.'

'Er is geen pleidooi van de verdediger. Ik geef bijna elk punt van de aanklacht toe. Wat eraan mankeert, is alleen dat het te eenzijdig, te bekrompen is. U hebt uw leven besteed aan het najagen van stapels vals geld in een stapel schatten. Uw hele leven lang hebt u naar het kwaad gezocht om uw gelijk aan te tonen; uiteraard bent u het tegengekomen en waar het niet aanwezig was, hebt u het zelf geschapen. Dat kan het eerste het beste stuk onbenul ook. Ik heb naar het goede in de menselijke aard en elders gezocht en heb het gevonden, in overvloed. Ook dát kan iedereen, hoewel het goede misschien een beetje moeilijker te onderscheiden is omdat het zich overal om je heen bevindt, niet verder weg dan het dichtstbijzijnde blaadje, de glimlach die je vlak voor je ziet of een vriendelijk woord dat je oor opvangt. U beweert dat er in de mens geen waarheid schuilt. Weet u dan meer van de waarheid af dan Pilatus destijds? Menselijke wezens bevinden zich nog maar in een beginstadium wat betreft het trachten te aanvaarden en begrijpen van de empirische waarheid. Dat is moeilijk. Het is als door het oerwoud trekken zonder wapens of kennis van het terrein. Geen enkel aards dier heeft het ooit geprobeerd of zelfs maar vermoed dat er zo'n oerwoud was. Welnu, Namir, onze meningen over de mens lopen niet in alle opzichten uiteen. We zien hem beiden als iemand die met vallen en opstaan door dat oerwoud trekt. U wilt hem een mes tussen de ribben steken omdat hij u niet bevalt. Ik pak hem liever bij de hand, in de wetenschap dat hij, en ik, net als u in hetzelfde oerwoud zitten, en dat het oerwoud maar een klein onderdeel van het heelal vormt. Rechtvaardigheid? Dat is een ideaal, een licht dat ze voor zich uit zien en trachten te bereiken. Natuurlijk struikelen ze daarbij, omdat ze proberen. Als dat niet zo was, hadden ze het woord niet eens kunnen bedenken. Hetzelfde geldt voor het beeld van liefde en vrede dat hen voor de geest staat. Angst port hen van achteren op, omdat ze wezens van vlees en bloed zijn. Als u met het verwijt komt dat ze angst koesteren, verwijt u hen alleen maar dat ze leven en tot lijden in staat zijn. De uitvloeisels van de angst: oorlog, haat, afgunst; zelfs hebzucht komt uit angst voort, zullen afnemen naarmate de angst afneemt, als ze nog een paar eeuwen toegemeten krijgen om bij te leren. Eeuwen zijn voor ons kort, maar voor hen lang, Namir. Over het geheel genomen zijn ze geloof ik niet veel stommer dan Martianen. Wat de kwalijke aspecten van hun vooruitgang in de twintigste eeuw betreft, hebben we denk ik weer eens met een tijdelijke aandoening te maken, zoals bijvoorbeeld die overigens andere aandoening in de negende eeuw. Waarschijnlijk hoeft er ook niet meer betekenis aan te worden gehecht. De aarde zal er bovenop komen; mijn planeet Aarde, Namir, die ook uw planeet had kunnen zijn als u niet uzelf had verblind door de typisch menselijke aandoening van de haat. Ze zal er bovenop komen, wanneer de mens ermee leert te leven. Misschien nog een eeuw om de machine te leren beheersen . . .'

'O, zeker . . . zeker.' Hij spuugde zijn sigaret op de grond. 'Ze willen zich van alles meester maken. Maak er een eind aan, Elmis. Weerzinwekkend, als ik bedenk hoe ze zich alles willen toeëigenen. Beschouw het als een daad van barmhartigheid, als je er moeite mee mocht hebben.'

'Dat is het ook,' zei ik, want als iets anders kon ik het niet opvatten. Het pistooltje dat op het midden van zijn voorhoofd was gericht – want zelfs nu moest ik bedenken wat er op het kerkhof in Byfield was gebeurd – betekende vermoedelijk de barmhartigste vorm die de dood kan aannemen. Ik sloeg het tapijt terug. De vloer was anorganisch, zoals hij had gezegd. Ik strekte er zijn aandoenlijk logge lijk op uit en bleef op ruime afstand staan totdat het laaiende en sputterende paarse vuur was uitgewoed en er niets anders was overgebleven dan wat los geld dat hij op zak had gehad, en de vervormde kogel. De rest was wat stof; daar kon ik het kleed overheen leggen. Een klompje lood, een halve dollar, twee kwartjes, een dubbeltje, een handjevol stof... Namir is dood.

Maar zijn zoon niet.

Ik ging naar de andere kamers omdat ik er behoefte aan had met eigen ogen te zien dat Joseph Max dood was.

Ik trof hem in de achterste slaapkamer aan. Dood was hij zeer zeker, zoals hij daar bleek en met een zekere waardigheid lag. Iemand was zo attent geweest om zijn mond en ogen te sluiten. Miriam, denk ik, want zij was niet dood, nog niet. Ze zat naast hem op het bed en haar hand aaide onbestemd over zijn haar en zijn wangen. Haar neus was rood aangelopen, maar niet van het huilen, want haar ogen waren droog en hadden iets koortsigs. *De eerste symptomen komen overeen met die van een verkoudheid...*

Het was belangwekkend te constateren (om het zo nuchter mogelijk uit te drukken) dat zij als vrouw van Joseph Max had gehouden, en wellicht heel veel; dat haar verloving met Abraham een beleidskwestie was geweest, een plan van Keller en Nicholas om Abraham aan de partij te binden, in de hoop van zijn capaciteiten te kunnen profiteren. Dat had ik al veel eerder vermoed; nu was het nauwelijks nog van academische betekenis. Wanneer de historie snel voortschrijdt, raken we allen achterop, mensen en Martianen. Ze zei iets tegen me, schor en moeizaam. 'Ga weg...' was het, geloof ik. Ik kon geen gesprek met haar voeren, evenmin als je het woord kunt richten tot een insekt dat nog even moet voortleven terwijl zijn lijf geplet is. In die kamer was de para barmhartig geweest en zou het nogmaals zijn.

Abraham was niet thuisgekomen. Het was vroeg in de middag toen ik in mijn appartement terugkwam. De metro liep nog en er waren meer passagiers, al waren het lang niet de drommen die anders meereisden. Op mijn wandeling van het metrostation naar mijn appartement heb ik verder niets meegemaakt dat ik aan mijn verslag zou willen toevertrouwen. Andere waarnemers, Drozma, zullen je wel van deze dingen op de hoogte stellen. Toen ik thuiskwam, wist ik dat ik nog maar het eerste begin van de ramp had gezien. Binnenkort – morgen, over een week – zal het niet meer een kwestie zijn van één oude man die dood in de goot ligt te wachten om te worden weggehaald, maar van aanzienlijk meer. Dan zal er geen muur meer in de stad zijn waarachter niet het verlies van mensenlevens schuilgaat. Communicatie en transport zullen in het honderd lopen; voor New York en de meeste andere moderne grote steden betekent dat hongersnood. Er zullen rellen ontstaan; sommige mensen zullen zelfs sterven terwijl ze stenen aan het gooien zijn naar wat ze als een of andere vijand beschouwen. Er zullen kuilen met ongebluste kalk moeten komen. Als zelfs de ratten er aan creperen . . .

Die hele middag kwam Abraham niet opdagen. Om drie uur belde ik Sharon op. Ze nam snel de telefoon op en vroeg onmiddellijk of het met mij in orde was. Abraham was 's ochtends bij hen geweest, zei ze, en even voor twaalven weer vertrokken. Ze had aangenomen dat hij naar huis ging, hoewel hij het niet met zoveel woorden had gezegd. Zij maakte het goed, zei Sharon; zij en Sophia maakten het allebei goed . . .

Over de daaropvolgende zes uren zal ik het niet hebben. Ik ben ze doorgekomen. Om negen uur kwam Abraham afzakken; zwaar kreupel liep hij op de bank af, trok zijn orthopedische schoen uit en begon zijn linkervoet te wrijven, die hij over zijn knie had geslagen. 'Te veel op dat rotding gestaan,' zei hij. 'Ik had je uit het ziekenhuis willen opbellen, maar de hele dag waren alle lijnen geblokkeerd.'

'Het ziekenhuis . . .?'

'Daar ben ik gaan helpen. Cornell Center. Een impuls . . . die had ik veel eerder moeten hebben; alleen liet het verstand dat ik volgens jou zou moeten hebben het afweten.

260

Ja, gewoon naar binnen gelopen en me als vrijwilliger aangemeld. Er is blijkbaar een pestilentie voor nodig om de bureaucratie te doorbreken. Ze nemen iedereen aan die nog kan rondkruipen, voor loopjongen spelen, een ondersteek dragen. Ik moet vannacht om drie uur terug zijn; even wat slapen en een hapje eten.' Hij sloeg het drankje dat ik hem bracht gulzig naar binnen en kon haast niet meer uit zijn ogen kijken van een vermoeidheid die niet alleen lichamelijk was. 'Will, ik wist niet . . . je kunt je niet indenken . . . de baby's, de oudjes, bomen van kerels van wie je zou zeggen dat ze niet kapot te krijgen zijn . . . allemaal geveld als de maïs na een hagelbui. Er is geen bed meer vrij, weet je. We gebruiken de vloer zolang er nog extra matrassen zijn, en dan . . . de vloer zelf. We proberen met zekerheid vast te stellen dat ze dood zijn eer we . . .'

'Ik ga om drie uur met je mee.'

Dit was niet de eerste keer dat ik door de menselijke aard te schande werd gezet, maar deze keer zal me altijd het duidelijkst bijblijven.

9

New York
maandag 20 maart

Sophia Wilkanowska is vanochtend overleden. President Clifford ook, maar ik denk aan Sophia en nog iemand.

Ja, de president van de Verenigde Staten is vanochtend overleden. Volgens de krant is hij als een ridder in het harnas gestorven, na drie etmalen niet naar bed te zijn geweest en de massale last van zijn taken en besluiten te zijn blijven dragen toen de verkoudheidsverschijnselen waren begonnen en hij wist dat het virus hem te pakken had. Pas bij een ramp, zeggen de mensen, komt de ware aard van het beestje naar boven. Hij was nog jong . . . negenenvijftig. Hij ruste in vrede. Vice-president Borden is het gebruikelijke politieke vraagteken; ons zorgen maken over hem kunnen we altijd nog als hij het beleg doorstaat. Ik houd me met Sophia en nog iemand bezig.

Abraham en ik kwamen 's zondags om één uur thuis, na tien uur werken in het ziekenhuis. Om acht uur 's avonds moesten we weer aan de slag. Sharons telefoon werd niet opgenomen. Het leek me dat voor Abraham de uren als een donkere tunnel waren geworden, met een licht aan het einde. Dat licht was dan het moment dat hij Sharon weer kon spreken. Nu werd de telefoon niet beantwoord, en ik moest toezien hoe het licht voor hem doofde. Ik hoorde het dode, onpersoonlijke oproepsignaal. Hij hing op. 'Misschien het verkeerde nummer gedraaid.' Hij probeerde het nog eens. Niet het verkeerde nummer. 'Ik ga er naar toe,' zei hij. 'Ga jij maar wat slapen.'

'Hoe zit het met je been?' Zijn linkerenkel was gezwollen. In het ziekenhuis had hij niet gestrompeld; nu wel – een beetje – toen hij naar de andere kant van de kamer liep om zijn natte regenjas te pakken. Het motregende buiten, en maart liet zich weer van zijn koude kant kennen.

'Mijn been? Ach, wat . . . het doet het nog. Ga jij om acht uur weer aan het werk, Will?'

'Dat lijkt me het beste. Maar blijf jij liever bij Sharon. Je zult zien dat ze even een boodschap was gaan doen, en toch . . . blijf daar maar.'

'Sophia gaat bijna nooit de deur uit. Vanwege haar blindheid, zegt Sharon.'

'Weet ik. Blijf jij bij de dames. Dat is van meer belang.'

'Ja, "belang" is een woord' – hij tolde van vermoeidheid – 'en jij hebt me voorgehouden dat ik me niet door woorden moest laten leiden.'

'Bovendien, als je nog eens tien uur op dat been staat,

262

kun je helemaal niet meer lopen, Abraham; zeg nou zelf.'

Hij brak zijn energiereserve aan; misschien wel zijn twee-de reserve. Het was niet om steun te zoeken dat hij zich bij de deur omdraaide en me bij de revers pakte. 'Will... bedankt voor alles.'

Ik trachtte een geïrriteerd gezicht te zetten. 'Hou op, zeg. Dit is geen afscheid voor eeuwig. Ik kom morgen ook naar Brooklyn, zodra ik in het ziekenhuis klaar ben. Jij blijft bij hen en zorgt ervoor dat dat been zoveel mogelijk rust krijgt.'

'In elk geval: toch bedankt.' Hij had zijn donkere ogen omhoog geslagen; er was geen ontkomen aan die blik, zo laaiend van wat niet onder woorden te brengen was. 'Sharon heeft me verteld hoe mevrouw Wilks haar muziekschool heeft kunnen beginnen. En ik moest ook aan de bossen denken, de bossen in Latimer.' Hij grinnikte opeens, schudde mijn revers heen en weer en strompelde haastig op de lift af. Hij liet mij achter... eigenlijk niet alleen.

Tegen het einde van de middag belde hij op maar kon moeilijk uit zijn woorden komen. Ik vroeg: 'Sharon...?'

'Haar mankeert niets, Will, niets. Maar...'

'Sophia?'

'Die heeft het te pakken... Sharon was inderdaad de deur uit toen ik probeerde te telefoneren, op zoek naar een dokter. Nergens te krijgen. Niet één.'

'Ja, daar zag het langzamerhand wel naar uit. Je kunt haar maar beter daar laten, denk ik. Beter dan naar een ziekenhuis.'

'Dat hebben we wel gezien, ja.' Sophia zou het niet halen. Dat wisten wij beiden; we herinnerden ons allebei een verklaring in de krant die we op weg naar huis hadden gelezen. *Tot dusver vallen alle patiënten die tekenen van herstel vertonen in de leeftijdsgroep van jonger dan dertig jaar.* 'Er wordt beweerd, Will, er wordt beweerd dat twee ziekenhuizen in Brooklyn al niemand meer opnemen... domweg geen enkele plaats meer.'

'Ik kom morgen, zodra ik klaar ben. Blijf jij daar.'

'Ja.'

'Weet je zeker dat Sharon...'

'Dat weet ik zeker,' zei Abraham, en zijn stem brak alsof iemand hem een stomp tegen de borst had gegeven. 'Ik weet het zeker.' Hij hing op.

Daar in het ziekenhuis had Abraham geen ogenblik gewankeld. Dat overkwam mij die nacht wel een paar keer, niet zozeer van vermoeidheid als wel uit een gevoel van machteloosheid dat fysieke vormen aannam, alsof ik in een kuip met stroop probeerde te zwemmen. Ze werden in zo'n razend tempo binnengebracht! De lichte gevallen van de ernstige scheiden was er niet bij; er waren geen lichte gevallen, althans in deze kliniek. Mijn taak bestond uit het aan- en afvoeren op drie afdelingen en overal een handje te helpen waar de verpleegsters en dokters me meenden te kunnen gebruiken. Ik deed mijn best, maar ik haalde het niet bij Abraham, en nu en dan wankelde ik op mijn benen.

Er hing een eigenaardige stilte op de afdelingen. Een stilte vol geluidjes van geknakte gezondheid, het vage geschuifel van lichamen waar nog wat beweging in zat, maar geen gekreun, geen stemgeluid behalve van ons verzorgers onder elkaar. Wanneer er een stierf, was er nauwelijks sprake van een worsteling; geen stuipen of hevige spierkrampen; je was er nooit zeker van voordat je je er overheen boog en het lichaam voelde koud worden. Het stonk er natuurlijk; twee of drie hulpen die op hun tandvlees lopen, zien geen kans verlamde patiënten schoon te houden wanneer er zestig of zeventig van op een zaal liggen die voor niet meer dan twintig is bestemd. Bij de griep van 1918 zouden er tien miljoen zijn gestorven; hiermee vergeleken was dat niets, Drozma. Er is sinds de veertiende eeuw niets meer van deze omvang geweest. Ze hebben statistische gegevens opgenomen van deze para. De programmeurs zullen nu wel de nachtmerrieachtige cijfers hebben ingevoerd in een paar van die elektronische breinen die de afgelopen twintig jaar zo belangrijk zijn geworden. Ik geloof alleen dat de kranten geen melding zullen maken van wat deze machines te zeggen hebben.

Toen de nacht traag voor de dageraad week, merkte ik dat ik steeds meer terugviel op de herinnering hoe Abraham de vorige dag met mij samen hetzelfde werk had verricht, en toch zou ik je moeilijk kunnen beschrijven hoe hij dat deed, Drozma. Wat de zuivere hoeveelheid werk betreft, deed hij waarschijnlijk niet meer dan de andere toegewijde verzorgers, al leek het van wel: hij was overal. Er bestond wat ik een zekere communicatie zou willen noemen, tussen hem en de patiënten die nog bij bewustzijn waren, zelfs al konden ze door de doofheid waarmee de ziekte gepaard gaat niet horen wat hij zei. Soms zag ik hoe hij zorgvuldig met de lippen woorden voor hen vormde, een andere keer krabbelde hij een mededeling op een papiertje of was het alleen een glimlachje of een zacht kneepje of een bijna telepathisch gevoel voor wat iemand graag wilde. Ze wisten wanneer hij er was; degenen die het nog konden, wendden het hoofd om naar hem uit te kijken ...

Het akeligst was het gesteld met de patiënten die in het stadium vlak voor het bewustzijnsverlies verkeerden, wanneer hun ogen onbekende voorstellingen aanstaarden en hun handen krampachtig schokten in een moeizame poging om overeind te komen en een of ander monster dat hun voor de geest stond weg te duwen. Ik heb drie keer meegemaakt hoe Abraham tot zulke patiënten wist door te dringen en hen van zijn aanwezigheid bewust maakte, zodat de realiteit van zijn menselijk gezicht een schild tussen hen en hun hallucinaties vormde. Bij een van hen, een reus van een neger die een paar dagen tevoren nog een stier had kunnen worgen, tilde Abraham de vergeefs proberende hand op en streek de vingers ervan over zijn wang om de man te tonen dat hij de werkelijkheid voor zich zag. Het stuipachtige verdween en er trad een zekere vredige stemming in, een derde overwinning. Deze man en één van de andere twee waren nog in leven toen ik zondagavond weer aan het werk ging. Ze hadden geen bijzondere hoge koorts meer en de verpleegster had hun matrassen van een blauwe X voorzien, het codeteken voor *goede weerstand, herstel mogelijk*. Als Abraham in leven blijft, zal ik spoedig naar Noordstad terug kunnen.

Dienstopdracht voltooid. Als Abraham in leven blijft . . .

Ik werkte die nacht twaalf uur aan één stuk, en het was tien uur in de regenachtige ochtend toen ik Sharons flat in Brooklyn bereikte. Zij liet me binnen en viel me huilend in de armen. Ik zag Abraham aan de andere kant van de kamer fronsend naar de vloer zitten staren, en door de deur die achter hem open stond Sophia's kamer en Sophia zelf, al verstard, de ogen gesloten, de handen roerloos. Abraham gaf een bevestigend knikje, maar die was voor mij overbodig. Twee mannen waren achter mij aan de trap op gekomen. Ik had de voordeur niet dichtgedaan omdat Sharon zich nog steeds aan me vastklampte. Een van hen gaf me een tikje op de schouder. 'Hebt u ons laten komen, meneer?' Ze droegen gaasmaskertjes over mond en neus, een nogal doelloze voorzorgsmaatregel. Sharon stootte een verstikte kreet uit.

Abraham kwam in actie en gebaarde naar Sharon en mij dat we naar de muziekkamer moesten gaan. Zij legde me uit: 'Weet je, normale begrafenissen kunnen er niet meer worden verricht . . .'

'Dat weet ik, Sharon. Laat Abraham . . .'

'Omdat er meer doden dan levenden zijn, weet je. Maar dat is toch altijd al zo geweest, of niet soms?' Ze hoestte en snoot haar neus en rilde. 'En daarom komen ze hen gewoon aan huis ophalen, weet je.' Ze trok het krukje voor de piano vandaan en ging met haar gezicht naar mij toe zitten, vouwde de handen in elkaar en wilde kennelijk tekst en uitleg geven. 'Ben, ze heeft altijd van een zeker ceremonieel gehouden. Ja, ze was een dame die op goede manieren gesteld was. Ik heb daar steeds rekening mee proberen te houden. Ik dacht dat ze het liefst zou hebben gehad dat ik een polonaise speelde – niet de *Marche funèbre* – nee, die niet! Wel een polonaise, maar ik geloof niet dat ik het zou kunnen. Ze is trouwens niet meer hier, hè? We zullen het op die manier moeten gaan bekijken, hè?'

'Natuurlijk. Laat jezelf maar eens gaan, Sharon. Je bent gespannen als een veer . . .'

'O nee, omdat de doden ons in aantal overtreffen, en sommigen van hen zekere vormelijkheid houden, dat weet ik zeker. 't Is een kwestie van de schijn ophouden.' Ik hoorde de voordeur zachtjes dichtgaan. 'Zou jij een sjaal voor me willen pakken, Ben? 't Is hier akelig kil, hè?' Het was er misschien een beetje aan de kille kant, maar ze was warm gekleed. 'De huisbewaarder is ziek, heb ik gehoord. De verwarmingsketel zal wel uit zijn. Ik geloof dat ik er maar even bij blijf zitten. Naar de toetsen kijken, al geloof ik niet dat ik iets zou kunnen spelen. Wil jij het doen, Ben?'

'Nee, ik . . . ik zal een jas voor je ophalen.'

Toen kwam Abraham binnen en ik ging op zoek naar een jas of een deken. Ik vond haar bontmanteltje in een klerenkast en toen ik het pakte, kreeg ik even de piano te horen. Geen pianospel, maar een omhoog kabbelende reeks tonen. Ze stond er waarschijnlijk bij en streek met de rug van haar vinger over de toetsen, zoiets als een goede vriend strelen, alsof ze wilde zeggen . . . Ik ging er haastig met de jas op af, maar Abraham bracht haar op dat moment de muziekkamer uit en zij toonde een stralende glimlach. 'Dank je, Ben. Dat had ik net nodig.' Toen ze haar armen uitstak, wankelde ze. Abraham voorkwam dat ze viel. Ik tilde haar op en droeg haar naar haar slaapkamer: koel en keurig opgeruimd en onberispelijk, met witte wanden en een blauwe sprei. Eenvoud en onschuld. Ze zei langzaam en met nadruk: 'Ik ben vanmorgen een beetje verkouden geweest, maar ik geloof niet dat het iets om het lijf heeft. Voel mijn hand maar, Abe. Zie je wel? Ik heb geen verhoging.' Ik had haar gedragen; ze gloeide als een potkachel en van de hand die Abraham niet in de zijne had, waren de vingertoppen gedurig in beweging.

'Natuurlijk mankeer je niets, Sharon,' zei hij. 'Schoenen uit, dan stop ik je onder de dekens . . .'

'Wat zeg je, Abe?'

'Je schoenen . . .

'Ik versta je niet.' Ze moet het geweten hebben, moet al uren met het idee opgescheept hebben gezeten, maar nu was het voor het eerst dat haar vertoon van dapper verweer het begaf. Ze kreet het uit: 'Abe, ik hou zo van je. Ik wilde blijven *leven* . . .'

Daarna was ze haar spraak kwijt.

Het zal nu tegen middernacht lopen. Abraham is natuurlijk niet van haar zijde geweken. Een deel van de ochtend en de middag spendeerde ik aan het zoeken naar een dokter die een visite zou willen afleggen. Hopeloze tijdverspilling: ze zijn uitgeput en hebben rode randjes om hun ogen van het vierentwintig uur per etmaal in de weer zijn, in ziekenhuizen of elders. En niet alleen met parapatiënten – er zijn nog steeds mensen die aanrijdingen krijgen, elkaar met messen bewerken, aan andere ziekten sterven. Van visites kan geen sprake meer zijn, en om een slachtoffer in dit stadium naar het ziekenhuis te sturen, betekent alleen maar het bieden van een drukkere omgeving om in te creperen. Ik kan niet meer aan de eenwording denken, Drozma. Het doel heiligt de middelen, geloofde Joseph Max, en hij trad daarmee in het voetspoor van oudere theoretici die beter in de wieg gesmoord hadden kunnen worden. Ik geloof niet dat ik vroeger heb geweten wat haten wil zeggen. Zoals ik van hun beste vertegenwoordigers houd en hun slechtste haat, kan ik nooit meer als waarnemer worden uitgestuurd. Ik ben gediskwalificeerd. Tegen die tijd dat ik dit in het licht van de eeuwigheid kan beschouwen, ben ik stokoud.

Ik had gelijk dat wat ik zaterdag te zien kreeg nog maar een begin was. De straten hier liggen vol doden; opruimingsploegen komen met vrachtauto's met laadbakken en halftons bestelwagens langs en brengen hen ik weet niet

268

waarheen. Zo'n ploeg krijgt meestal een patrouillewagen van de politie als dekking mee. Andere patrouillewagens rijden langzaam rond, vermoedelijk op de uitkijk naar samenscholingen die op relletjes zouden kunnen uitlopen. Ik heb een krant gekocht. Het was de *Times,* nog maar acht pagina's, met een minimum aan redactionele inhoud en zonder advertenties. Een beetje buitenlandse berichten, bijna allemaal over de verspreiding van de para. Niets over Azië. De dood van president Clifford was natuurlijk de grootste kop op de voorpagina en onder andere omstandigheden zouden er vrijwel geen verdere berichten op die pagina zijn verschenen. Maar het relaas van zijn dood geeft de indruk alsof het met de linkerhand is geschreven, alsof de journalist in kwestie zelf de symptomen van een verkoudheid in zijn hoofd voelde opkomen ... De voorpagina bevat nu communiqués aan de hele bevolking, met de telefoonnummers van wat ze BB-hulpteams noemen, dat is die ophaaldienst. En cijfermateriaal. Het meeste is me alweer ontschoten: alleen al in New York en directe omgeving meer dan een miljoen gevallen. In een vet lettertype algemene instructies voor het behandelen van slachtoffers die geen opname in een ziekenhuis kunnen krijgen. Begeleidingsmaatregelen: de patiënt warm houden en niet op winden; hoofd in één lijn met het lichaam om vernauwing van de luchtpijp te vermijden; de ziekenkamer schemerig houden omdat de ogen overgevoelig zijn zolang de patiënt bij bewustzijn is ...

Halverwege de middag trad bij Sharon het delirium in. We waren er allebei getuige van. Ik kon me alleen maar koest houden terwijl Abraham zijn gevecht tegen de duivels aan het leveren was, met als enige bruikbare wapens de zachtheid van zijn handen en die van zijn gezicht. Van ons werk in het ziekenhuis wist ik dat er tijdens het delirium veel doden vielen door krampachtige afknijping van de adem, die misschien te wijten was aan pure angst bij het ondergaan van de nachtmerrieachtige hallucinatie. Sharon stierf er niet aan.

Ik geloof dat ze zich zelfs op het hoogtepunt van haar ontreddering bewust was van zijn aanwezigheid, van zijn aanraking, van zijn aandacht voor de minste of geringste schaduw die over haar gezicht kon trekken, van zijn vaste wil dat ze niet van hem zou heengaan en dat ze geen angst zou koesteren. Het was vanzelfsprekend dat ik mijn vriend als de jonge Sint Joris zag. Het zou alleen veel gemakkelijker, veel eenvoudiger zijn geweest als hij het met zijn tengere lijf tegen een vuurspuwende draak van vlees en bloed had kunnen opnemen! Maar de ware draken zijn altijd stil en vormloos; de zuiverste moed die iemand kan bezitten, is dan ook die waarmee hij de schimmen die hem belagen van het lijf weet te houden.

We merkten het toen Sharon haar bewustzijn begon te verliezen en in de bedwelming van de hoge koorts haar ogen sloot. Op dat moment raakte Abraham even zijn greep op de situatie kwijt, waarschijnlijk omdat zij onbereikbaar was geworden en hij niets kon doen. Hij kreeg een krampachtige huilbui waar geen traan bij vloeide. Ik drong hem wat zwarte koffie op. Uit de logeerkamer sleepte ik een bed naar de kamer van Sharon en ik dwong Abraham erop te gaan liggen, al wist ik dat hij niet zou kunnen slapen. Hij was spoedig van zijn instorting bekomen en ging weer zitten om haar in het oog te houden. In het ziekenhuis zijn een paar patiënten met kunstmatige ademhaling in het leven gehouden. Hij durfde zijn blik niet van haar af te wenden, uit vrees dat hij het moment zou missen dat ze hem nodig kon hebben. Op een binnenpagina van de krant had een berichtje gestaan: geen zuurstofcilinders meer; het werd aan een transportstoring toegeschreven. Nu ik wist dat er geen zuurstof voor Sharon verkrijgbaar was, kon ik niets voor haar doen . . .

Het loopt tegen middernacht. Ik zit met mijn aantekeningenboek in de huiskamer, waar ik Abraham kan horen als hij me roept. Ze heeft 40,5 koorts, maar de gemiddelde temperatuur in dit stadium van de ziekte ligt in de buurt van

41,7, en haar ademhaling is behoorlijk. Ze is sterk; ze heeft de wil om te leven; ze is heel jong.

De lange uren die nog voor ons liggen, moeten op een gegeven moment tot een zonsopgang leiden. Hier en om ons heen heerst stilte. Ik hoor haar ademen, regelmatig, niet al te zwak. Dit dagboek zal troosteloos onbelangrijk worden, als ze komt te overlijden. Ik ga er nu even naar toe, om te zien of ik iets kan doen.

Dinsdagmiddag 21 maart

Na veertien uur te hebben gewoed, is Sharons koorts vanochtend om vier uur gekenterd. De temperatuur bleef niet op een onheilspellend hoog peil steken. Ze is nog wel buiten bewustzijn maar je zou het bijna voor een natuurlijke slaap kunnen houden. 37,3, dat kun je niet eens meer koorts noemen. In het begin van de middag ben ik een krant gaan kopen . . . je wordt gek van het gezwam op de radio en twee van de beste stations zijn uit de lucht. Ik wist een kiosk te ontdekken waar ze een paar van de blaadjes van vier en acht pagina's hadden die op het ogenblik worden uitgegeven. De kioskbaas wierp me het wisselgeld toe, om vooral niet mijn vingers te hoeven aanraken . . .

Maandagmiddag blijkt een losgeslagen menigte het kantoor van de Partij van de Organische Eenheid te hebben vernield. De agent die ter bewaking bij de ingang stond – ik zal me altijd blijven afvragen of het die grote, fatsoenlijke Ier is geweest – vuurde als uiterste redmiddel in de menigte, maar desondanks werd hij onder de voet gelopen en liet er het leven bij. Binnen stichtten de indringers brand en vermoordden nog een man, die vermoedelijk maar een onschuldige conciërge was. Voor een deel mijn schuld. Ik kan nooit meer als waarnemer worden uitgestuurd. Ik gooide de krant weg en zei Abraham dat ik er nergens een had kunnen krijgen.

Eindelijk was hij bereid wat te gaan slapen. Ik heb be-

271

loofd hem te zullen wekken als er enige verandering intreedt; dat zal ik doen ook. Het is ongelooflijk dat ik na dertigduizend jaar ontwikkeling van de wetenschappen van Martianen en mensen niets anders kan doen dan er lijdzaam bij te zitten, haar lippen te bevochtigen, toe te kijken, en af te wachten.

Dinsdagavond 21 maart

Ze is nog steeds niet bijgekomen, maar haar temperatuur is 37,1; haar adem doet het goed, het is niet alleen mondademhaling meer; ze heeft een paar keer schijnbaar opzettelijk geslikt. Ik dacht dat ik haar hand iets zag bewegen, maar het kan verbeelding zijn geweest. Dat gebeurde in het begin van de avond; Abraham heeft het niet gezien en ik heb er niets van gezegd, omdat ik het wel eens mis kon hebben. Toen ik haar een paar minuten geleden de pols voelde, meende ik een vage beweging te merken, maar wie weet verbeeldde ik het me opnieuw. In ieder geval had ze een goede pols: regelmatig, krachtig, redelijk langzaam, zonder het warrige, bonzende, onzekere dat tijdens haar koorts zo opviel.

Ze bevelen zowel opwekkende middelen als vloeibare voeding aan zodra de patiënt weer kan slikken. Eerst moet Sharon bij kennis zijn, maar dat komt wel. De uitmergeling, de akelig ingevallen wangen van de afgelopen twee etmalen; dat gaat over. We hebben koffie en warme melk bij de hand. Het kon nu wel eens moeilijk zijn om levensmiddelen in te slaan, maar ze hadden een welvoorziene vrieskist en tot dusver is de stroom niet uitgevallen. Ook ingeblikt spul, genoeg voor een dag of vier, vijf. Uit de paar woorden die Abraham en ik vermoeid met elkaar hebben gewisseld, blijkt dat we er beiden van uitgaan dat ze weldra haar ogen zal opslaan en ons zal kunnen zien. Hij spreekt haar voortdurend toe; tot dusver is daar geen reactie op gekomen, maar ik dacht of verbeeldde me dat er in het bewusteloze

272

masker even een lichte verandering optrad, toen hij haar een kus gaf.

We hebben het vanavond ook over andere dingen gehad. Ik wilde Abraham losmaken van de innerlijke beproeving die hij zo heftig onderging, en merkte iets op in de geest van dat de menselijke samenleving zoals wij die kenden nooit meer hetzelfde zou worden wanneer de pandemie zou zijn uitgewoed.

'Het moet bekend worden,' zei Abraham, 'dat het door mensenhand is veroorzaakt. Dat moet er ingehamerd worden, in hun bast, in hun kiemplasma. En ik vind dat het hun achterkleinkinderen geraden zal zijn het niet te vergeten.'

'Het is al bekend,' zei ik en vertelde hem wat ik had gedaan en wat die razende menigte had gedaan.

'Ik geloof dat je er gelijk aan had ...'

'Dat zal ik nooit zeker weten, Abraham. Het is gebeurd en ik zal me mijn verdere leven aan een gewetensonderzoek onderwerpen; en waarschijnlijk nooit tot een ondubbelzinnig oordeel komen.'

'Ik geef mijn mening voor wat ze waard is, maar je hebt er goed aan gedaan. Maar genoeg is het niet. Wanneer dit helemaal achter de rug is, Will, zal ik alles wat ik weet moeten opschrijven; per slot van rekening zijn Hodding en Max dood. Wie zou er anders zijn mond open kunnen doen? Op een of andere manier moet ik zorgen dat er geen uithoek op aarde is waar de waarheid niet doordringt.'

'Zullen de mensen dan ook maar een greintje beter hebben leren luisteren, Abraham? Stel dat je ermee bij de autoriteiten aankomt en die vragen: "Waar zijn uw bewijzen?"'

'Nou, ik zou er zelfs om liegen en beweren dat ik er zelf de hand in heb gehad, als dat de enige manier is om het tot hun hersens te laten doordringen.'

'Dat is fout, om diverse redenen ...'

'Ach, Will, zo belangrijk is de individuele mens nu ook weer niet ...'

273

'Dat is hij wel, maar dat is niet de hoofdreden. Overweeg daarom vooral dit: als je zoiets doet, zou je alleen maar de zondebok worden. En heb je er ooit bij stilgestaan waarom de mensen altijd een zondebok zoeken? Wat is het anders, wat is het ooit anders geweest, dan een middel om niet in de spiegel te hoeven kijken? Dit is een wereld waarin een Joseph Max de gelegenheid krijgt om te keer te gaan. Als er van schuld sprake moet zijn, dan zijn alle burgers – jij en ik en iedereen – er verantwoordelijk voor dat ze het tot een dergelijke wereld hebben laten komen, dat ze niet de ethische vooruitgang boven al het andere hebben gesteld. We weten donders goed wat de ethische noodzaken zijn; die hebben we al ettelijke duizenden jaren onderkend. We hebben er echter niet ons denken en doen door laten beheersen; zo staat het er domweg voor. Leef je uit in het moeizaam doorzetten, Abraham, en niet in het hartstochtelijke gebaar of de opoffering die toch maar aan de aandacht ontsnapt. Op het persoonlijke vlak – omdat ik bij jou altijd een bijzondere vlam heb geconstateerd die bij anderen veel flauwer brandt, en omdat ik altijd veel van je heb gehouden – verbied ik je om je zinloos aan het kruis te laten nagelen.'

Na een poosje zei hij, tegen mij, tegen zichzelf, tegen het meisje dat er zo stil bijlag maar niet stervende was: 'Betekent volwassenheid de aanvaarding van het conflict?'

En ik zei, in stilte, alleen tegen mezelf: *Opdracht voltooid.*

Woensdag 22 maart

Vanochtend vroeg, nog voor het aanbreken van de dag, bracht ze de handen naar het gezicht en gingen haar ogen open, wijd, bewust, een en al herkenning. 'Sharon?'

''t Is goed,' fluisterde ze. 'Ik ben weer in orde, Abe.'

'Ja, je bent er doorheen. Je ...'

'Niet fluisteren, schat. Ik wil alles horen wat je te zeggen hebt.'

'Sharon! *Sharon . . .*'
'Wat zeg je?' zei Sharon Brand. 'Ik versta je niet.'

10

Aan boord van s.s. *Jensen*
onderweg van Honolulu naar Manila
24 juli 30972

De oceaan, voortdurend veranderlijk en toch weer hetzelfde, bleef vannacht wakker en bood een laag gezongen
achtergrond; ik was alleen, maar niet eenzaam. Niet eenzaam, terwijl ik enkele uren lang van de klievende boeg omlaag keek en de zeevonkdiertjes zag lichtgeven en langzaam
uitgloeien; levende diamantjes van de zee, met een glinstering die niet langer aanhoudt dan het schuim op de golfkop-
pen maar die zelf eeuwig voortbestaan; net als het leven,
voor zover het leven eeuwig voortbestaat. Alles trekt met
me mee, de vertrouwde gezichten, de woorden die blijven
hangen ondanks dat er in mijn buurt geen belichaamde stem
is; alleen de zware, niet aflatende stem van de zee en een
westenwind die van de verlaten gebieden op aarde komt
aanwaaien. Eenzaam ben ik niet.

Volgens onze tijdmeting, tweede vader, is het niet lang
geleden dat ik voor het laatst bij jou in Noordstad ben geweest: negen jaar, een oogwenk; het zal inderdaad niets lijken wanneer ik daar weer bij je ben, over een paar weken
of maanden.

Je hebt mijn dagboek. Nu er wat tijd overheen is gegaan
en de smart wat geweken, de woede wat afgenomen is, moet
ik je verzoeken de brief te vernietigen die ik ter begeleiding
had geschreven. Dat was maar één dag nadat ik te weten

was gekomen dat Sharon doof zou blijven. Ik had me wel twee maal moeten bedenken eer ik op een dergelijk ogenblik zoiets op papier zette. Het duurde ettelijke weken eer ik het dagboek durfde toevertrouwen aan het nog gebrekkige transportsysteem van de mensheid en reële hoop kon koesteren dat het Toronto zou bereiken en naar jou zou worden doorgestuurd. Maar in de loop van die weken hebben de woede en de wanhoop me niet losgelaten, en wellicht was wat ik na verloop ervan had kunnen schrijven geen haar beter geweest. Nu echter vraag ik je die brief te vernietigen. Uit trots en ijdelheid, en op grond van het idee dat mijn kinderen bijna oud genoeg zijn om mijn werk te bestuderen, heb ik liever niet dat zo'n stemming zou worden bewaard. Completeer het dagboek met het rapport dat ik nu aan het schrijven ben, en verscheur wat er geschreven is toen ik te veel hartzeer had om te weten wat ik zei.

Ik kan menselijke wezens eigenlijk niet haten om wat ze doen. Als ik het tegendeel heb beweerd, dan was dat een afdwaling die uit mijn zwakte voortvloeit, want ik hou meer van Sharon dan een waarnemer zich ooit zou mogen permitteren, en ik wist beter dan enig ander wat het aan inspanningen, opofferingen en toewijding heeft gekost om haar tot zo'n geweldige kunstenares te maken; en dat was zo maar weggerukt. 'Ik leef met mijn dromen,' zei ze. Dat was ook zo, en aan iedereen die kon horen, gaf ze er een flink stuk van mee. En de wereld vergold dat ... met para, met permanente en ongeneeslijke doofheid waar geen hoorapparaat verbetering in kon brengen, want de magische gehoorzenuwen zelf zijn vernietigd; ze zal de hele rest van haar leven in volkomen stilte moeten doorbrengen. En ik kan er nu wel voor uitkomen dat ik een poosje mezelf niet ben geweest en het niet heb kunnen verdragen.

Het is Abraham geweest die mij, en waarschijnlijk ook Sharon, weer op het goede spoor heeft gekregen. Hij hield voor ons drieën de moed erin en dwong ons in te zien wat er ondanks alles nog aan rijkdom in het leven te genieten bleef. Enfin, ik zal in enkele tientallen woorden trachten uiteen te zetten wat Abraham heeft gedaan sinds ik die ellendige brief schreef. Hij trouwde met haar in april, zodra ze weer goed en wel op de been was, en nam haar mee naar een dorpje in Vermont. Nu staat hij daar in de winkel van Sinkel: huishoudelijke artikelen en vishaakjes en een pondje van dit en een pondje van dat. Lach er maar om, Drozma. Hij doet het, en je zult merken dat het zo gek nog niet is. Daar kom ik dadelijk op terug.

Deze vrachtboot is een oudje uit de wilde vaart en heeft geen haast. De luchtverbindingen zijn hersteld. Er gaan ook snellere schepen. Het hele, enorme complex van menselijke handel en communicatie is teruggekrabbeld tot een procent of veertig van zijn normale omvang. Tegen het eind van het jaar zal het er wel weer zo'n beetje uitzien als een jaar tevoren. Aan de oppervlakte.

Ik heb deze schuit uitgekozen omdat ik een maand op en aan de zee wilde doorbrengen, waar ik haar stem kan voelen, en er niet overheen glijden in een grote drijvende stad met atoomvoortstuwing of er sneller dan het geluid overheen flitsen. Nee, hier midden in de deining zitten, in de zilte lucht, de aangehouden fluistering, het blauw en groen en grauw. Ik wilde kijken naar het grappige wegscheren van de stormvogels, waarvan het vliegen een soort zingen is; de haastige schittering van de vliegende vissen; de grote, niet zo haastige rugvinnen vol dreiging die soms achter ons aan komen; in de verte het spuiten van kolossen van de zee. Ik wilde de Zuidzeezon de hele warme dag lang over het water zien schijnen, 's avonds haar in onbekommerde pracht zien ondergaan. En dat met het gevoel dat ik me in die zonsondergang bevond, hem niet trachtte in te halen, hem niet tartend toetste met mijn bekrompen begrippen van tijd en beweging. Ik vraag me af of de mens op een gegeven dag tot bedaren zal komen, zijn spanning laten varen, ontdekken dat de eeuwigheid een hele tijd duurt.

Ik zal uit Manila regelrecht een gesprek met je voeren,

277

Drozma, als ik er kans toe zie. Mocht dat moeilijkheden opleveren, dan zul je dit wel eerder ontvangen. Ik wil het zo regelen dat Sharon en Abraham van mijn 'dood' op de hoogte zullen komen op een manier die hun zo min mogelijk verdriet bezorgt en toch geen twijfels oproept. Ze weten dat ik naar Manila ben ... 'voor een soort vakantie en om wat oude vrienden op te zoeken.' Ik heb Abraham eens langs mijn neus weg verteld hoe ik altijd heb gehoopt wanneer mijn tijd gekomen is op zee te zullen sterven: een afstand doen, een zonder graf in de stilte verzinken. Dat was eigenlijk niet waar; ik wil in Noordstad sterven, na nog vele jaren vol belangwekkende bezigheid. Maar het was zo'n mensachtige opvatting waar Abraham wel kon inkomen, en ik had het gezegd om de weg vast te effenen. Ik wil een maand of twee in Manila doorbrengen. Dan neem ik weer een langzaam schip terug naar de Verenigde Staten. Als een van onze verkenningsonderzeeërtjes dat schip eens opwachtte, laten we zeggen op een mijl of dertig van Cavite. Zonder al te veel omhaal zou ik dan 'man overboord' kunnen spelen, en dan denkt Abraham dat de oude baas is omgekomen op de manier die hij altijd al zo graag had gewild. Maar als dat te kostbaar en te ingewikkeld zou worden, Drozma, kunnen we wel een andere kleine list uitwerken wanneer ik contact met je opneem.

Eind april was het ergste achter de rug. Geleidelijk, al was het niet van harte, begon de kromme van de grafiek te zakken. Tegen het einde van mei was het uitgewoed. Er werden geen nieuwe gevallen meer gemeld en de overlevenden merkten dat er in zekere zin nog een beschaving was overgebleven. In hoever het de 'vooruitgang,' waaraan Namir zo'n intense hekel had, heeft teruggedraaid ... ik zou het niet kunnen zeggen. Ik denk dat we er over een jaar of tien enigszins de balans van kunnen opmaken wat het voor het denken van de mens heeft betekend.

Zoals Abraham het wilde, is het alom bekend geworden dat de tragedie door mensen is teweeggebracht. Die informatie is uit een onverwachte hoek losgekomen. Jason Hoddings zoon had een dagboek vol gepijnigde notities aangetroffen, dat de oude man gedurende de laatste weken van zijn werkzaamheden had bijgehouden. Hij gaf het aan de autoriteiten en schoot zich een kogel door het hoofd. Hij moet net als Abraham hebben aangevoeld dat het hier ging om iets dat de mensheid diende te weten; voorts was hij de zoon van een man die goed noch slecht maar wel menselijk was.

Een paar cijfers, zoals ik ze me weet te herinneren. De Verenigde Staten, met een bevolking van meer dan twee-honderd miljoen, heeft tweeënveertig miljoen doden te betreuren. Dat betreft alleen de para; niet inbegrepen zijn degenen die het leven hebben gelaten bij rellen en in de hongersnood waaraan vele bevolkingsconcentraties hebben blootgestaan en die de aanleiding is geweest tot overhaaste evacuaties naar het platteland, waar men er geenzins op was toegerust om de vluchtelingen op te vangen. Ook reken ik dan niet de miljoenen mee die met zware invaliditeit in leven zijn gebleven. Meestal is dat met doofheid, zoals Sharon, maar sommigen hielden er verlamde ledematen aan over, alsof ze polio hadden gehad, en bij anderen was de stem voorgoed verdwenen. Ten slotte waren er nog enkelen – en dan heb ik het nog over duizenden – bij wie het hersenweefsel dusdanig was beschadigd dat ze eigenlijk niet meer tot de levenden konden worden gerekend. Verenigd Europa en ook Zuid-Amerika hebben in ongeveer dezelfde mate te lijden gehad, Afrika en India zelfs nog zwaarder. Interessant was het echter dat er nauwelijks méér doden zijn gevallen in de landen waar de hygiënische verzorging en de medische voorzieningen lang niet het Amerikaanse peil hebben bereikt. In die landen zou het dodental alleen maar iets hoger hebben gelegen doordat de herstellende patiënten er niet de nazorg hebben kunnen krijgen die in rijkere landen beschikbaar was.

De ziekte is zeer zeker ook tot Azië doorgedrongen – dat

weten we in ieder geval. Ze heeft daar ongetwijfeld heviger huisgehouden dan elders, na twee jaar intensieve oorlogvoering. Maar uit satellietwaarnemingen weten we ook dat er nog steeds een soort oorlog voortwoedt, een traag doorvretend iets dat misschien aan het aflopen is maar misschien ook niet. Er is sprake van het zenden van medische reddingsexpedities, met een beschermende legermacht als wegbereider. Ik weet het niet; erg spoedig zou het niet kunnen gebeuren, zeker niet voordat de rest van de wereld even de tijd heeft gehad om zich te herstellen.

Het zal best te doen zijn om Kanton, Moermansk en Wladiwostok, waar de explosieve vernietiging gepaard is gegaan met het gebruik van radioactief kobalt, met een grote boog te omzeilen, maar elke poging tot communicatie is stukgelopen op een mokkende zwijgzaamheid. Voor zover ik weet, zijn alle toegangswegen over land door een zwaar bewaakte verdedigingsgordel afgesneden. Hun radar is goed en ze beschikken nog steeds over middelen: vliegtuigen, luchtdoelartillerie, geleide projectielen, om alle vijandelijke vliegtuigen neer te schieten zonder eerst vragen te stellen; dat doen ze al drie jaar lang. Om daar doorheen te breken zou er een militaire campagne van enorme omvang nodig zijn. Daar heeft de westerse wereld op het ogenblik de fut niet voor. De onderdrukte volken daar zouden het hoogstwaarschijnlijk als een overval beschouwen en die vreemde snoeshanen even grondig haten als hun onderdrukkers. Het zou de logische manier zijn om een einde te maken aan een paranoïde nationale bekrompenheid; maar toch kun je een derde deel van een planeet niet zo maar afschrijven. Vroeg of laat zal het gezonde verstand die barrière moeten slechten, al was het maar voor zijn eigen bestwil.

Wat hebben de vele levensjaren voor jou bewerkstelligd, Drozma? In je brieven zeg je maar weinig over jezelf. Ik weet dat je je op een afstand houdt en beide werelden beschouwt met een helderheid die ik nooit heb weten te bereiken. Ik hoop (al heb je dat nooit beweerd) dat je bestuurlijke beslommeringen lichter zijn geworden en dat je daardoor meer tijd aan meditatie kunt besteden. Ondanks de teisterende epidemie, ondanks de aanhoudende verdeeldheid van de wereld en de grote matheid die overal nog lange tijd zal blijven hangen, geloof ik nog steeds dat er een eenwording mogelijk zal zijn tegen de tijd dat mijn zoon het einde van zijn leven nadert. Dat moeten we bespreken wanneer ik je weerzie, dat en vele ander traag tot rijping komende vruchten van de eeuwen. Ik heb de Minoïsche spiegel aan Sharon en Abraham geschonken; ik dacht dat je je daarmee wel zou kunnen verenigen.

Zij beschikken over de belangrijkste gaven om tot volle wasdom te geraken. Als je eens kon zien hoe Abraham in die winkel de klanten bedient of hoe hij op de verzakte veranda soms richting geeft aan het oeverloze gepraat van jong en oud! Hij heeft zelfs iets van het accent overgenomen, hoewel niemand hem voor een echte Vermonter zal verslijten. Net als overal elders heeft de para er een slachting aangericht, ongeveer honderd doden op een bevolking van nog geen vierhonderd zielen, maar de dorpsgemeenschap is samenhang blijven vertonen en met Vermontse koppigheid hebben de achtergeblevenen de draad van hun fatsoenlijke leven weer opgevat. De eigenaar van de zaak is een oude man, wiens hele familie aan de para ten offer is gevallen. Er is niet meer dan een grauw stukje mens van hem overgebleven, maar zijn geest heeft het niet laten afweten. Hij beschouwt Sharon en Abraham als zijn nieuwe kinderen, en voor zichzelf vraagt hij niet meer dan zo nu en dan in het zonnetje te kunnen zitten mijmeren.

Ze wonen boven de winkel. Eén kamer is al een bibliotheek geworden, en Sharon leest heel wat af . . . 'We blijven hier niet ons hele leven zitten,' heeft Abraham tegenover mij verklaard. Het is een prettige en waarschijnlijk noodzakelijke tijdelijke retraite uit een drukkere wereld. Ze hebben een paar jaar nodig om in alle rust kennis en wijsheid op te doen; Sharon voor het opbouwen van een nieuw leven op de brokstukken van het oude dat haar ontrukt is, Abraham voor het verwerken en doorgronden van het verleden en het heden en om tot nieuwe ontdekkingen en nieuwe initiatieven te komen waarvan ik niet zou durven voorspellen wat ze zullen zijn. Hij had de gebarentaal van de doofstommen eerder onder de knie dan Sharon. Die taal van hem te leren, was een van de eerste stappen die ze deed om uit de wanhoopstoestand te komen waarin ze verstrikt was geraakt. Hij heeft ook andere methodes om de wereld tot haar te brengen. Sharon had nooit veel gelezen; in plaats daarvan had zij haar piano gehad. Nu volgt ze alles waar hij zijn gedachten over laat gaan, en zo kennen ze geen eenzaamheid.

In de wijze waarop hij zich aan haar wijdt, speelt geen verborgen schuldgevoel mee; alleen liefde en de ontvankelijkheid voor het eeuwige mysterie van een andere persoonlijkheid. Hij heeft niet de neiging de schuld voor alle ellende in de wereld op zijn schouders te nemen. Het lijkt me dat hij zichzelf heel eenvoudig beschouwt als een menselijk wezen met mogelijkheden die niet weggegooid of verloren of teniet gedaan moeten worden. Hij heeft in een spiegel leren kijken, Drozma.

Ook is hij weer gaan schilderen, voor zijn genoegen en dat van Sharon en voor wat anderen in zijn werk willen zien. Twee doeken die hij me heeft geschonken, heb ik in een waterdichte koker bij me. Ik zal ze meenemen. Je zou het werk moeten zien waarin hij zijn fantasie op de ondergrondse rivier van Goyalantis heeft losgelaten. Dat schilderij kon ik uiteraard niet van hem aannemen omdat ik wist dat Sharon er nog meer aan was gehecht. En voorzichtig, hoewel niet al te beschroomd, is Sharon zich ook aan het schilderen gaan wijden. Daarbij laat ze zich gedeeltelijk door hem leiden, maar meer nog door haar eigen meeslepende verbeeldingskracht. Het zou tot iets kunnen leiden, maar het is nog te vroeg om er iets definitiefs over te zeggen.

Eenzaam zijn ze nooit.

Alles wat ik je heb medegedeeld, gaat mank aan de jammerlijke ontoereikendheid van woorden. Ik denk aan mijn verslag van 30963 en aan mijn dagboek van dit jaar. Met verbazing bedenk ik steeds weer hoe ingewikkeld de werkelijkheid was, hoe eenzijdig mijn weergave ervan... als de telescopische foto's van Mars die de menselijke fantasie prikkelen met een indruk dat de eigenlijke waarheid nog net buiten bereik blijft. Ik denk aan Latimer, Nieuw-Engelands merkwaardige mengelmoes van het verleden en de toekomst. Ik ruik het weer, ik hoor de straatgeluiden, en toch zijn mijn woorden zwakker geweest dan een foto, terwijl een foto je al zo weinig wijzer zou hebben gemaakt.

Ik denk aan de eerste keer dat ik Angelo Pontevecchio ontmoette. Hoe zou ik een beschrijving kunnen geven van de herkenning die ik met zekerheid in me voelde opkomen toen hij kreupel naar binnen liep, de *Crito* neerlegde en achter zijn moeder die me zo vriendelijk ontving me met de nieuwsgierigheid van een twaalfjarige opnam? Hoe verklaar ik de vaste overtuiging dat ik geconfronteerd was met iets waarvan ik altijd zou houden zonder het ooit te kunnen doorgronden?

Heb ik je een duidelijk beeld van Feuermann geschetst? Of van een van die andere vaten vol verwarrende tegenstrijdigheden die we mensen noemen? Mac, ik zal nooit weten of ik hem gekwetst heb door die stomme tandenborstel te verplaatsen. Die mevrouw Keith, met haar amethisten broche...

Ik zal altijd weer aan Rosa blijven denken, met haar fraaie wenkbrauwen in het ronde gezicht voortdurend een beetje opgetrokken uit verbazing over haar zoon en over de hele wereld.

Ik denk aan Amagoya.

Ik denk ook aan de eerste keer dat ik de Satelliet heb gezien. In Amerika noemen ze hem de Middernachtster. Ik zag hem in het noorden opkomen en aan de hemel voorbijtrekken, niet met de snelheid van een meteoor maar zo op het oog sneller dan alle sterren. De meest dramatische prestatie van de menselijke wetenschap, dacht ik, en ook iets dat boven de wetenschap uitrijst; een helder verlichte vinger die de hemel aftast. Overdag trekt hij onzichtbaar over de Stille Oceaan, maar ik zal hem weerzien wanneer ik naar huis terugkeer.

Ik denk aan de zee, zoals ze eeuwen geleden en zoals ze vanavond was, de zee die voortdurend verandert en toch hetzelfde blijft.

Nooit, wondermooie Aarde – zelfs niet op het hoogtepunt van de stormen die over de mensheid hebben gewoed – heb ik jou vergeten, mijn planeet Aarde, met je bossen en velden, je oceanen, de sereniteit van je bergland; de groene weiden, de altijd stromende rivieren, de onvergankelijke belofte van een terugkerende lente.

BRUNA SCIENCE-FICTION

genetic endowment produces both stability and change in his manifest characteristics in the course of his growth.

As noted in Chapter 3, many physical characteristics that are influenced by heredity (such as, early or late sexual maturing, the timing and extent of the growth spurt, and the distribution of fatty tissue) are not apparent until the adolescent years. These physical characteristics have an important bearing on the adolescent's view of himself and his relationships with others. As noted also in Chapter 3, an inherited predisposition to mental illness may not manifest itself until the adolescent years or later.

On the other hand, temperamental qualities, which are apparent from the time of birth, and which are rooted in genetically-determined biochemical properties of the organism, have the effect of producing stability in the adolescent's personality. The adolescent's inborn temperamental qualities influence not only the way he responds to his environment but also determine to an important degree the nature and structure of his environment through the effects they have on others.

SELF-PERPETUATING ASPECTS OF PERSONALITY DEVELOPMENT

Many personal characteristics, when once established, tend to become firmly established as times goes on. This may be due to the effect a person's characteristics have on others, or to the way the person himself rationalizes or justifies his characteristics, or to a combination of both of these factors.

Social Reinforcement of Personality Traits

In several earlier sections of this book it has been noted that a youngster's characteristics are nourished by the response they evoke in others. For example, an aggressive individual is likely to arouse counteraggression, and this adds fuel to his own aggressiveness. Similarly, a youngster who is socially "outgoing" is more likely than not to create a friendly atmosphere: he invites others to be friendly, and when they respond in kind they support his own friendly tendencies.

Reinforcement Through a Striving for Self-Consistency

A youngster's characteristics are often perpetuated through his own endeavor to maintain a consistent view of himself. The concept of self-consistency has been explored more thoroughly in theoretical studies than in studies tracing the development of children from year to year. But this concept helps to account for much in the adolescent that otherwise would be hard to fathom. The theory that an individual has a strong motive to maintain a consistent view of himself has been set forth by Lecky (1945). The same idea runs through many other writings dealing with the devel·· opment of the self. In earlier chapters of this book there are many illustrations of the need a person has for building what seems to be a reasonable interpretation of himself. An individual tries to construct what to him seems a logical and internally coherent accounting of his feelings and conduct even when in doing so he creates difficulty for himself.

In his striving for self-consistency, a person will perceive and interpret what happens to him in the light of his preconceptions. He will seek experiences that are in keeping with the conception he has of himself. What he chooses to hear and see, or not to hear and see, will be influenced by his desire to maintain beliefs and attitudes he already has formed. Even his memory will abet him, in that he is more likely to remember happenings in his past that accord with a particular view he has of himself. When his memories are not easy to manipulate, he is likely, in what he recalls, to give greatest weight to those which support ideas and attitudes concerning himself that he would like to maintain.

There is something durable, something that persists through time, within each unique personality. When we deal with an adolescent it is important to remember that his personal characteristics, habits, and attitudes have been a long time in the making. They are likely to be tenacious and not easily changed. It is especially important to bear this fact in mind when we deal with adolescents who are in trouble. If we do not, we are likely to demand too much of the adolescent, or to blame him or his parents, or to blame ourselves, when our efforts to help him seem to have little effect.

Capacity for Change

But there is a paradox here. Even though there is a high degree of consistency in the adolescent's personality, and a considerable degree of resistance to change, the typical adolescent also has a capacity for flexibility and great potentiality for changing. Even an adolescent who is severely disturbed emotionally has a capacity for growth and self-repair.

Moreover, some changes occur in the process of maturing. In an earlier chapter we noted that many persons who are delinquents in their teens became less aggressive and settle down as law-abiding citizens some years later.

In addition, changes in the life situation may also bring a change in the manifest aspects of an individual's personality. In a long-term study of a group of young persons, Anderson, Harris *et al.* (1959) found that some children who were rated low in adjustment improved and achieved satisfactory adjustment when they were "on their own and freed from home and school."

Personality Problems

All adolescents have "problems." They cannot live without encountering difficulties and predicaments that are linked with human existence. The adolescent who ventures must accept the risk as well as the promise that goes with each of his ventures. The adolescent who strives to realize his potentialities is bound to meet disappointments and frustrations. The more enterprising he is, the more likely he is to face choices pertaining to the present and the future that involve conflict between contending motives within himself. Such problems are part of the business of living. They are problems neither the "well-adjusted" nor the "maladjusted" can side-step. The only way to avoid them would be to retreat and withdraw from life; but to do that would be to create other problems, for unless the adolescent has been beaten and discouraged to the point of apathy and despair, his urge to live and to do and to venture will be strong.

In addition to the problems that every creature must face as something inseparable from the living of a life, there are some problems that place an additional burden upon the individual adolescent. Such problems prevail when he is not simply laboring with concerns of the present, or struggling with uncertainties about the future, but is still fighting a rear-guard action with his past.

IRRATIONAL HOSTILITY

Adolescents who stand out publicly as seriously disturbed comprise only a small number of those who struggle with unresolved personal problems. In Chapter 9 we noted, for example, the way in which attitudes of hostility make it necessary for the adolescent to refight old battles, as though those who had hurt him in the past had taken lodging in the persons he is dealing with in the present.

When an adolescent attaches old grievances to new persons and to new circumstances, he is not facing the tasks of life in a realistic way. He uses his energy to fight fruitless battles. He may create an enemy where he might have found a friend. The result is that the one who is punished most severely by the adolescent who harbors unresolved attitudes of hostility is the adolescent himself.

ANXIETY

Another condition that has a prominent place among the personality problems of adolescents is anxiety (which was discussed at length in Chapter 10). Probably all adolescents are anxious to some degree. Anxiety may prevail as an inevitable, and even a constructive, response to the predicaments of human existence. But it may also be, and often is, a form of needless suffering and self-defeat.

It is impossible, on the basis of present evidence, to assess how widely self-defeating anxiety prevails in the total adolescent population, for often anxiety is hidden, both from the eyes of the anxious one and from others; it may even appear in the disguise of a virtue. An assessment of the more obvious symptoms of anxiety, known in the literature as "manifest anxiety," indicates that the typical person has many such symptoms.[1]

OTHER PROBLEMS

The typical adolescent is, in many ways, a troubled person. As noted in earlier chapters, and especially Chapter 10, he suffers from a variety of personal problems—such as, currents of self-rejection, worries about the present and the future, and difficulties in his relationships with others.

Although these difficulties place a burden on the typical adolescent's life, they are not so severe that he is unable eventually to assume the normal responsibilities of adult life.

[1] As noted in Chapter 10, in tests of about two thousand college students with a manifest anxiety scale which contained fifty items, Taylor (1953) found that the average score was fifteen.

Reaching for Maturity

Adolescence is a process of maturing, and, if all goes well, the individual will be more "mature" when he enters young adulthood than when he entered the adolescent phase of growth. However, the concept of maturity as related to adolescents should not be regarded as denoting a fixed state or an end point in the process of development. Maturity is a relative term, denoting the degree to which, at any juncture of his life, a person has discovered and is able to employ the resources that become available to him in the process of growth.

Maturity is, in part, a biological product: it is linked with the maturation of the organism. Maturity is also a product of learning: it is only through training, discipline and experience that a person's psychological potentials can be put to use. Maturity is, in addition, a cultural concept, for when we assess a person's maturity we do so, in large measure, in terms of standards and values of the culture in which we live.

In assessing maturity in this or that sphere of life (mental, social, moral, and emotional), it is essential to take account of the level attained by the normal or typical person and also to consider the condition of exceptional persons: those who do not measure up to normal standards and those who exceed these standards. When an adolescent is "immature" (for example, is more dependent than most persons of his own age or has "childish" moral standards) one question we face (among others) is how he came to be that way: is it because of inherent limitations or because of unfortunate upbringing or both? When an adolescent far exceeds normal standards, he provides a model of what a person with a superior endowment or with an optimum environment within a given culture, or a combination of these, can achieve. This model is a valuable one, for in defining the goals and desirable outcomes of adolescent development it is important to know not only what is *probable* under ordinary circumstances but also what is *possible* under the best circumstances.

INTELLECTUAL MATURING

As noted in Chapter 6, one aspect of maturing in the intellectual sphere appears in an increase, with age, in the abilities that are measured by intelligence tests. This increase normally continues through the teens and probably into the twenties. In the college group, seniors are likely to earn higher average mental test scores than they earned as freshmen (Shuey, 1948; Owens, 1953). During the teens and twenties and for several years thereafter, if all goes well, there also is likely to be a continuing increase in knowledge gained from experience, an increase in judgment, common sense, and what we refer to as "horse sense."

Another aspect of intellectual maturity consists of ability to deal with generalizations and to apply abstract principles, to master logical principles and to learn to apply them to specific cases, at least in some areas.

The capacity for creative thinking apparently continues to increase well beyond the twenties, as measured by the age at which persons who have gained distinction in science, literature, the arts and other fields, made their first contributions (Lehman, 1953). Since it takes time and opportunity to complete a creative task, it is possible that the underlying creative abilities reached their peak well in advance of the time when these persons first gained distinction. In some areas a few noteworthy creative persons made their first contribution before the age of twenty. But in practically all areas far more made their first noteworthy contribution in their twenties, thirties, forties or beyond.

PHYSICAL MATURING

Although adolescents differ considerably in the timing of various physical developments such as the growth spurt and the onset of the menarche, most of them have reached the major developments leading to physical maturity by the time they reach the age of twenty.

MORAL MATURING

According to available findings, the typical adolescent does not appear to show a steadily increasing degree of "moral maturity" during the teenage years, or even while attending college.

Ideally, from the point of view of a moral philosopher, the growing person would move toward "moral autonomy," with an internalized set of moral standards, convictions, and commitments. He would apply his moral principles in a rational way, with due regard for his social responsibilities. Also, ideally, a "morally mature" young person would be able, in passing judgment on others, to take account of their motives and intentions and the extenuating circumstances.

Actually as we have noted in Chapter 18, many of the moral decisions made in late adolescence are based on conformity and expediency. There is no reason to believe, however, that in this respect adolescents differ from the typical adult.

MATURING OF SELF-INSIGHT

There are some indications that young persons, during the course of adolescence, acquire an increasing insight into themselves. But the evidence on this score is very fragmentary. We do not know what the typical adolescent actually achieves by way of insight or what he potentially might achieve.

Here and there in earlier chapters we have noted that during the course of adolescence, or soon thereafter, many persons assume a more "mature" view of themselves. In the chapter on vocational development, Dr. Nicholas pointed out that many young persons in the late teens are more realistic in their thinking about their vocational plans than they were at an earlier age. In Chapter 16 we noted that a study by Sanford (1957) indicated that seniors in a woman's college were more inclined to examine their values and had more insight into themselves than they displayed as freshmen.

In this earlier chapter we also noted that students who took part in an investigation by Jervis and Congdon (1958) named growth in self-understanding as one of the most important objectives in college education; but the investigators report that "the only objective the students felt was being inadequately met was self-understanding." Apparently these students regarded a gain in self-understanding as something that potentially *could* be achieved even though they were disappointed in what they actually did gain.

Steps Toward Emotional Maturing

Much of what is said in this concluding statement discusses a kind of emotional maturity toward which the adolescent is moving if he is realizing his possibilities.

SOME CULTURAL ASPECTS OF EMOTIONAL MATURITY

From a cultural point of view an adolescent is emotionally mature if he conforms to the stereotype of maturity prevailing in the culture in which he lives.

In one of the pioneer efforts to define emotional maturity as related to adolescence, Hollingworth (1928) notes that many of the tests of fitness for manhood and womanhood in ancient pubic ceremonies were tests of the capacity to suffer. The assumption underlying them seems to have been that one who has fortitude and who can endure pain silently and without protest is a mature person.

The "mature" lad in Sparta would be one who could suffer intense pain without flinching or crying for help. But in another culture such a person might be regarded as having a childish notion of what it means to be mature.

In one cultural group a "mature" man has many wives and perhaps is looking for more, while in another cultural group it is a sign of immaturity when a man, once he has got a woman, keeps chasing after others.

According to one set of standards, the person who is most rigorously competitive, and who is best able to sustain both the defeats and the triumphs of competition, is the most mature, while in another group it is not the one who is most competitive but the one who is most cooperative who is the most mature.

PSYCHOLOGICAL MEANINGS OF MATURITY

In naming what she regarded as mature behavior, Hollingworth (1928) stated that the emotionally mature person is (1) *capable of gradations or degrees of emotional response.* He does not respond in all-or-none fashion but is moderate and keeps within bounds. He is also able (2) *to delay his responses;* he does not act impulsively as a young child would. He shows his maturity also in (3) *his handling of self-pity;* he does not show unrestrained pity for himself but feels no sorrier for himself than others would feel for him.

Other earlier accounts of the meaning of emotional maturity have stressed the ability to bear tension, outgrowing of adolescent moodiness and sentimentality, and an indifference toward certain kinds of happenings that would arouse the emotions of a child or an adolescent but should not arouse an adult.

These accounts describe some aspects of self-control which, in our culture, we more or less take for granted as characteristics of a mature person. However, maturing emotionally does not mean simply to control emotion or to keep a lid on feeling. Maturing emotionally also means an ability to use emotional resources to get satisfaction from enjoyable things; to love and to accept love; to experience anger when faced with thwartings that would arouse the temper of any reasonable person; to accept and to realize the meaning of the fear that arises when one faces frightening things, without needing to put on a false mask of courage; to reach out and to seek what life might offer, even though to do so means to face the possibility of gain and of loss, of enjoyment and of grief.[2]

CAPACITY FOR GIVING AS WELL AS TAKING

When all goes well, persons who are biologically able to beget children are also emotionally able to devote themselves to the care of children. There are, of course, young people who have the biological capacity for becoming fathers or mothers without possessing a psychological capacity for fatherly or motherly feeling. By contrast, a person may be capable of intense motherly or fatherly feeling even though he or she does not happen to have fathered or mothered a son or a daughter. Deutsch (1944–1945) has pointed out that a woman, for example, can be a "psychological mother" even though, being childless, she is not a "biological mother."

The development of the capacity to give makes it possible for a father or mother to watch over a child in spite of fatigue and discomfort. It is this development that makes it possible for teachers to be *psychological* mothers or fathers and to devote themselves wholeheartedly to their students. It is a development that will help the adolescents as they move into adulthood to be devoted to each other as husbands and wives in spite of the difficulties and frictions that occur in every marriage.

If this aspect of emotional development has not taken place during childhood, adolescence, and early adulthood, the job of being a parent or of assuming the role of a substitute parent (a role teachers and many

[2] For other accounts of the meanings of maturity see Saul (1947), Cole (1959), and Allport (1961).

others occupy) will be a burden, and the task of having relations with people in the world at large will be filled with countless grievances and frustrations.

INCREASING REALISM IN APPRAISING PEOPLE

One aspect of emotional maturing is an increasing ability to see people as real persons, to perceive and appreciate the humanity of others, not to expect the good person to be a perfect saint nor the bad person to be an all-out sinner.

With allowance for many lapses, the adolescent as he matures may be able to perceive, without becoming cynical, that even the teacher he likes best is a human being who has weaknesses. He will realize that the pastor in his church, who urges his flock to be charitable, has his own uncharitable moments. He will recognize that the school psychologist, who helps others to cope with their anxieties, also has anxieties of his own. He will suspect (if he gets around, is astute in his observations) that the marriage counselor, after a hard day's work, sometimes goes home and quarrels with his wife, and the psychiatrist (if the town can afford one) at times shows rejection of a son or daughter. He may even suspect that the nutritionist at school now and then has a hot fudge sundae with whipped cream when she should be eating spinach.

An immature person might respond to such signs of human frailty as something to blame and he might take the line that, when others thus are less than perfect, he has a moral right to be a great deal less than perfect.

REVIEWING OF HOPES AND ASPIRATIONS

During the period of adolescence young people face the task of bringing their hopes into line with the realities of life. If all goes well a process of selecting and discarding takes place, and while hopes run high in some youngsters, others are called upon to make the kind of emotional adjustment that is required when plans that are visionary must be abandoned or reduced to a humbler scale. The process of trimming hopes and expectations is, of course, not limited to adolescence. For many persons it continues far into the years of adult life, and for some it begins much earlier in life.

TOLERANCE OF ALONENESS

As adolescents mature, many of them must be able to tolerate a feeling of being alone when they reach for independence, or what they regard as their independence. Some, in pursuing their own interests and working for goals they consider important, run the risk of being thought "queer," and queer people often are lonely people. For some, to be lonely is a condition which, although uncomfortable, is less painful, as they see it, than to follow the crowd on its own terms. Younger children, too, know what it is to be lonely, but they have more freedom to seek comfort from others.

INCREASED CAPACITY FOR COMPASSION

Much of what has been said in this and earlier chapters suggests that compassion is the ultimate and most meaningful embodiment of emotional maturity. It is through compassion that a person achieves the highest peak and deepest reach in his search for self-fulfillment.[3]

Compassion means fellowship of feeling. It denotes a capability of entering the feelings involved in emotional experiences—joy or sorrow, anger or fear, pride or shame, hope or despair. To be compassionate means to be able to appreciate some of the personal meanings and the subjective reality of emotion—another's emotion, one's own emotion. To be compassionate a person must be able to enter into his own feelings, absorb them, and draw upon them. Only to the extent that he has the strength and freedom to experience the quality of his own feelings and to be at home with them can he respond with feeling to what someone else is experiencing.

To be compassionate, a person must be able to bear the brunt of an emotion, to feel its sharp edge, to taste its bitterness or sweetness, and then tolerate it, sustain it, and harbor it long enough to accept its meaning and to enter into a fellowship of feeling with the one who is moved by the emotion. This is the heroic feature of compassion: to be able to face the ravage of rage, the impact of fear, the tender promptings of love, and then to encompass these in a larger context that involves an accept-

[3] This section is built largely on some of the author's earlier efforts to explore the meaning of emotional maturity (1954, 1955).

ance of these feelings and an appreciation of what they mean to the one who experiences them.

To be compassionate means to partake in passion, to participate in feeling rather than viewing it as a spectator might. Compassion has a greater sweep than anger, love, or fear, since it incorporates these emotions in a larger context of feeling.

To be compassionate is not simply to be sympathetic, tender, or thin-skinned. To be compassionate a person has to be tough. The thin-skinned person turns anxiously away when confronted with pain, sorrow, or anxiety of another. Or he hastily tells the other "Don't cry," "Keep a stiff upper lip," "Don't take it so hard," not because this will help the other person but because the other's tears are threatening to him and because he cannot endure seeing someone else tremble with fear or give way to anger. To be compassionatae, one must have enough ruggedness to endure these emotions. Compassion is not the emotion of the weak but the hard-gotten property of the strong.

But compassion is not all toughness. A compassionate person responds to joy as well as to anger or fear. Moreover, he has a certain delicacy of response which enables him, at least sometimes and with some persons, to detect feeling even though it is not violently expressed.

A central and essential feature of compassion can perhaps best be expressed by the idea of *acceptance*. The compassionate person accepts emotion as a condition that prevails in himself and in others. He does not take the attitude, in advance, that some emotions (such as anger or fear) are bad and should be rooted out, and that some emotions (such as cheerfulness) are good and should be encouraged. He accepts the fact of emotion in himself and others without having an immediate and over-ruling impulse to defend, to attack, to excuse, to blame or condone. He accepts himself as a person who gets angry and accepts this fact for what it is worth, without having an instantaneous impulse to snuff out his anger or to feel guilty about it. Acceptance of emotion means accepting oneself and others as having a capacity for tender feelings, erotic feelings, feelings tied to a desire for recognition, and so on.

The concept of acceptance, as used here, does not refer to self-pity or smugness or license to give way to any and all kinds of emotional outbursts. To accept oneself as one who has the right to be angry or afraid does not mean that every time one is angry one will automatically conclude that the anger is justified or the fear well grounded.

The one who is free to experience his feelings does not necessarily allow himself unlimited freedom in the expression of feeling. He does not go about openly spilling his emotions all over the place. While free to feel, he is also able to think and to plan and to perceive what is fitting. Freedom to feel is not to be confused with irresponsibility. This point is emphasized here because, in discussing the concept of emotional maturity with adolescents and adults, the writer has found that many persons have been so conditioned to the idea that emotions should be "controlled" that they seem to feel that it is unwise and even dangerous to question the idea that control in itself is a virtue.

In trying to act in a responsible way, a person does not suppress a show of emotion simply because he considers such suppression in itself a worthy thing. He will realize that there are times when to show fear might be frightening to others and so, if he is able to conceal his fear he will do so. But he will also realize that there are times when to show fear is heartening to others who are frightened.

In another connection the writer (1955) has used anger to illustrate what is meant by compassion. To be compassionate with one who is angry means that one allows oneself to enter in the meaning of this anger. It does not mean that at the moment of compassion one becomes as angry as the angry person (if one did, rage, not compassion, would be the primary emotion). It does not mean that one feels sorry for the angry one (one might feel sorry, but that is not the essence of compassion); nor that one deplores the anger (although one might rightly, as a separate consideration, feel that the anger is deplorable); nor that one feels that the angry person would be justified in feeling far more angry than he actually is (one might, as a matter of independent judgment, have this impression, but that is not the same as compassion).

To be compassionate with one who is angry means to know, in an emotional way, the nature of anger and the meaning it has for the one who is angry. To feel compassion for one who is lonely or hungry or jealous or sad or sexually aroused means that one has drawn upon one's own resources for experiencing what these emotions, moods, and appetites mean.

Sharp differences in this ability to perceive the feelings of others can sometimes be observed when we associate with adolescents. Almost any young person can perceive distress when he comes upon a child who is weeping or a crippled beggar who piteously asks for help. But one who can draw upon a capacity for compassion does not need to meet distress in so naked a form to perceive it. He may be able to perceive it in a person who is silent and expressionless, who is not pointedly displaying the fact that he is lonely or anxious or beaten down by rejection at home or by failure at school. He may even be able to perceive that when the feelings of such a troubled person do burst forth they may look and sound more like anger than pain. He may be able to perceive, further, that this "anger" may be directed not against a tormentor, but against a friendly person.

The ability to pierce the disguises of feeling, to detect a vein of anxiety or grief beneath what seems to be angry or "fresh" and impudent behavior, and to feel moved by the hurt that is concealed is one of the most hard-won properties of compassion.

How capable, we might ask, are young people of achieving compassion? We have few scientific data bearing on this question. We do not know what the "norm" is. But now and then one can observe an adolescent who can see the distress that is concealed under the camouflage of bitterness, spitefulness, bullying, sarcasm, and cruelty in the behavior of their elders and peers.

This matter of compassion is something that adolescents cannot learn from books. One does not mature emotionally at second hand. In this respect there is a difference between intellectual and emotional development. In the intellectual sphere, one can, to a large degree, appropriate to oneself what others have experienced and put into words. One can have a pretty thorough knowledge of ancient Rome without having been there; one can have an intellectual picture of ancient Greece without having seen it. In mathematics, chemistry, and all other sciences, if one has enough brain power, one can grasp and incorporate as one's own the meanings others have found in painstaking discoveries. One learns that the earth is round and does not have to go through the struggle, still less the persecution, of those who proved the earth was not flat.

But there are no such short-cuts in the emotional sphere. Each generation can, if it will, pick up the intellectual legacies of the past; but in the emotional sphere each generation must, in a sense, start from the beginning.

In his emotional development each child is a pioneer. He can, as he grows older, absorb to some extent from the poets some of the feeling that has gone into the building of the world up until his time; he can catch certain overtones and undertones of anguish and hope, joy and sorrow, anger and fear, in the great literature and the great paintings that have been bequeathed to the young people of his generation. But to realize the meaning of emotion, he must experience it at first hand. He can never know what it is to *feel* simply by reading. He cannot know pain and suffering simply by seeing the expression of pain in a great painting.

Love will forever be a colorless thing to him until he has a chance to experience it directly.

The emotional maturity we speak of here as compassion is hard won. No wealth can buy it. One can go to the best schools and miss it. One cannot send a proxy into the struggle and gain it through him. It is something distinctly intimate and personal. It is had only through direct personal involvement. There are elements of compassion one can possess only at the price of pain. There are other elements that one can possess only through having known the meaning of joy. But the full tide of compassion comes from all the streams of feeling that flow through human existence.

Bibliography

Abernethy, E. M., 1925. "Correlations in Physical and Mental Growth," *Journal of Educational Psychology,* **16,** 458–466, 539–546.

———, 1936. *Relationships Between Mental and Physical Growth,* Monographs of the Society for Research in Child Development, **I,** No. 7. Washington, D.C.: National Research Council.

Abraham, W., 1957. "A Hundred Gifted Children," *Understanding the Child,* **6,** 116–120.

Abt, L. E., and L. Bellak, 1950. *Projective Psychology.* New York: Knopf.

Adler, A., 1929. *Understanding Human Nature.* Garden City, L.I.: Garden City.

Adorno, T. W., E. Frenkel-Brunswik, D. J. Levinson, and R. N. Sanford, 1950. *The Authoritarian Personality.* New York: Harper.

Allen, E. A., 1960. "Attitudes of Children and Adolescents in School," *Educational Research,* **3,** 65–80.

Allport, G. W., 1950a. "Foreword," in M. G. Ross, *Religious Beliefs of Youth.* New York: Association Press.

———, 1950b. "Prejudice: A Problem in Psychological and Social Causation," *Journal of Social Issues,* Supplementary Series, No. 4.

———, 1961. *Pattern and Growth in Personality.* New York: Holt, Rinehart and Winston.

————, J. M. Gillespie, and J. Young, 1948. "The Religion of the Postwar College Student," *Journal of Psychology*, 25, 3–33.

————, and B. M. Kramer, 1946. "Some Roots of Prejudice," *Journal of Psychology*, 22, 9–39.

————, and P. E. Vernon, 1931. *A Study of Values*. Boston: Houghton Mifflin.

Almy, M., 1962. "Intellectual Mastery and Mental Health," *Teachers College Record*, 63, No. 6, 468–478.

Alschuler, R. H., and L. A. Hattwick, 1943. "Easel Painting as an Index of Personality in Preschool Children," *American Journal of Orthopsychiatry*, 13, 616–626.

Amatora, Sister Mary, 1957. "Developmental Trends in Pre-adolescence and in Early Adolescence," *Journal of Genetic Psychology*, 91, 89–97.

Ames, L. B., J. Learned, R. W. Metraux, and R. N. Walker, 1952. *Child Rorschach Responses: Developmental Trends from Two to Ten Years*. New York: Paul B. Hoeber.

Ammons, R. B., 1950. "Reactions in a Projective Doll-Play Interview of White Males Two to Six Years of Age to Differences in Skin Color and Facial Features," *Journal of Genetic Psychology*, 76, 323–341.

Anastasi, A., N. Cohen, and D. Spatz, 1948. "A Study of Fear and Anger in College Students Through the Controlled Diary Method," *Journal of Genetic Psychology*, 73, 243–249.

Anderson, H. H., and G. L. Anderson (eds.), 1951. *An Introduction to Projective Techniques and Other Devices for Understanding the Dynamics of Human Behavior*. Englewood Cliffs, N.J.: Prentice-Hall.

————, 1954. "Social Development," Chapter 19, pp. 1162–1215 in *Manual of Child Psychology*, 2nd edition, L. Carmichael (ed.). New York: John Wiley.

Anderson, J. E., 1939. "The Limitations of Infant and Preschool Tests in Measurement of Intelligence," *Journal of Psychology*, 8, 351–379.

————, and D. B. Harris, *et al.*, 1959. *A Survey of Children's Adjustment Over Time*. Institute of Child Development and Welfare: University of Minnesota.

Angelino, H., J. Dollins, and E. Mech, 1956. "Trends in the Fears and Worries of School Children as Related to Socio-economic Status and Age," *Journal of Genetic Psychology*, 89, 263–276.

Antrobus, J. S., 1962. "Patterns of Dreaming and Dream Recall," Doctor of Philosophy dissertation (in progress), Teachers College, Columbia University.

Aserinsky, E., and N. Kleitman, 1953. "Regularly Occurring Periods of Eye Motility, and Concomitant Phenomena, During Sleep," *Science*, 118, 273–274.

Ausubel, D. P., 1958. *Theory and Problems of Child Development*. New York: Grune and Stratton.

————, E. E. Balthazar, I. Rosenthal, L. S. Blackman, S. H. Schpoont, and J. Welkowitz, 1954. "Perceived Parent Attitudes as Determinants of Children's Ego Structure," *Child Development*, 25, 173–183.

Baker, H. V., 1942. *Children's Contributions in Elementary School General Discussions*. Child Development Monographs, No. 29. New York: Teachers College, Columbia University.

Baldwin, A. L., J. Kalhorn, and F. H. Breese, 1945. *Patterns of Parent Behavior*. Psychological Monographs, **58**, No. 3. Evanston, Ill.: American Psychological Association.

Bantel, E., 1956. "Attitudes Revealed by Students Participating in a College Course Designed to Provide Opportunities for Understanding of Self and Others," unpublished Doctor of Education dissertation, Teachers College, Columbia University.

Barker, M. E., 1946. *Personality Adjustments of Teachers Related to Efficiency in Teaching*. New York: Bureau of Publications, Teachers College, Columbia University.

Bartlett, F., 1959. *Thinking*. New York: Basic Books, Inc.

Bath, J. A., and E. C. Lewis, 1962. "Attitudes of Young Female Adults Toward Some Areas of Parent-Adolescent Conflict," *Journal of Genetic Psychology*, **100**, 241–253.

Battin, T. C., 1954. *TV and Youth*, National Association of Radio and Television Broadcasters.

Bayley, N., 1933. *Mental Growth During the First Three Years: A Developmental Study of Sixty-One Children by Repeated Tests*, Genetic Psychology Monographs, **14**, No. 1.

————, 1940. "Mental Growth in Children," *Yearbook of the National Society for the Study of Education*, **39**, 11–47.

————, 1941. "Body Build in Adolescents Studied in Relation to Rates of Anatomical Maturing with Implications for Social Adjustment," *Psychological Bulletin* (Abstract), **38**, 378.

————, 1943. "Skeletal Maturing in Adolescence as a Basis for Determining Percentage of Completed Growth," *Child Development*, **14**, 1–46.

————, 1949. "Consistency and Variability in the Growth of Intelligence from Birth to Eighteen Years," *Journal of Genetic Psychology*, **75**, 165–196.

————, 1954. "Some Increasing Parent-Child Similarities During the Growth of Children," *Journal of Educational Psychology*, **45**, 1–21.

————, 1956. "Individual Patterns of Development," *Child Development*, **27**, 45–74.

————, and M. C. Jones, 1941. "Some Personality Characteristics of Boys with Retarded Skeletal Maturity," *Psychological Bulletin* (Abstract), **38**, 603.

————, and M. H. Oden, 1955. "The Maintenance of Intellectual Ability in Gifted Adults," *Journal of Gerontology*, **10**, 71–107.

Beck, S. J., 1937. *Introduction to the Rorschach Method: A Manual of Personality Study*. Research Monograph of the American Orthopsychiatric Association No. 1. Menasha, Wis.: American Orthopsychiatric Association.

Beekman, E., 1947. "What High School Seniors Think of Religion," *Religious Education*, **42**, 333–337.

Beier, E. G., and F. Ratzeburg, 1953. "The Parental Identification of Male and Female College Students," *Journal of Abnormal Social Psychology,* 48, 569–572.

Beilin, H., 1952. "Factors Affecting Occupational Choice in a Lower Socioeconomic Group," unpublished Doctor of Philosophy dissertation, Teachers College, Columbia University.

———, 1955. "The Application of General Developmental Principles to the Vocational Area," *Journal of Counseling Psychology,* 2, 53–57.

———, 1956. "The Pattern of Postponability and its Relation to Social Class Mobility," *Journal of Social Psychology,* 44, 33–48.

Bender, L., and J. Frosch, 1942. "Children's Reactions to the War," *American Journal of Orthopsychiatry,* 12, 571–586.

Berdie, R. F., 1944. "Factors Related to Vocational Interests," *Psychological Bulletin,* 41, 137–157.

Berezin, D., 1959. "An Inquiry into the Temperamental Differences of Infants Noted by Their Boarding Mothers in Adoption Studies," unpublished Doctor of Education dissertation, Teachers College, Columbia University.

Berg, I. A., 1953. "Personality Structure and Occupational Choice," *Personnel and Guidance Journal,* 32, 151–154.

Berger, E. M., 1952. "The Relation Between Expressed Acceptance of Self and Expressed Acceptance of Others," *Journal of Abnormal Social Psychology,* 47, 778–782.

Bilhuber, G., 1927. "Functional Periodicity and Motor Ability in Sports," *American Physical Education Review,* 32, 22–25.

Bills, R. E., E. L. Vance, and O. S. McLean, 1951. "An Index of Adjustment and Values," *Journal of Consulting Psychology,* 15, 257–261.

Binger, C., 1961. "The Pressures on College Girls Today," *Atlantic Monthly,* 207, No. 2, 40–44.

Birns, B., 1962. "Constancy of Response to External Stimuli in the Neonate," Doctor of Philosophy dissertation (in progress), Teachers College, Columbia University.

Bjerre, P., 1925. "The Way to and From Freud," *Psychoanalytic Review.* 12, 39–66.

———, 1936. *Das Traumen als Heilungsweg der Selle.* Zurich: Rascher.

Blatz, W. E., and D. A. Millichamp, 1937. "The Mental Growth of the Dionne Quintuplets," University of Toronto Studies, Child Development Series, No. 12, in W. E. Blatz *et al., Collected Studies of the Dionne Quintuplets.* Toronto, Canada: University of Toronto Press.

Blau, P. M., J. W. Gustad, R. Jessor, H. S. Parnes, and R. C. Wilcock, 1956. "Occupational Choice: A Conceptual Framework," *Industrial and Labor Relations Review,* 9, 531–543.

Block, V. L., 1937. "Conflicts of Adolescents with Their Mothers," *Journal of Abnormal and Social Psychology,* 32, 193–206.

Blum, L. H., H. H. Davidson, and N. D. Fieldsteel, 1954. *A Rorschach Workbook.* New York: International Universities Press.

Boas, F., 1932. "Studies in Growth," *Human Biology,* 4, 307–350.

Bonar, H. S., 1942. "High School Pupils List Their Anxieties," *School Review*, 50, 512–515.

Bond, A., 1961. "Grandmothers' Attitudes and Mothers' Concerns," unpublished Doctor of Philosophy dissertation, Teachers College, Columbia University.

Bond, H. M., 1960. "Wasted Talent," pp. 116–137 in *The Nation's Children, Vol. 2, Development and Education*, E. Ginzberg (ed.). New York, Columbia University Press.

Bonney, M. E., 1943a. "The Constancy of Sociometric Scores and Their Relationship to Teacher Judgments of Social Success and to Personality Ratings," *Sociometry*, 6, 409–424.

———, 1943b. "The Relative Stability of Social, Intellectual, and Academic Status in Grades II to IV, and the Interrelationships Between These Various Forms of Growth," *Journal of Educational Psychology*, 34, 88–102.

———, 1943c. "Personality Traits of Socially Successful and Socially Unsuccessful Children," *Journal of Educational Psychology*, 34, 449–472.

———, 1946. "A Sociometric Study of Some Factors to Mutual Friendships on the Elementary, Secondary, and College Levels," *Sociometry*, 9, 21–47.

———, 1947. "Sociometric Study of Agreement Between Teacher Judgments and Student Choices; in Regard to the Number of Friends Possessed by High School Students," *Sociometry*, 10, 133–146.

Bonsall, M. R., and B. Stellfre, 1955. "The Temperament of Gifted Children," *California Journal of Educational Research*, 6, No. 4, 162–165.

Boodish, H. A., 1953. "Educating the Whole Child," *Social Studies*, 44, 187–189.

Bordin, E. S., 1943. "A Theory of Vocational Interests as Dynamic Phenomena," *Educational and Psychological Measurement*, 3, 49–65.

Bossard, J. H. S., and E. S. Boll, 1943. *Family Situations*. Philadelphia: University of Pennsylvania Press.

Bousfield, W. A., 1940. "Students' Ratings of Qualities Considered Desirable in College Professors," *School and Society*, 51, 253–256.

Boyd, W. C., 1953. *Genetics and the Races of Man*. Boston: Little, Brown.

Bradley, N. C., 1947. "The Growth of the Knowledge of Time in Children of School-Age," *British Journal of Psychology*, 38, 67–78.

Bradway, K. P., 1944. "IQ Constancy on the Revised Stanford-Binet from the Preschool to the Junior High School Level," *Journal of Genetic Psychology*, 65, 197–217.

Brandt, R. M., 1958. *The Accuracy of Self Estimate: A Measure of Self-Concept Reality*. Genetic Psychology Monographs, 58, 55–99.

Bretsch, H. S., 1952. "Social Skills and Activities of Socially Accepted and Unaccepted Adolescents," *Journal of Educational Psychology*, 43, 449–458.

Briggs, V., and L. R. Schulz, 1955. "Parental Response to Concepts of Parent-Adolescent Relationships," *Child Development*, 26, 279–284.

Bromley, D. D., and F. H. Britten, 1938. *Youth and Sex: A Study of 1300 College Students.* New York: Harper.

Bruch, H., 1940. "Obesity in Childhood. III. Physiologic and Psychologic Aspects of the Food Intake of Obese Children," *American Journal of Disturbed Children,* 59, 739.

————, 1947. "Physiological Aspects of Obesity," *Psychiatry,* 10, 373.

Bruder, E. E., 1952. "Psychotherapy and Some of Its Theological Implications," *Journal of Pastoral Care,* 6, 28.

Bryant, L. W., 1957. "Exploratory Psychology Course for Teen-Agers," *National Association of Secondary School Principals Bulletin,* 41, 75–79.

Buhler, C., 1931. "Zum Probleme der sexuellen Entwicklung," *Z. Kinderheilkunst,* 51, 612–642.

————, 1952. "The Diagnostic Problem in Childhood Schizophrenia," *Nervous Child,* 10, 60–62.

Burchinal, L. G., 1959a. "Adolescent Role Deprivation and High School Marriage," *Marriage and Family Living,* 21, 378–384.

————, 1959b. "Does Early Dating Lead to School-Age Marriages?" *Iowa Farm Science,* 13, No. 8, 11–12.

————, 1959c. "How Successful Are School-Age Marriages?" *Iowa Farm Science,* 13, No. 9, 7–10.

————, 1960a. "Research on Young Marriage: Implications for Family Life Education," *The Family Life Coordinator,* IX (1–2, September–December), 6–24.

————, 1960b. "School Policies and School-Age Marriages," *The Family Life Coordinator,* VIII, No. 3, 43–47.

————, and L. Chancellor, 1958. "What About School-Age Marriages?" *Iowa Farm Science,* 12, No. 12, 12–14.

Burks, B. S., D. W. Jensen, L. M. Terman *et al.,* 1930. *The Promise of Youth: Follow-Up Studies of One Thousand Gifted Children. Genetic Studies of Genius,* Vol. III. Stanford, Calif.: Stanford University Press.

Busemann, A., 1926. *Die Jugend im eigenen Urteil.* Langensalza.

Byrns, R., 1939. "Relation of Vocational Choice to Mental Ability and Occupational Opportunity," *School Review,* 47, 101–109.

Cannon, K. L., 1958. "Stability of Sociometric Scores of High School Students," *Journal of Educational Research,* 52, 43–48.

Carlson, T. E., and C. P. Williams, 1959. *Guide to the National Defense Education Act of 1958* (revised edition). U. S. Department of Health, Education, and Welfare. Washington, D.C.: U. S. Government Printing Office.

Carp, F. M., 1949. "High School Boys Are Realistic About Occupations," *Occupations,* 28, 97–101.

Carter, H. D., 1940. "The Development of Vocational Attitudes," *Journal of Consulting Psychology,* 4, 185–191.

————, 1944a. *Vocational Interests and Job Orientation.* Stanford, Calif.: Stanford University Press. (Published for American Association for Applied Psychology.)

————, 1944b. "The Development of Interest in Vocations," pp. 255–276 in *43d Yearbook of the National Society for the Study of Education,* Part I, *Adolescence,* N. B. Henry (ed.). Chicago: University of Chicago Press.

Casler, L., 1961. *Maternal Deprivation: A Critical Review of the Literature.* Monographs of the Society for Research in Child Development, 26 (2), Serial No. 80.

Cavan, R. S., and G. Beiling, 1958. "A Study of High School Marriages," *Marriage and Family Living,* 20, 293–295.

Centers, R., 1949. *The Psychology of Social Classes.* Princeton, N.J.: Princeton University Press.

Chess, S., and A. Thomas, 1959. "The Importance of Nonmotivational Behavior Patterns in Psychiatric Diagnosis and Treatment," *Psychiatric Quarterly,* 33, 326–334.

————, A. Thomas, and H. B. Birch, 1959. "Characteristics of the Individual Child's Behavorial Responses to the Environment," *American Journal of Orthopsychiatry,* 29, 791–802.

Christensen, H. T., 1947. "Student Views on Mate Selection," *Marriage and Family Living,* 9, 85–88.

————, 1952. "Dating Behavior as Evaluated by High-School Students," *American Journal of Sociology,* 57, 580–586.

Clay, H. M., 1954. "Changes of Performance With Age on Similar Tasks of Varying Complexity," *British Journal of Psychology,* 45, 7–13.

Coffield, K. E., and T. L. Engle, 1960. "High School Psychology: A History and Some Observations," *American Psychologist,* 15, 350–352.

Cogan, M., 1961. "Self-Understanding Through College Programs of Physical Education for Men," unpublished Doctor of Education dissertation, Teachers College, Columbia University.

Cohen, E. E., 1962. "The Employment Needs of Urban Youth," *The Vocational Guidance Quarterly,* 10, 85–89.

Cole, L., 1959. *Psychology of Adolescence,* 5th edition. New York: Rinehart and Co.

Coleman, J. S., 1959. "Academic Achievement and the Structure of Competition," *Harvard Educational Review,* 29, 330–351.

Collignon, M., 1960. "Conquête de L'Autonomie et Taille D'Après les Appréciations de Garçons et de Filles de 12 à 15 Ans" (Conquest of Autonomy and Height According to the Judgments of Boys and Girls 12 to 15 Years of Age), *Enfance,* No. 3, 291–319.

Conn, J. H., 1940. "Children's Reactions to the Discovery of Genital Differences," *American Journal of Orthopsychiatry,* 10, 747–755.

Connolly, P. C., 1945. *The Unquiet Grave.* New York: Harper.

Connor, R., T. B. Johannis, Jr., and J. Walters, 1954. "Parent-Adolescent Relationships. I. Parent-Adolescent Conflicts: Current and Retrospect," *Journal of Home Economics,* 46, 183–186.

Corsini, R. J., and K. K. Fassett, 1953. "Intelligence and Aging," *Journal of Genetic Psychology,* 83, 249–264.

Counts, G. S., 1925. "The Social Status of Occupations: A Problem in Vocational Guidance," *School Review,* 33, 16–27.

Cowell, C. C., 1935. "An Abstract of a Study of Differentials in Junior High School Boys Based on the Observation of Physical Education Activities, A Study of 'Fringers' vs. 'Actives,' " *Research Quarterly,* VI, No. 4, 129–136.

Cowen, E. L., J. Landes, and D. E. Schaet, 1958. "The Effects of Mild Frustration on the Expression of Prejudiced Attitudes," *Journal of Abnormal and Social Psychology,* 58, 33–38.

Cox, C. M., 1946. "Gifted Children," pp. 886–953 in *Manual of Child Psychology,* L. Carmichael (ed.). New York: Wiley.

Crampton, C. W., 1908. "Physiological Age—a Fundamental Principle, I," *American Physical Education Review,* 13, 141, 154.

Crespi, L. P., and A. E. Stanley, 1948–49. "Youth Looks at the Kinsey Report," *Public Opinion Quarterly,* 12, 687–696.

Crist, J. R., 1953. "High School Dating as a Behavior System," *Marriage and Family Living,* 15, 23–28.

Criswell, J. H., 1939. *A Sociometric Study of Race Cleavage in the Classroom.* Archives of Psychology, No. 235.

Cruickshank, W. M., and G. O. Johnson (eds.), 1958. *Education of Exceptional Children and Youth.* Englewood Cliffs, N.J.: Prentice-Hall.

Cureton, T. K., 1943. "The Unfitness of Young Men in Motor Fitness," *Journal of the American Medical Association,* 123, 69–74.

Curry, E. T., 1946. "Voice Changes in Male Adolescents," *Laryngoscope,* 56, 795–805.

Dailey, J. T., and M. F. Shaycoft, 1961. *Types of Tests in Project Talent.* U. S. Department of Health, Education and Welfare, Cooperative Research Monograph No. 9. Washington, D.C.: U. S. Government Printing Office.

Darley, J. G., and T. Hagenah, 1955. *Vocational Interest Measurement Theory and Practice.* Minneapolis: University of Minnesota Press.

Davenport, C. B., 1923. *Body-Build and Its Inheritance.* Washington, D.C.: Carnegie Institution.

Davidson, P. E., and H. D. Anderson, 1937. *Occupational Mobility in an American Community.* Stanford, Calif.: Stanford University Press.

Davis, A., and R. J. Havighurst, 1952. "Social Class and Color Differences in Child-Rearing," in *Readings in Social Psychology* (rev. ed.), G. E. Swanson, T. M. Newcomb, and E. L. Hartley (eds.). New York: Holt.

Davis, K., 1952. "Divorce," Chapter XII in *Readings in Marriage and the Family,* J. T. Landis and M. G. Landis (eds.). Englewood Cliffs, N.J.: Prentice-Hall.

Dawson, G. E., 1900. "Children's Interest in the Bible," *Pedagogical Seminary,* 7, 151–178.

Deeg, M. E., and D. G. Paterson, 1947. "Changes in Social Status of Occupations," *Occupations,* 25, 205–208.

de Laszio, V., 1953. "The Goal in Jungian Psychotherapy," *British Journal of Medical Psychology*, 26, 3–14.

Dement, W., 1960. "The Effect of Dream Deprivation," *Science*, 131, No. 3415, 1705–1707.

———, and N. Kleitman, 1957a. "Cyclic Variations in EEG During Sleep and Their Relation to Eye Movements, Body Motility, and Dreaming," *Electroencephalography and Clinical Neurophysiology*, 9, 673–690.

———, 1957b. "The Relation of Eye Movements During Sleep to Dream Activity: An Objective Method for the Study of Dreaming," *Journal of Experimental Psychology*, 53, 339–346.

———, and E. A. Wolpert, 1958a. "Relationships to the Manifest Content of Dreams Occurring on the Same Night," *Journal of Nervous and Mental Disease*, 126, No. 6, 568–578.

———, 1958b, "The Relation of Eye Movements, Body Motility, and External Stimuli to Dream Content," *Journal of Experimental Psychology*, 55, No. 6, 543–553.

Demos, G. D., 1960. "Attitudes of Student Ethnic Groups on Issues Related to Education," *California Journal of Educational Research*, 11, 204–206.

Dennis, W., 1960. "Causes of Retardation Among Institutional Children: Iran," *Journal of Genetic Psychology*, 96, 47–59.

Deutsch, H., 1944–45. *The Psychology of Women*, 2 vols. New York: Grune and Stratton.

Dillon, H. J., 1949. *Early School Leavers*. New York: National Child Labor Committee. Publication No. 401.

Dillon, M. S., 1934. "Attitudes of Children Toward Their Own Bodies and Those of Other Children," *Child Development*, 5, 165–176.

Dimock, H. S., 1937. *Rediscovering the Adolescent*. New York: Association Press.

Dodge, A. F., 1943. "What Are the Personality Traits of the Successful Teacher?" *Journal of Applied Psychology*, 27, 325–337.

Dolger, L., and J. Ginandes, 1946. "Children's Attitudes Toward Discipline as Related to Socioeconomic Status," *Journal of Experimental Education*, 15, 161–165.

Doll, R. C., 1947. "High-School Pupils' Attitudes Toward Teaching Procedures," *School Review*, 55, 222–227.

Dorfman, R. I., W. W. Greulich, and C. I. Solomon, 1937. "The Excretion of Androgenic and Estrogenic Substances in the Urine of Children," *Endocrinology*, 21, 741–743.

Douvan, E., and J. Adelson, 1958. "The Psychodynamics of Social Mobility in Adolescent Boys," *Journal of Abnormal and Social Psychology*, 56, 31–44.

Dresden, K. W., 1948. "Vocational Choices of Secondary Pupils," *Occupations*, 27, 104–106.

Drews, E. M., 1957. "A Four-Year Study of 150 Gifted Adolescents." A report presented to the American Psychological Association, December, 1957 (mimeographed).

———, 1961. "A Critical Evaluation of Approaches to the Identification of

Gifted Students," Chapter 9 in *Measurement and Research in Today's School,* A. E. Traxler (ed.). Washington, D.C.: American Council on Education.

Dudycha, G. J., 1933. "The Religious Beliefs of College Students," *Journal of Applied Psychology,* **17,** 585–603.

———, 1950. "The Religious Beliefs of College Freshmen in 1930 and 1949," *Religious Education,* **45,** 165–169.

———, and M. M. Dudycha, 1933a. "Some Factors and Characteristics in Childhood Memories," *Child Development,* **4,** 265–278.

———, 1933b. "Adolescents' Memories of Preschool Experiences," *Journal of Genetic Psychology,* **42,** 468–480.

Dunlap, J. M., 1958. "The Education of Children with High Mental Ability," pp. 147–188 in *Education of Exceptional Children and Youth,* W. M. Cruickshank and G. O. Johnson (eds.). Englewood Cliffs, N.J.: Prentice-Hall.

Ebert, E., and K. Simmons, 1943. *The Brush Foundation Study of Child Growth and Development: I. Psychometric Tests.* Monographs of the Society for Research in Child Development, **8,** No. 2.

Eckstrom, R. B., 1959. *Experimental Studies of Homogeneous Grouping.* Princeton, N.J.: Educational Testing Service (April).

Eels, K. W., 1951. *Intelligence and Cultural Differences.* Chicago: University of Chicago Press.

Ehrmann, W., 1952. "Dating Behavior of College Students," *Marriage and Family Living,* **14,** 322–326.

———, 1959. *Premarital Dating Behavior.* New York: Henry Holt.

Eichorn, D. H., 1959. "Two-Generation Similarities in Weight, Height and Weight/Height During the First Five Years." Reported at the Twenty-fifth Anniversary Meeting, Society for Research in Child Development, National Institutes of Health, Bethesda, Md., March 10, 1959.

Ekstrom, G. F., 1946. "Why Farm Children Leave School," *School Review,* **54,** 231–237.

Elder, R. A., 1949. "Traditional and Developmental Conceptions of Fatherhood," *Marriage and Family Living,* **11,** 98–100, 106.

Elias, L. J., 1949. *High School Youth Look at Their Problems.* Pullman, Wash.: State College of Washington.

Ellis, A., 1949a. "A Study of Human Love Relationships," *Journal of Genetic Psychology,* **75,** 61–71.

———, 1949b. "Some Significant Correlates of Love and Family Attitudes and Behavior," *Journal of Social Psychology,* **30,** 3–16.

———, 1953. "From the First to the Second Kinsey Report, 2," *International Journal of Sexology,* **3,** 64–72.

Engel, M., 1959. "Stability of the Self-Concept in Adolescence," *Journal of Abnormal and Social Psychology,* **58,** 211–215.

Engle, T. L., 1947. "Psychology: Pupils in Six High Schools Compare the Value of the Subject with that of Six Other Fields," *Clearing House,* **21,** 469–473.

————, 1950. "An Analysis of High School Textbooks in Psychology," *School Review, 58,* 343–347.

————, 1951. "A National Survey of the Teaching of Psychology in High Schools," *School Review,* 59, 464–471.

————, 1952a. "Teaching of Psychology in High Schools," *American Psychologist,* 7, 31–35.

————,1952b. "Attitude of Teachers and Pupils Toward a High School Course in Psychology," *National Association of Secondary School Principals Bulletin,* 36, 145–151.

————, 1955. "Psychology as a High-School Science," *Science Teacher,* 22, 235–237.

————, 1956. "High School Psychology," *Contemporary Psychology,* 1, 140–143.

————, 1957. "High-School Psychology Courses as Related to University Psychology Courses," *National Association of Secondary School Principals Bulletin,* 41, 38–42.

————, and M. E. Bunch, 1956. "The Teaching of Psychology in High School," *American Psychologist,* 11, 188–193.

Ephron, B. K., 1953. *Emotional Difficulties in Reading: A Psychological Approach to Study Problems.* New York: Julian Press.

Espenschade, A., 1940. *Motor Performance in Adolescence.* Monographs of the Society for Research in Child Development, 5, No. 1.

Evans, H. M., *et al.,* 1950. "Cooperative Research and Curriculum Improvement," *Teachers College Record,* 51, 410–474.

Fauquier, W., 1940. "The Attitudes of Aggressive and Submissive Boys Toward Athletics," *Child Development,* 11, 115–125.

————, and J. Gilchrist, 1942. "Some Aspects of Leadership in an Institution," *Child Development,* 13, 55–64.

Feinberg, M. R., 1953. "Relation of Background Experience to Social Acceptance," *Journal of Abnormal and Social Psychology,* 48, 206–214.

————, M. Smith, and R. Schmidt, 1958. "An Analysis of Expressions Used by Adolescents at Varying Economic Levels to Describe Accepted and Rejected Peers," *Journal of Genetic Psychology,* 93, 133–148.

Fey, W. C., 1955. "Acceptance by Others and Its Relation to Acceptance of Self and Others: a Revaluation," *Journal of Abnormal Social Psychology,* 50, 274–276.

Finger, F. N., 1947. "Sex Beliefs and Practices Among Male College Students," *Journal of Abnormal Social Psychology,* 42, 57–67.

Fisher, B., 1953. "Group Therapy with Retarded Readers," *Journal of Educational Psychology,* 44, 354–360.

Flanagan, J. C., J. T. Dailey, M. F. Shaycoft, W. A. Borham, D. B. Orr, and I. Goldberg, 1962. *Design for a Study of American Youth.* Boston: Houghton Mifflin

Fleege, U. H., 1945. *Self-Revelations of the Adolescent Boy.* Milwaukee, Wis.: Bruce.

Flory, C. D., 1936a. *Osseous Development in the Hand as an Index of Skeletal Development*. Monographs of the Society for Research in Child Development, **I**, No. 3.

————, 1936b. *The Physical Growth of Mentally Deficient Boys*. Monographs of the Society for Research in Child Development, **I**, No. 6.

Ford, C. S., and F. A. Beach, 1951. *Patterns of Sexual Behavior*. New York: Harper.

Foshay, A. W., 1951. "The Teacher and Children's Social Attitudes," *Teachers College Record*, 52, 287–296.

Frank, L. K., 1949. "Projective Methods for the Study of Personality," *Journal of Psychology*, 8, 389–413.

————, R. Harrison, E. Hellersberg, K. Machover, and M. Steiner, 1953. *Personality Development in Adolescent Girls*. Monographs of the Society for Research in Child Development, **XVI**, No. 53, 1951.

Franzblau, A. N., 1934. *Religious Belief and Character Among Jewish Adolescents*. Contributions to Education, No. 634. New York: Bureau of Publications, Teachers College, Columbia University.

Freeman, F. A., and C. D. Flory, 1937. *Growth in Intellectual Ability as Measured by Repeated Tests*. Monographs of the Society for Research in Child Development, **II**, No. 2.

Frenkel-Brunswik, E., 1951. "Patterns of Social and Cognitive Outlook in Children and Parents," *American Journal of Orthopsychiatry*, 21, 543–558.

Freud, A., 1937. *The Ego and the Mechanisms of Defense*. London: Hogarth Press.

————, 1955. "Safeguarding the Emotional Health of Our Children—An Inquiry into the Concept of the Rejecting Mother," *Child Welfare*, 34, 1–4.

————, and S. Dann, 1951. "An Experiment in Group Upbringing," *The Psychoanalytic Study of the Child*, Vol. 6, pp. 127–168. New York: International Universities Press.

Freud, S., 1936. *The Problem of Anxiety*. New York: Norton.

————, 1950. *The Interpretation of Dreams*. (Translated by A. A. Brill.) New York: Modern Library.

————, 1953. *Collected Papers*. (Translated under supervision of Joan Riviere.) London: Hogarth Press.

Friedman, K. C., 1944a. "Time Concepts of Elementary School Children," *Elementary School Journal*, 44, 337, 342.

————, 1944b. "Time Concepts of Junior and Senior High School Pupils and of Adults," *School Review*, 52, 233–238.

Friedmann, E. A., and R. J. Havighurst, 1954. *The Meaning of Work and Retirement*. Chicago: University of Chicago Press.

Friend, J. G., and E. A. Haggard, 1948. *Work Adjustment in Relation to Family Background*. Applied Psychology Monographs, No. 16. Stanford, Calif.: Stanford University Press. (Published for American Psychological Association.)

Fromm, E., 1947. *Man for Himself*. New York: Rinehart.

————, 1950. *Psychoanalysis and Religion*. New Haven, Conn.: Yale University Press.

————, 1951. *The Forgotten Language*. New York: Rinehart.

Fryer, D., 1922. "Occupational Intelligence Standards," *School and Society*, **16**, 273–277.

Fuller, J. L., and W. R. Thompson, 1960. *Behavior Genetics*. New York: Wiley.

Gallup, G., 1954a. " 'Americans Express Almost Universal Belief in God'; 'What's Behind the Revival of Religious Interest in America? II,' " December 18, 1954. Princeton, N.J.: American Institute of Public Opinion.

————, 1954b. " 'How Well Do You Know the Bible?' 'What's Behind the Revival of Religious Interest in America? III,' " December 19, 1954. Princeton, N.J.: American Institute of Public Opinion.

————, and E. Hill, 1961. "Youth: the Cool Generation," *Saturday Evening Post*, December 22–30, pp. 63–80.

Garfinkle, S. H., 1958. "Marriage and Careers for Girls," *The Vocational Guidance Quarterly*, **6**, 146–148.

Garn, S. M., 1960. "Growth and Development," pp. 24–42 in *The Nation's Children, Vol. 2, Development and Education*, E. Ginzberg (ed.). New York: Columbia University Press.

Gates, G. S., 1926. "An Observational Study of Anger," *Journal of Experimental Psychology*, **9**, 325, 336.

Gesell, A., 1928. *Infancy and Human Growth*. New York: Macmillan.

Getzels, J. W., and P. W. Jackson, 1960. "The Study of Giftedness: A Multidimensional Approach," *The Gifted Student*, Cooperative Research Monographs, No. 2, U. S. Office of Education, Washington, D.C., pp. 1–18.

Gilbert, H. H., 1931. "High-School Students' Opinions on Reasons for Failure in High-School Subjects," *Journal of Educational Research*, **23**, 46–49.

Gilbert, J. C., 1941. "Memory Loss in Senescence," *Journal of Abnormal and Social Psychology*, **36**, 73–86.

Gilliland, A. R., 1940. "The Attitude of College Students Toward God and the Church," *Journal of Social Psychology*, **11**, 11–18.

Ginzberg, E., 1948. "Sex and Class Behavior," pp. 131–145 in *About the Kinsey Report*, D. P. Geddes and E. Curie (eds.). New York: New American Library of World Literature.

————, S. W. Ginsburg, S. Axelrad, and J. L. Herma, 1951. *Occupational Choice, an Approach to a General Theory*. New York: Columbia University Press.

Gips, C., 1956. "How Illness Experiences Are Interpreted by Hospitalized Children," unpublished Doctor of Education dissertation, Teachers College, Columbia University.

Glick, P. C., and E. Landau, 1950. "Age as a Factor in Marriage," *American Sociological Review*, **15**, 517–529.

Glueck, S., and E. Glueck, 1940. *Juvenile Delinquents Grown Up.* New York: The Commonwealth Fund.

———, 1950. *Unraveling Juvenile Delinquency.* Cambridge, Mass.: Harvard University Press.

Goldberg, M., 1959. "A Three Year Experimental Program at De Witt Clinton High School to Help Bright Underachievers," *High Points,* Board of Education of the City of New York (January), pp. 5–35.

———, 1962. "Research on the Gifted." Mimeographed report, Horace Mann–Lincoln Institute of School Experimentation, Teachers College, Columbia University, March, 1962.

———, L. G. Gotkin, and A. J. Tannenbaum, 1959. "Cultural, Social and Personal Factors Influencing Talent Fruition." Mimeographed report, Horace Mann–Lincoln Institute of School Experimentation, Teachers College, Columbia University.

Goldberg, M., and A. H. Passow, 1961. "The Effects of Ability Grouping" (First Draft), Talented Youth Project, *Interim Reports,* Horace Mann–Lincoln Institute of School Experimentation, Teachers College, Columbia University.

Goldfarb, W., 1943. "The Effects of Early Institutional Care on Adolescent Personality," *Journal of Experimental Education,* 12, No. 2, 106–129.

Goldstein, K., and M. Scheerer, 1941. *Abstract and Concrete Behavior: An Experimental Study with Special Tests.* Psychological Monographs, 53, No. 2.

Goodenough, D., A. Shapiro, M. Holden, and L. Steinschriber, 1959. "A Comparison of 'Dreamers' and 'Nondreamers': Eye Movements, Electro-encephalograms, and the Recall of Dreams," *Journal of Abnormal and Social Psychology,* 59, 295–302.

Goodenough, F. L., 1928. "The Relation of the Intelligence of Preschool Children to the Occupations of Their Fathers," *American Journal of Psychology,* 40, 284–294.

———, and M. M. Maurer, 1942. *The Mental Growth of Children from Two to Fourteen.* Minneapolis: University of Minnesota Press.

Gottesman, I. I., 1962. "Differential Inheritance of Psychoneuroses." Paper read at annual meeting of the American Institute of Biological Sciences, Corvallis, Oregon, August 30, 1962.

Gough, H. G., D. B. Harris, W. E. Martin, and M. Edwards, 1950. "Children's Ethnic Attitudes: I. Relationship to Certain Personality Factors," *Child Development,* 21, 83–91.

Gowan, J. C., 1955. "The Underachieving Gifted Child, A Problem for Everyone," *Journal of Exceptional Children,* 21, 247–249.

Grace, G. L., and H. A. Grace, 1952. "The Relationship Between Verbal Behavioral Measures of Values," *Journal of Educational Research,* 46, 123–131.

Gragg, W. L., 1949. "Some Factors Which Distinguish Drop-outs from High School Graduates," *Occupations,* 27, 457–459.

Grant, V. W., 1948. "A Major Problem of Human Sexuality," *Journal of Social Psychology,* 28, 79–101.

Greulich, W. W., *et al.*, 1938. *A Handbook of Methods for the Study of Adolescent Children*. Monographs of the Society for Research in Child Development, III, No. 2.

——, 1942. *Somatic and Endocrine Studies of Puberal and Adolescent Boys*. Monographs of the Society for Research in Child Development, VII, No. 3.

Grigg, A. E., 1959. "Childhood Experience with Parental Attitudes: A Test of Roe's Hypothesis," *Journal of Counseling Psychology*, 6, 153–155.

Gronlund, N. E., 1953. "Relationships Between the Sociometric Status of Pupils' and Teachers' Preferences for or Against Having Them in Class," *Sociometry*, 16, 142–150.

——, and L. Anderson, 1957. "Personality Characteristics of Socially Accepted, Socially Neglected, and Socially Rejected Junior High School Pupils," *Educational Administration and Supervision*, 43, 329–339.

——, and W. S. Holmlund, 1958. "The Value of Elementary School Sociometric Status Scores for Predicting Pupils' Adjustment in High School," *Educational Administration and Supervision*, 44, 255–260.

Grunes, W. F., 1956. "On Perception of Occupations," *Personnel and Guidance Journal*, 34, 276–279.

——, 1957. "Looking at Occupations," *Journal of Abnormal and Social Psychology*, 54, 86–92.

Guilford, J. P., 1950. "Creativity," *American Psychologist*, 5, 444–454.

——, 1959. "Three Faces of Intellect," *American Psychologist*, 14, 469–479.

——, and P. R. Merrifield, 1960. *The Structure of Intellect Model: Its Uses and Implications (Rep. Psychol. Lab., No. 24)*. Los Angeles: University of Southern California.

——, R. C. Wilson, and P. R. Christensen, 1952. *A Factor-Analytic Study of Creative Thinking. II. Administration of Tests and Analysis of Results (Rep. Psychol. Lab., No. 8)*. Los Angeles: University of Southern California.

——, and D. J. Lewis, 1951. *A Factor-Analytic Study of Creative Thinking. I. Hypotheses and Description of Tests*. Los Angeles: University of Southern California.

Gurin, G. J., J. Veroff, and S. Feld, 1960. *Americans View Their Mental Health: A Nationwide Interview Survey*. Joint Commission on Mental Illness and Health, Monograph Series, No. 4. New York: Basic Books.

Gutheil, E. A., 1951. *The Handbook of Dream Analysis*. New York: Liveright.

Habbe, S., 1935. "Nicknames of Adolescent Boys," *American Journal of Orthopsychiatry*, 7, 371–377.

Hadfield, J. A., 1954. *Dreams and Nightmares*. London: Penguin Books.

Hagen, D., 1960. "Careers and Family Atmosphere: An Empirical Test of Roe's Theory," *Journal of Counseling Psychology*, 7, 251–256.

Hall, C., 1953. *The Meaning of Dreams*. New York: Dell.

Halverson, H. M., 1940. "Genital and Sphincter Behavior of the Male Infant," *Journal of Genetic Psychology*, 56, 95–136.

Hamilton, G. V., 1929. *A Research in Marriage*. New York: A. and C. Boni.

Harding, J., B. Kutner, H. Proshansky, and I. Chein, 1954. "Prejudice and Ethnic Relations," Chapter 27 in *Handbook of Social Psychology*, Vol. II, G. Lindzey (ed.). Cambridge, Mass.: Addison-Wesley.

Harlow, H. F., 1958. "The Nature of Love," *American Psychologist*, 13, 673–685.

———, 1962. "The Heterosexual Affectional System in Monkeys," *American Psychologist*, 17, 1–9.

Harris, C. W., and M. R. Liba (eds.), 1960. *Encyclopaedia of Educational Research*, 3rd edition. New York: Macmillan.

Harris, D. B., 1959. "Sex Differences in the Life Problems and Interests of Adolescents, 1935 and 1957," *Child Development*, 30, 453–459.

———, H. G. Gough, and W. E. Martin, 1950. "Children's Ethnic Attitudes: II. Relationship to Parental Beliefs Concerning Child Training," *Child Development*, 21, 169–181.

Harrower, M. R., 1934. "Social Status and the Moral Development of the Child," *British Journal of Educational Psychology*, 1, 75–95.

Hart, F. W., 1934. *Teachers and Teaching*. New York: Macmillan.

Hartley, E. L., 1946. *Problems in Prejudice*. New York: King's Crown Press.

Havighurst, R. J., 1953. *Human Development and Education*. New York: Longmans, Green.

———, and F. H. Breese, 1947. "Relation Between Ability and Social Status in a Mid-western Community. III, Primary Mental Abilities," *Journal of Educational Psychology*, 38, 241–247.

———, M. Z. Robinson, and M. Dorr, 1946. "The Development of the Ideal Self in Childhood and Adolescence," *Journal of Educational Research*, 40, 241–257.

———, and H. Taba, 1949. *Adolescent Character and Personality*. New York: John Witty.

Healy, W., and A. F. Bronner, 1936. *New Light on Delinquency and Its Treatment*. New Haven, Conn.: Yale University Press.

Heath, C. W., and L. W. Gregory, 1946. "Problems of Normal College Students and Their Families," *School and Society*, 63, 355–358.

Hecker, S. E., 1953. "Early School Leavers in Kentucky," *Bulletin of the Bureau of School Services*, College of Education, University of Kentucky, 25 (4), 1–74.

Helfant, K., 1952. "The Teaching of Psychology in High Schools: A Review of the Literature," *School Review*, 60, 467–473.

Helper, M. M., 1958. "Parental Evaluations of Children and Children's Self-Evaluations," *Journal of Abnormal Social Psychology*, 56, 190–194.

Hertzman, J., 1948. "High School Mental Hygiene Survey," *American Journal of Orthopsychiatry*, 18, 238–256.

Hess, R. D., and I. Goldblatt, 1957. "The Status of Adolescents in American Society: A Problem in Social Identity," *Child Development*, 28, 459–468.

Hetzer, H., 1959. "Der Körper in der Selbstdarstellung von Kinder im Jahre 1926 und im Jahre 1957 (The Body in Self-Descriptions of Children in 1926 and 1957), *Zeitschrift für Experimentale und Angewandte Psychology*, 6, 15–21.

Hicks, J. A., and M. Hayes, 1938. "Study of the Characteristics of 250 Junior High School Children," *Child Development*, 9, 219–242.

Hill, D. S., 1930. "Personification of Ideals by Urban Children," *Journal of Social Psychology*, 1, 379–392.

Hill, M. C., 1957. "Research on the Negro Family," *Marriage and Family Living*, 19, 25–31.

Hirsch, S. G., 1955. *The Fears Men Live By*. New York: Harper.

Hoch, P., and J. Zubin (eds.), 1950. *Anxiety*. New York: Grune and Stratton.

Holden, G. S., 1961. "Scholastic Aptitude and the Relative Persistence of Vocational Choice," *Personnel and Guidance Journal*, 40, 36–41.

Holland, J. L., 1959. "A Theory of Vocational Choice," *Journal of Counseling Psychology*, 6, 35–44.

Hollingshead, A., 1949. *Elmtown's Youth*. New York: John Wiley.

Hollingworth, L. S., 1914. *Functional Periodicity, an Experimental Study of the Mental and Motor Abilities of Women During Menstruation*. Contributions to Education, No. 69. New York: Teachers College, Columbia University.

——, 1926. *Gifted Children: Their Nature and Nurture*. New York: Macmillan.

——, 1928. *Psychology of the Adolescent*. New York: D. Appleton-Century.

——, 1939. "What We Know About the Early Selection and Training of Leaders," *Teachers College Record*, 40, 575–592.

——, 1942. *Children Above 180 IQ: Origin and Development*, H. L. Hollingworth (ed.). Yonkers, N.Y.: World Book Company.

Honzik, M. P., 1938. "The Constancy of Mental Test Performance During the Preschool Period," *Journal of Genetic Psychology*, 52, 285–302.

——, 1957. "Developmental Studies of Parent-Child Resemblance in Intelligence," *Child Development*, 28, 215–228.

Horney, K., 1939. *New Ways in Psychoanalysis*. New York: Norton.

——, 1945. *Our Inner Conflicts*. New York: Norton.

——, 1946. *Growth Through Love and Sex*. New York: Auxiliary Council to the Association for the Advancement of Psychoanalysis.

——, 1950. *Neurosis and Human Growth*. New York: Norton.

Horrocks, J. E., and B. A. Wear, 1953. "An Analysis of Interpersonal Choice Relationships of College Students," *Journal of Social Psychology*, 38, 87–98.

Ichheiser, G., 1947. "Projection and the Mote-Beam Mechanism," *Journal of Abnormal and Social Psychology*, 42, 131–133.

Inhelder, B., and J. Piaget, 1958. *The Growth of Logical Thinking from Childhood to Adolescence*. New York: Basic Books.

Isaacs, S., 1933. *Social Development in Young Children*. New York: Harcourt.

Jacob, P. E., 1957. *Changing Values in College: An Exploratory Study of the Impact of College Teaching*. New York: Harper.
James, Wm., 1910. *Psychology, Briefer Course*. New York: Henry Holt.
Jameson, S. H., 1941. "Adjustment Problems of University Girls Arising From the Urge for Recognition and New Experience," *Journal of Social Psychology*, 144, 129–144.
Jennings, H. H., 1937. "Structure of Leadership," *Sociometry*, 1, 99–143.
———, 1947. "Leadership and Sociometric Choice," *Sociometry*, 10, 32–49.
Jenson, P. G., and W. K. Kirchner, 1955. "A National Answer to the Question, 'Do Sons Follow Their Fathers' Occupations?' " *Journal of Applied Psychology*, 39, 419–421.
Jersild, A. T., 1940. "Characteristics of Teachers Who Are 'Liked Best' and 'Disliked Most,' " *Journal of Experimental Education*, 9, No. 2, 139–151.
———, 1951. "Self-Understanding in Childhood and Adolescence," *American Psychologist*, 6, 122–126.
———, 1952. *In Search of Self*. New York: Bureau of Publications, Teachers College, Columbia University.
———, 1954. "Emotional Development," Chapter 14 in *Manual of Child Psychology*, 2nd edition, L. Carmichael (ed.). New York: Wiley.
———, 1955. *When Teachers Face Themselves*. New York: Bureau of Publications, Teachers College, Columbia University.
———, 1960. *Child Psychology*, 5th edition. Englewood Cliffs, N.J.: Prentice-Hall.
———, and S. F. Bienstock, 1934. "A Study of the Development of Children's Ability to Sing," *Journal of Educational Psychology*, 25, 481–503.
———, and K. Helfant, 1953. *Education for Self-Understanding*. New York: Bureau of Publications, Teachers College, Columbia University.
———, and F. B. Holmes, 1935. *Children's Fears*. New York: Bureau of Publications, Teachers College, Columbia University.
———, E. Lazar, and A. Brodkin, 1962. *The Meaning of Psychotherapy in the Teacher's Life and Work*. New York: Bureau of Publications, Teachers College, Columbia University.
———, F. V. Markey, and C. L. Jersild, 1933. *Children's Fears, Dreams, Wishes, Daydreams, Likes and Dislikes, Pleasant and Unpleasant Memories*. Child Development Monographs, No. 12. New York: Teachers College, Columbia University.
———, and M. F. Meigs, 1943. "Children at War," *Psychological Bulletin*, 40, No. 8, 541–573.
———, and R. J. Tasch, 1949. *Children's Interests*. New York: Bureau of Publications, Teachers College, Columbia University.
———, E. S. Woodyard, and C. del Solar, 1949. *Joys and Problems of Child Rearing*. New York: Bureau of Publications, Teachers College, Columbia University.

Jervis, F., 1954. "Self Description Inventory," Counseling Service University of New Hampshire, Durham, New Hampshire.

———, 1958. "The Meaning of a Positive Self-Concept," unpublished Doctor of Philosophy dissertation, Teachers College, Columbia University.

Jervis, F. M., and R. G. Congdon, 1958. "Student and Faculty Perceptions of Educational Values," *American Psychologist,* 13, 464–466.

Johnson, A. H., 1958. "The Responses of High School Seniors to a Set of Structured Situations Concerning Teaching as a Career," *Journal of Experimental Education,* 26, 263–314.

Jones, H. E., 1943. *Development in Adolescence.* New York: Appleton-Century.

———, 1949a. *Motor Performance and Growth.* Berkeley, Calif.: University of California Press.

———, 1949b. "Adolescence in Our Society" from "Anniversary Papers of the Community Service Society of New York," pp. 70–82 in *The Family in a Democratic Society.* New York: Columbia University Press.

———, 1959. "Intelligence and Problem-solving," Chapter 20, pp. 700–738 in *Handbook of Aging and the Individual,* J. M. Birren (ed.). Chicago: University of Chicago Press.

———, and H. S. Conrad, 1933. *The Growth and Decline of Intelligence: A Study of Homogeneous Group Between the Ages of Ten and Sixty.* Genetic Psychology Monographs, 13, No. 3.

Jones, M. C., 1960. "A Comparison of the Attitudes and Interests of Ninth-grade Students over Two Decades," *Journal of Educational Psychology,* 51, 175–186.

———, and N. Bayley, 1950. "Physical Maturing Among Boys as Related to Behavior," *Journal of Educational Psychology,* 41, 129–148.

———, and P. H. Mussen, 1958. "Self-Conceptions, Motivations, and Interpersonal Attitudes of Early- and Late-Maturing Girls," *Child Development,* 29, 491–501.

Jones, V., 1954. "Character Development in Children—An Objective Approach," Chapter 13 in *Manual of Child Psychology,* 2nd edition, L. Carmichael (ed.). New York: John Wiley.

Jourard, S. M., and R. M. Remy, 1955. "Perceived Parental Attitudes, the Self and Security," *Journal of Consulting Psychology,* 19, 364–366.

Jung, C. G., 1933. *Modern Man in Search of a Soul.* New York: Harcourt.

———, 1953. *Collected Works. Volume 12. Psychology and Alchemy.* New York: Pantheon Press.

Kahl, J. A., 1953. "Educational Aspirations of 'Common Man' Boys," *Harvard Educational Review,* 23, 186–203.

Kallman, F. J., 1953. *Heredity in Health and Mental Disorder.* New York: Norton.

Kaplan, D. M., and W. Goodrich, 1957. "A Formulation for Interpersonal Anger," *American Journal of Orthopsychiatry,* 27, 387–395.

Katz, D., and F. H. Allport, 1931. *Students' Attitudes: A Report of the*

Syracuse University Reaction to Study. Syracuse, N.Y.: The Craftsman Press.

Katz, R. L., 1953. "Aspects of Pastoral Psychology and the Rabbinate," *Jewish Social Service Quarterly,* 29, 367–373.

Kay, H., 1955. "Some Experiments on Adult Learning," pp. 259–267 in *Old Age in the Modern World.* London: E. and S. Livingstone.

Kierkegaard, S., 1940. *Stages on Life's Way.* Translated by W. Lowrie. Princeton, N.J.: Princeton University Press.

———, 1941. *Sickness Unto Death.* Translated by W. Lowrie. Princeton, N.J.: Yale University Press.

———, 1944. *The Concept of Dread.* Translated by W. Lowrie. Princeton, N.J.: Yale University Press.

———, 1949. *Either/Or.* Translated by W. Lowrie. Princeton, N.J.: Princeton University Press.

Kimball, B., 1953. "Case Studies in Educational Failure During Adolescence," *American Journal of Orthopsychiatry,* 23, 405–415.

Kimmins, C. W., 1915–16a. "The Interests of London Children in the War at Different Ages," *Journal of Experimental Pedagogy,* 3, 145–152.

———, 1915–16b. "The Interests of London Children at Different Ages in Air Raids," *Journal of Experimental Pedagogy,* 3, 225–236.

Kinsey, A. C., W. B. Pomeroy, and C. E. Martin, 1948. *Sexual Behavior in the Human Male.* Philadelphia: W. B. Saunders.

———, 1953. *Sexual Behavior in the Human Female.* Philadelphia: W. B. Saunders.

Klineberg, O., 1935. *Negro Intelligence and Selective Migration.* New York: Columbia University Press.

———, 1938. "The Intelligence of Migrants," *American Sociological Review,* 3, 218–224.

———, 1953. "Cultural Factors in Personality Adjustment of Children," *American Journal of Orthopsychiatry,* 23, 465–471.

Klopfer, B., 1937. "The Technique of the Rorschach Performance," *Rorschach Research Exchange,* 2, 1–14.

———, et al., 1956. *Developments in the Rorschach Technique.* Yonkers, N.Y.: World Book Company.

———, and D. McG. Kelley, 1946. *The Rorschach Technique.* Yonkers, N.Y.: World Book Company.

Koch, H. L., 1935. "An Analysis of Certain Forms of So-Called 'Nervous Habits' in Young Children," *Journal of Genetic Psychology,* 46, 139–170.

———, 1944. "A Study of Some Factors Conditioning the Social Distance Between the Sexes," *Journal of Social Psychology,* 20, 79–107.

Komarovsky, M., 1946. "Cultural Contradictions and Sex Roles," *American Journal of Sociology,* 52, 184–189.

Kroger, R., and C. M. Louttit, 1935. "The Influence of Father's Occupation on the Vocational Choices of High School Boys," *Journal of Applied Psychology,* 19, 203–212.

Krogman, W. W., 1962. "How Your Children Grow," *Saturday Evening Post,* July 14–21, pp. 50–53.

Krugman, M., 1940. "Out of the Inkwell: The Rorschach Method," *Character and Personality,* 9, 91–110.

Kubie, L. S., 1950. *Practical and Theoretical Aspects of Psychoanalysis.* New York: International Universities Press.

———, 1954a. "The Forgotten Man of Education," *The Goddard Bulletin,* 19, No. 2.

———, 1954b. "Some Unresolved Problems of the Scientific Career," *American Scientist,* 42, 104–112.

Kuhlen, R. G., and M. Arnold, 1944. "Age Differences in Religious Beliefs and Problems During Adolescence," *Journal of Genetic Psychology,* 65, 291–300.

———, and H. S. Bretsch, 1947. "Sociometric Status and Personal Problems of Adolescents," *Sociometry,* 10, 122–132.

———, and B. J. Lee, 1943. "Personality Characteristics and Social Acceptability in Adolescence," *Journal of Educational Psychology,* 34, 321–340.

Kvaraceus, W. C., 1945. *Juvenile Delinquency and the School.* Yonkers, N.Y.: World Book Company.

———, 1954. *The Community and the Delinquent.* Yonkers, N.Y.: World Book Company.

———, 1958. *Juvenile Delinquency.* Washington, D.C.: Department of Classroom Teachers, American Educational Research Association of the National Education Association.

———, and W. B. Miller *et al.,* 1959. *Delinquent Behavior.* Washington, D.C.: National Education Association.

Lafore, G. G., 1945. *Practices of Parents in Dealing with Preschool Children.* Child Development Monographs, No. 31. New York: Teachers College, Columbia University.

La Mare, N., 1957. *Love and Fulfillment in Women.* New York: Macmillan.

Landis, C., A. T. Landis, and M. M. Bolles *et al.,* 1940. *Sex in Development.* New York: Paul B. Hoeber.

Landis, P. H., 1954. "The Ordering and Forbidding Techniques and Teen-Age Adjustment," *School and Society,* 80, 105–106.

Lantagne, J. E., 1958. "Interests of 4,000 High School Pupils in Problems of Marriage and Parenthood," *Research Quarterly of the American Association for Health, Physical Education and Recreation,* 28, 407–416.

Latham, A. J., 1951. "The Relationship Between Pubertal Status and Leadership in Junior High School Boys," *Journal of Genetic Psychology,* 78, 185–194.

Laughlin, F., 1954. *The Peer Status of Sixth and Seventh Grade Children.* New York: Bureau of Publications, Teachers College, Columbia University.

Lawrence, E. M., 1931. "An Investigation into the Relation Between Intelligence and Inheritance," *British Journal of Psychology Monograph Supplement,* 16.

Lecky, P., 1945. *Self-Consistency: A Theory of Personality.* New York: Island Press.

Ledvina, L. M., 1954. "A 100 Per Cent Follow-up," *Personnel and Guidance Journal,* 33, 90–93.

Lehman, H., 1953. *Age and Achievement.* Princeton, N.J.: Princeton University Press.

Lehman, H. C., and P. A. Witty, 1934. "Vocational Guidance: Some Basic Considerations," *Journal of Educational Sociology,* 8, 174–184.

Levitt, E. E., and R. H. Ojemann, 1953. "The Aims of Preventive Psychiatry and 'Causality' as a Personality Pattern," *Journal of Psychology,* 36, 393–400.

Levy, D. M., 1928. "Fingersucking and Accessory Movements in Early Infancy," *American Journal of Psychiatry,* 7, 881–918.

Levy, J., and R. Monroe, 1938. *The Happy Family.* New York: Knopf.

Libby, W., 1908. "The Imagination of Adolescents," *American Journal of Psychology,* 19, 249–252.

Lloyd, R. C., 1952. "Parent-Youth Conflicts of College Students," *Sociology and Social Research,* 36, 227–230.

Lockhard, E. G., 1930. "The Attitudes of Children Toward Certain Laws," *Religious Education,* 25, 144–149.

Lockwood, W. V., 1958. "Realism of Vocational Preferences," *Personnel and Guidance Journal,* 37, 98–106.

Lorge, I., 1936. "Psychometry: The Evaluation of Mental Status as a Function of the Mental Test," *Journal of Educational Psychology,* 27, 100–110.

————, 1945. "Schooling Makes a Difference," *Teachers College Record,* 46, 483–492.

Lund, F. H., 1944. "Adolescent Motivation: Sex Differences," *Journal of Genetic Psychology,* 64, 99–103.

Lunger, R., and J. D. Page, 1939. "The Worries of College Freshmen," *Journal of Genetic Psychology,* 54, 457–460.

Lyman, E. L., 1955. "Occupational Differences in the Value Attached to Work," *American Journal of Sociology,* 61, 138–144.

Lynn, D. B., 1959. "A Note on Sex Differences in the Development of Masculine and Feminine Identification," *Psychological Review,* 66, 126–135.

Maccoby, E. E., P. K. Gibbs *et al.,* 1954. "Methods of Child Rearing in Two Social Classes," pp. 380–396 in *Readings in Child Development,* W. E. Martin and C. B. Stendler (eds.). New York: Harcourt, Brace.

Machover, K., 1949. *Personality Projection in the Drawing of the Human Figure: A Method of Personality Investigation.* Springfield, Ill.: Charles C Thomas.

MacIver, R. M., 1948. "Sex and Social Attitudes," pp. 85–95 in *About the Kinsey Report,* D. P. Geddes and E. Curie (eds.). New York: New American Library.

Macmurray, J., 1937. *Reason and Emotion.* New York: D. Appleton-Century.

Manis, M., 1958. "Personal Adjustment, Assumed Similarity to Parents, and Inferred Parental Evaluations of the Self," *Journal of Consulting Psychology*, 22, 481–485.

Markley, E. R., 1958. "Social Class Differences in Mothers' Attitudes Toward Child Rearing," unpublished Doctor of Philosophy dissertation, Teachers College, Columbia University.

Marsh, C. J., 1942. "The Worries of the College Woman," *Journal of Social Psychology*, 15, 335–339.

Maslow, A. H., 1953. "Love in Healthy People," pp. 57–93 in *The Meaning of Love*, A. Montagu (ed.). New York: Julian Press.

Mather, W. G., 1934. "The Courtship Ideals of High-School Youth," *Sociology and Social Research*, 19, 166–172.

May, R., 1950. *The Meaning of Anxiety*. New York: Ronald Press.

McCann, W. H., 1941. "Nostalgia: A Review of the Literature," *Psychological Bulletin*, 38, 165–182.

———, 1943. "Nostalgia: A Descriptive and Comparative Study," *Journal of Genetic Psychology*, 62, 97–104.

McFarlane, M., 1925. "A Study of Practical Ability," *British Journal of Psychology Monograph Supplement*, 3, No. 8, 35–36.

McKee, J. P., and A. C. Sherriffs, 1959. "Men's and Women's Beliefs, Ideals, and Self-Concepts," *American Journal of Sociology*, 44, 356–363.

Meek, L. H., 1940. *Personal-Social Development of Boys and Girls with Implications for Secondary Education*. New York: Committee on Workshops, Progressive Education Association.

Meltzer, H., 1933. "Students' Adjustments in Anger," *Journal of Social Psychology*, 4, 285–309.

Merrill, M. A., 1947. *The Problems of Child Delinquency*. Boston: Houghton Mifflin.

Mill, S. R., 1953. "Personality Patterns of Sociometrically Selected and Sociometrically Rejected Male College Students," *Sociometry*, 16, 151–167.

Miller, D. C., and W. H. Form, 1951. *Industrial Sociology*. New York: Harper.

Miller, W., 1958. "Lower Class Culture as a Generating Milieu of Gang Delinquency," *Journal of Social Issues*, 14, 5–19.

Mills, C. A., 1939. *Climatology*. Springfield, Ill.: Charles C Thomas.

———, and C. Ogle, 1936. "Physiologic Sterility of Adolescents," *Human Biology*, 8, 607–615.

Mitchell, C., 1943. "Do Virtues and Vices Change?" *School and Society*, 57, 111–112.

Moll, A., 1924. *The Sexual Life of the Child*. New York: Macmillan.

Montagu, A., 1946. *Adolescent Sterility*. Springfield, Ill.: Charles C Thomas.

——— (ed.), 1953. *The Meaning of Love*. New York: Julian Press.

———, 1959. *Human Heredity*. Cleveland: World Publishing Company.

Moore, J. E., 1940. "Annoying Habits of High School Teachers," *Peabody Journal of Education*, 18, 161–165.

Moreno, J. L., 1934. *Who Shall Survive?* Washington, D.C.: Nervous and Mental Disease Publishing Company.

———, 1946. *Psychodrama.* New York: Beacon House.

———, 1954. "Old and New Trends in Sociometry: Turning Points in Small Group Research," *International Social Science Bulletin,* 17, 179–193.

Morse, H. T., and P. L. Dressel (eds.), 1960. *General Education for Personal Maturity.* Dubuque, Iowa: Wm. C. Brown.

Morse, N. C., and F. H. Allport, 1952. "The Causation of Anti-Semitism: An Investigation of Seven Hypotheses," *Journal of Psychology,* 34, 197–233.

Moser, W. E., 1949. "Vocational Preference as Related to Mental Ability," *Occupations,* 27, 460–461.

Moss, J., and R. Gingles, 1958. "A Preliminary Report of a Longitudinal Study of Early Marriages in Nebraska." (Cited by Burchinal, 1959a. Original not seen.)

Mowrer, O. H., 1950. "Pain, Punishment, Guilt, and Anxiety," Chapter 3, pp. 27–40, in *Anxiety,* P. H. Hoch and J. Zubin (eds.). New York: Grune and Stratton.

———, 1953. "Some Philosophical Problems in Mental Disorder and Its Treatment," *Harvard Educational Review,* 23, 117–127.

Murphy, F. J., M. M. Shirley, and H. L. Witmer, 1946. "The Incidence of Hidden Delinquency," *American Journal of Orthopsychiatry,* XVI, 686–696.

Murphy, G., 1945. "The Freeing of Intelligence," *Psychological Bulletin,* 42, 1–19.

———, 1947. *Personality.* New York: Harper.

———, and R. Likert, 1938. *Public Opinion and the Individual.* New York: Harper.

Murray, H. A., 1938. *Explorations in Personality.* New York: Oxford University Press.

Mussen, P. H., and M. C. Jones, 1957. "Self-Conceptions, Motivations, and Attitudes of Late- and Early-Maturing Boys," *Child Development,* 28, 243–256.

Myers, M. S., 1951. "The Role of Certain Religious Values for High School Youth," *Studies in Higher Education,* Purdue University, 79, 79–85.

Myers, W. E., 1947. "High School Graduates Choose Vocations Unrealistically," *Occupations,* 25, 332–333.

Nachmann, B., 1960. "Childhood Experience and Vocational Choice in Law, Dentistry, and Social Work," *Journal of Counseling Psychology,* 7, 243–250.

Nathanson, I. T., L. Towne, and J. C. Aub, 1943. "Urinary Sex Hormone Studies," in R. N. Sanford, *Physique, Personality and Scholarship,* Monographs of the Society for Research in Child Development, 8, 70–81.

National Manpower Council, 1957. *Womanpower.* New York: Columbia University Press.

Neel, J. V., 1960. "The Genetic Potential," pp. 1–23 in *The Nation's Children, Vol. 2, Development and Education,* E. Ginzberg (ed.). New York: Columbia University Press.

Nelson, E., 1940. *Student Attitudes Toward Religion.* Genetic Psychology Monographs, 22, 323–423.

———, 1956. *Patterns of Religious Attitude Shifts from College to Fourteen Years Later,* Psychological Monographs, 70, No. 17.

Neugarten, B. L., 1946. "Social Class and Friendship Among School Children," *American Journal of Sociology,* 51, 305–313.

Newton, N., 1955. *Maternal Emotions.* New York: Harper.

Noble, J. L., 1956. *The Negro Woman's College Education.* New York: Bureau of Publications, Teachers College, Columbia University.

Northway, M. L., and B. T. Wigdor, 1947. "Rorschach Patterns Related to the Sociometric Status of School Children," *Sociometry,* 10, 186–199.

Norton, J. L., 1953a. "Patterns of Vocational Interest Development and Actual Job Choice," *Journal of Genetic Psychology,* 82, 235–262.

———, 1953b. "General Motives and Influences in Vocational Development," *Journal of Genetic Psychology,* 82, 263–278.

Oakden, E. C., and M. Sturt, 1922. "Development of the Knowledge of Time in Children," *British Journal of Psychology,* 12, 309–336.

O'Hara, R. P., and D. V. Tiedeman, 1959. "Vocational Self Concept in Adolescence," *Journal of Counseling Psychology,* 6, 292–301.

Ojemann, R. H., 1961. "Investigations on the Effects of Teaching and Understanding Behavior Dynamics," pp. 378–397 in *Prevention of Mental Disorders in Children,* G. Caplan (ed.). New York: Basic Books.

———, E. E. Levitt, W. H. Lylie, and M. F. Whiteside, 1955. "The Effects of a 'Causal' Teacher-Training Program and Certain Curricular Changes on Grade School Children," *Journal of Experimental Education,* 24, 95–114.

Olds, E. B., 1949. "How Do Young People Use Their Leisure Time?" *Recreation,* 42, 458–463.

Orgel, S. Z., and J. Tuckman, 1935. "Nicknames of Institutional Children," *American Journal of Orthopsychiatry,* 5, 276–285.

Orton, J., 1959. "Personal and Practical Concerns Faced by Teachers of Family Life, Psychology and Personal Adjustment Courses at the College Level," unpublished Doctor of Education dissertation, Teachers College, Columbia University.

Overstreet, B. W., 1953. "The Unloving Personality and the Religion of Love," *Pastoral Psychology,* 4, 14–20.

Owens, W. A., Jr., 1953. *Age and Mental Abilities: A Longitudinal Study.* Genetic Psychology Monographs, 48, 3–54.

Pace, R. C., 1941. *They Went to College.* Minneapolis: University of Minnesota Press.

Parsons, T., 1942. "Age and Sex in the Social Structure of the United States," *American Sociological Review,* 7, 604–616.

Passow, A. H., M. Goldberg, A. J. Tannenbaum, and W. French, 1955. *Planning for Talented Youth*. New York: Bureau of Publications, Teachers College, Columbia University.

Patti, J. B., 1956. "Elementary Psychology for Eighth Graders?" *American Psychologist*, 11, 194–196.

Peck, R. F., R. J. Havighurst, R. Cooper, J. Lilienthal, and D. Moore, 1960. *The Psychology of Character Development*. New York: Wiley.

Penty, R. C., 1956. *Reading Ability and High School Drop-Outs*. New York: Bureau of Publications, Teachers College, Columbia University.

Phillips, E. L., 1951. "Attitudes Toward Self and Others: A Brief Questionnaire Report," *Journal of Consulting Psychology*, 15, 79–81.

Piaget, J., 1932. *The Moral Judgment of the Child*. London: The Free Press.

Pixley, E., and E. Beekman, 1949. "The Faith of Youth as Shown by a Survey of Public Schools in Los Angeles," *Religious Education*, 44, 336–342.

Polansky, N., R. Lippit, and F. Redl, 1950. "The Use of Near-Sociometric Data in Research on Group Treatment Processes," *Sociometry*, 13, 39–62.

Pope, C., 1943. "Personal Problems of High School Pupils," *School and Society*, 57, 443–448.

Porter, J. R., 1954. "Predicting Vocational Plans of High School Senior Boys," *Personnel and Guidance Journal*, 53, 215–218.

Porter, R. M., 1959. "Student Attitudes Toward Child Behavior Problems," *Journal of Educational Research*, 52, 349–352.

Potashin, R., 1946. "Sociometric Study of Children's Friendships," *Sociometry*, 9, 48–70.

Powell, M. G., 1948. "Comparison of Self-Ratings, Peer Ratings, and Expert Ratings on Personality Adjustment," *Educational and Psychological Measurement*, 8, 225–234.

Pressey, S. L., and A. W. Jones, 1955. "1923–53 and 20–60 Age Changes in Moral Codes, Anxieties, and Interests, as Shown by the 'X-O Tests,'" *Journal of Psychology*, 39, 485–502.

———, and R. G. Kuhlen, 1957. *Psychological Development Through the Life Span*. New York: Harper.

Preston, R. C., 1942. *Children's Reactions to a Contemporary War Situation*. Child Development Monographs, 28. New York: Teachers College, Columbia University.

Pritchard, M. C., K. M. Horan, and L. S. Hollingworth, 1940. "The Course of Mental Development in Slow Learners Under an 'Experience Curriculum,'" National Society for the Study of Education. *Intelligence: Its Nature and Nurture*, Thirty-ninth Yearbook, Part II, 245–254. Bloomington, Ill.: Public School Publishing Company.

Pullias, E. V., 1937. "Masturbation as a Mental Hygiene Problem—A Study of the Reliefs of Seventy-Five Young Men," *Journal of Abnormal and Social Psychology*, 32, 216–222.

Punke, H. H., 1944. "Dating Practices of High School Youth," *National Association of Secondary School Principals Bulletin*, 28, 47–54.

Radke-Yarrow, M., and J. S. Miller, 1960. "Children's Concepts and Attitudes About Minority and Majority American Groups," Chapter 57, pp. 617–635 in *The Adolescent: A Book of Readings,* J. Seidman (ed.). New York: Holt, Rinehart, and Winston.

Ramsey, G. V., 1943. "The Sexual Development of Boys," *American Journal of Psychology,* 56, 217–233.

Raph (Beasley), J., and A. Tannenbaum, 1961. "Underachievement: Review of the Literature." Talented Youth Project, Horace Mann–Lincoln Institute of School Experimentation, Teachers College, Columbia University. (Revised, unpublished.)

Reevy, W. R., 1961. "Adolescent Sexuality," pp. 52–67 in *The Encyclopedia of Sexual Behavior,* A. Ellis (ed.). New York: Hawthorn.

Reik, T., 1944. *A Psychologist Looks at Love.* New York: Rinehart.

Remmers, H. H., R. E. Horton, and S. Lysgaard, 1952. "Teen-Age Personality in Our Culture; Report of Poll No. 32," *Purdue Opinion Panel,* 11 (3), 131 v.p., Rep. No. 32.

————, M. S. Myers, and E. M. Bennett, 1951. "Some Personality Aspects and Religious Values of High School Youth," *Purdue Opinion Panel,* 10 (3).

————, and D. H. Radler, 1957. *The American Teenager.* New York: Bobbs-Merrill Company.

————, 1958. "Teenage Attitudes," *Scientific American,* 198, 25–29.

Reynolds, E. L., 1951. *The Distribution of Subcutaneous Fat in Childhood and Adolescence.* Monographs of the Society for Research in Child Development, 15, No. 2.

————, and J. V. Wines, 1948. "Individual Differences in Physical Changes Associated with Adolescent Girls," *American Journal of Diseases of Children,* 75, 329–350.

Reynolds, L. G., and J. Shister, 1949. *Job Horizons.* New York: Harper.

Reynolds, N. B., 1958. "Job Ranking on an Ethics Scale," *Educational Record,* 39, 192–193.

Rheingold, H. L., and N. Bayley, 1959. "The Later Effects of an Experimental Modification of Mothering," *Child Development,* 30, 363–372.

Richardson, R. F., 1918. *The Psychology and Pedagogy of Anger.* Educational Psychology Monographs, No. 19. Baltimore: Warwick and York.

Richey, H. G., 1937. *The Relationship of Accelerated, Normal and Retarded Puberity to the Height and Weight of School Children.* Monographs of the Society for Research in Child Development, II, No. 1. Washington, D.C.: National Research Council.

Roberts, D. E., 1950. *Psychotherapy and a Christian View of Man.* New York: Scribner.

Roe, A., 1952. *The Making of a Scientist.* New York: Dodd, Mead.

————, 1953. *A Psychological Study of Eminent Psychologists and Anthropologists, and a Comparison with Biological and Physical Scientists,* Psychological Monographs, 67, No. 2, whole No. 352.

————, 1957. "Early Determinants of Vocational Choice," *Journal of Counseling Psychology,* 4, 212–217.

Roff, C., 1959. "The Self-Concept in Adolescent Girls," *Dissertation Abstracts,* **20,** 385.

Roffwarg, H. P., W. C. Dement and C. Fisher, 1962. "Observations on the Sleep-Dream Pattern in Neonates, Infants, Children and Adults." Unpublished report of investigation supported by Research Grant MY-3267 to Drs. Fisher and Dement from the National Institutes of Mental Health.

Rogers, C. R., 1942. "A Study of the Mental Health Problems in Three Representative Elementary Schools," *A Study of Health and Physical Education in Columbus Public Schools.* Monographs of the Bureau of Educational Research, No. 25. Columbus: Ohio State University Press.

————, and R. F. Dymond (eds.), 1954. *Psychotherapy and Personality Change.* Chicago: University of Chicago Press.

Rogoff, N., 1953. *Recent Trends in Occupational Mobility.* Glencoe, Ill.: The Free Press.

Rorschach, H., 1937. *Psychodiagnostik, Methodik und Ergebnisse eines wahrehmungsdiagnostischen Experiments,* 3rd edition. Berlin: Huber.

————, 1942. *Psychodiagnostics, a Diagnostic Test Based on Perception.* Translated by P. Lemkau and B. Kronenberg. New York: Grune and Stratton.

Rose, A. A., 1944. "Insecurity Feelings in Adolescent Girls," *Nervous Child,* **4,** 46–59.

————, 1947. "A Study of Homesickness in College Freshmen," *Journal of Social Psychology,* **26,** 185–202.

Ross, M. G., 1950. *Religious Beliefs of Youth.* New York: Association Press.

Rostker, L. E., 1940. "The Measurement and Prediction of Teaching Ability," *School and Society,* **51,** 30–32.

Rothney, J. W. M., 1958. *Guidance Practices and Results.* New York: Harper.

Ruff, W. K., 1951. "A Study of Some Aspects of Personal Adjustment Common to High School Boys, with Implications for Physical Education," unpublished Doctor of Education dissertation, Teachers College, Columbia University.

Ryan, F. R., and J. S. Davie, 1958. "Social Acceptance, Academic Achievement, and Aptitude Among High School Students," *Journal of Educational Research,* **52,** 101–106.

Ryans, D. G., 1953. "The Investigation of Teacher Characteristics," *Educational Record,* **34,** 371–396.

Sanders, B. S., 1934. *Environment and Growth.* Baltimore: Warwick and York.

Sanford, N., 1956. "Personality Development During the College Years," *Personnel and Guidance Journal,* **35,** 74–80.

————, 1957. "The Uncertain Senior," *Journal of the National Association of Women Deans and Counselors,* **XXI,** 9–15.

————, 1958. "The Professor Looks at the Student," pp. 3–25 in *The Two Ends of the Log*, R. M. Cooper (ed.). Minneapolis: University of Minnesota Press.

Sanford, R. N., *et al.*, 1943. *Physique, Personality and Scholarship*. Monographs of the Society for Research in Child Development, **VIII**, No. 1. Washington, D.C.: National Research Council.

Sargent, S. S., 1953. "Class and Class-counsciousness in a California Town," *Social Problems*, **1**, 23–27.

Sartre, J. P., 1956. *Being and Nothingness*. Translated by H. E. Barnes. New York: Philosophical Library.

Saul, L. J., 1947. *Emotional Maturity*. Philadelphia: J. B. Lippincott.

Schilder, P., 1935. *The Image and Appearance of the Human Body:* Studies in the Constructive Energies of the Psyche. Psyche Monographs, No. 4. London: Kegan Paul, Trench, Trubner.

Schmidt, J. L., and J. W. M. Rothney, 1955. "Variability of Vocational Choices of High School Students," *Personnel and Guidance Journal*, **34**, 142–146.

Schneider, L., and S. Lysgaard, 1953. "The Deferred Gratification Pattern: A Preliminary Study," *American Sociological Review*, **18**, 142–149.

Schonbar, R. A., 1959. "Some Manifest Characteristics of Recallers and Nonrecallers of Dreams," *Journal of Consulting Psychology*, **23**, 414–418.

Schonfeld, W. A., 1950. "Inadequate Masculine Physique as a Factor in Personality Development of Adolescent Boys," *Psychosomatic Medicine*, **12**, 49–54.

————, and G. W. Beebe, 1942. "Normal Growth and Variations in the Male Genitalia from Birth to Maturity," *Journal of Urology*, **48**, 759–777.

Scott, L. F., 1953. "A Study of Children's TV Interests," *California Journal of Educational Research*, **4**, 162–164.

Sears, R. R., E. E. Maccoby, and H. Levin, 1957. *Patterns of Child Rearing*. Evanston, Ill.: Row, Peterson.

Secord, P., and S. M. Jourard, 1953. "The Appraisal of Body-cathexis: Body-cathexis and the Self," *Journal of Consulting Psychology*, **17**, 343–347.

Segal, S. J., 1961. "A Psychoanalytic Analysis of Personality Factors in Vocational Choice," *Journal of Counseling Psychology*, **8**, 202–210.

Shaffer, L. F., 1930. *Children's Interpretation of Cartoons*. Contributions to Education, No. 429. New York: Bureau of Publications, Teachers College, Columbia University.

————, and E. J. Shoben, Jr., 1956. *The Psychology of Adjustment*. Boston: Houghton Mifflin.

Sheerer, E. T., 1949. "An Analysis of the Relationship Between Acceptance of and Respect for Self and Acceptance of and Respect for Others in Ten Counseling Cases," *Journal of Consulting Psychology*, **13**, 169–175.

Sherman, A. W., Jr., 1946. "Emancipation Status of College Students," *Journal of General Psychology*, **68**, 171–180.

Shirley, M. M., 1933. *The First Two Years: A Study of Twenty-five Babies,*

III, Personality Manifestations. Institute of Child Welfare Monographs, Series No. 8. Minneapolis: University of Minnesota Press.

Shoobs, N., 1947. "Sociometry in the Classroom," *Sociometry,* 10, 154–164.

Shuey, A. M., 1948. "Improvement in the Scores of the American Council on Education Psychological Examination from Freshman to Senior Year," *Journal of Educational Psychology,* 39, 417–426.

Shumsky, A., 1956. "Emotional Adjustment and Moral Reasoning in Children," unpublished Doctor of Education dissertation, Teachers College, Columbia University.

Shuttleworth, F. K., 1937. *Sexual Maturation and the Physical Growth of Girls Age Six to Nineteen.* Monographs of the Society for Research in Child Development, II, No. 5. Washington, D.C.: National Research Council.

————, 1938. *The Adolescent Period.* Monographs of the Society for Research in Child Development, III, No. 3. Washington, D.C.: National Research Council.

————, 1949. *The Adolescent Period: A Pictorial Atlas.* Monographs of the Society for Research in Child Development, 14 (Serial No. 50, published 1951). Washington, D.C.: National Research Council.

Silverman, H. L., 1952. "Some Thoughts on the Relation of Religion and Psychology," *Psychiatric Quarterly Supplement,* 26, 261–268.

Silverman, S. S., 1945. *Clothing and Appearance: Their Psychological Implications for Teen-Age Girls.* New York: Bureau of Publications, Teachers College, Columbia University.

Simmons, K., and W. W. Greulich, 1943. "Menarcheal Age and the Height, Weight and Skeletal Age of Girls Age 7 to 17 Years," *Journal of Pediatrics,* 22, 518–548.

Simpson, G. E., and J. M. Yinger, 1958. *Racial and Cultural Minorities: An Analysis of Prejudice and Discrimination* (rev. ed.). New York: Harper.

Singer, S. L., and B. Stefflre, 1954. "The Relationship of Job Values and Desires to Vocational Aspirations of Adolescents," *Journal of Applied Psychology,* 38, 419–422.

Skeels, H. M.. R. Updegraff, B. L. Wellman, and H. M. Williams, 1938. "A Study of Environmental Stimulation: An Orphanage Preschool Project," *University of Iowa Studies in Child Welfare,* 1, 56.

Skodak, M., and H. M. Skeels, 1949. "A Final Follow-up of One Hundred Adopted Children," *Journal of Genetic Psychology,* 75, 85–125.

Slater, E., 1951. *An Investigation into Psychotic and Neurotic Twins.* London: University of London.

Slocum, W. L., 1958. "Educational Planning by High School Seniors," *Journal of Educational Research,* 51, 583–590.

Small, L., 1953. "Personality Determinants of Vocational Choice," *Psychological Monographs,* 67, No. 1, whole No. 351.

Smith, C. B., 1944. "A Study of Pupils Dropping Out of a Midwestern High School," *School Review,* 52, 151–156.

Smith, G. F., 1924. "Certain Aspects of the Sex Life of the Adolescent Girl," *Journal of Applied Psychology*, 8, 347–349.

Smith, R. B., 1932. "The Development of an Inventory for the Measurement of Inferiority Feelings at the High School Level," *Archives of Psychology*, 144.

Smith, W. M., 1952. "Rating and Dating: A Re-study," *Marriage and Family Living*, 14, 312–317.

Sollenberger, R. T., 1940. "Some Relationships Between the Urinary Excretion of Male Hormones by Maturing Boys and Girls and Their Expressed Interests and Attitudes," *Journal of Psychology*, 9, 179–189.

Sorokin, P. A., and R. C. Hanson, 1953. "The Power of Creative Love," pp. 97–159 in *The Meaning of Love*, A. Montagu (ed.). New York: Julian Press.

Spitz, R. A., 1951. "The Psychogenic Diseases in Infancy: An Attempt at Their Etiologic Classification," pp. 255–275 in *Psychoanalytic Study of the Child*, Vol. 6. New York: International Universities Press.

Spivack, S., 1956. "A Study of a Method of Appraising Self-Acceptance and Self-Rejection," *Journal of Genetic Psychology*, 88, 183–202.

Spranger, O., 1952. "Psychoanalytic Pedagogy," *Psychoanalysis*, 1, 59–70.

Srole, L., T. S. Langner, S. T. Michael, M. K. Opler, and T. A. C. Rennie, 1962. *Mental Health in the Metropolis: The Midtown Manhattan Study*. Volume 1. New York: McGraw-Hill.

Staples, R., and J. W. Smith, 1954. "Attitudes of Grandmothers and Mothers Toward Child Rearing Practices," *Child Development*, 25, 91–97.

Stendler, C. B., 1949. *Children of Brasstown*. Urbana: University of Illinois Press.

Stephenson, R. M., 1957. "Realism of Vocational Choice: A Critique and an Example," *Personnel and Guidance Journal*, 8, 483–494.

Stephenson, R. R., 1961. "Occupational Choice as a Crystallized Self Concept," *Journal of Counseling Psychology*, 8, 211–216.

Stephenson, W., 1935. "Correlating Persons Instead of Tests," *Character and Personality*, 4, 17–24.

———, 1952. "Some Observations on Q-technique," *Psychological Bulletin*, 6, 483–498.

Stewart, N., 1947. "AGCT Scores of Army Personnel Grouped by Occupation," *Occupations*, 26, 5–41.

Stolz, H. R., and M. C. Jones, and J. Chaffey, 1937. "The Junior High School Age," *University High School Journal*, 15, 63–72.

———, and L. M. Stolz, 1944. "Adolescent Problems Related to Somatic Variations," Chapter 5, pp. 80–99, in *43d Yearbook of the National Society for the Study of Education*. Part I, *Adolescence*, N. B. Henry (ed.). Chicago: University of Chicago Press.

———, 1951. *Somatic Development of Adolescent Boys*. New York: Macmillan.

Stott, L. H., 1940a. "Adolescents' Dislikes Regarding Parental Behavior and Their Significance," *Journal of Genetic Psychology*, 57, 393–414.

————, 1940b. "Home Punishment of Adolescents," *Journal of Genetic Psychology*, 57, 415–428.

Strang, R., 1956. "Gifted Adolescents' Views of Growing Up," *Exceptional Children*, 23, 10–15.

Stratton, G. M., 1929. "Emotion and the Incidence of Disease: The Influence of the Number of the Diseases and of the Age at Which They Occur," *Psychological Review*, 36, 242–253.

Strong, E. K., Jr., 1943. *Vocational Interests of Men and Women*. Stanford, Calif.: Stanford University Press.

Sullivan, H. S., 1947. *Conceptions of Modern Psychiatry*. Washington, D.C.: William Alanson White Psychiatric Foundation.

————, 1948. *The Meaning of Anxiety in Psychiatry and in Life*. New York: William Alanson White Institute of Psychiatry.

————, 1953. *The Interpersonal Theory of Psychiatry*. New York: Norton.

Super, D. E., 1947. "Vocational Interests and Vocational Choice: Present Knowledge and Future Research in Their Relationship," *Educational and Psychological Measurement*, 7, 375–383.

————, 1953. "A Theory of Vocational Development," *American Psychologist*, 8, 185–190.

————, and P. B. Bachrach, 1957. *Scientific Careers and Vocational Development Theory*. New York: Bureau of Publications, Teachers College, Columbia University.

————, and J. O. Crites, 1962. *Appraising Vocational Fitness By Means of Psychological Tests* (rev. ed.). New York: Harper.

————, R. C. Hummel, H. P. Moser, P. L. Overstreet, and C. F. Warnath, 1957. *Vocational Development, A Framework for Research*. Career Pattern Study Monograph One. New York: Bureau of Publications, Teachers College, Columbia University.

————, J. P. Jordaan, R. Starishevsky, and N. Matlin, 1962. "Essays in Vocational Development," unpublished report, Teachers College, Columbia University.

————, and P. L. Overstreet, in collaboration with C. N. Morris, W. Dubin, and M. B. Heyde, 1960. *The Vocational Maturity of Ninth-Grade Boys*. Career Pattern Study Monograph Two. New York: Bureau of Publications, Teachers College, Columbia University.

Switzer, D. K., A. E. Grigg, J. S. Miller, and R. K. Young, 1962. "Early Experiences and Occupational Choice: A Test of Roe's Hypothesis," *Journal of Counseling Psychology*, 9, 45–48.

Symonds, P. M., 1942. *Adolescent Fantasy*, New York: Columbia University Press.

————, and A. R. Jensen, 1961. *From Adolescent to Adult*. New York: Columbia University Press.

————, and M. Sherman, 1949. "Personality Survey of a Junior High School," pp. 23–50, in *The Measurement of Student Adjustment and Achievement*, W. T. Donahue (ed.). Ann Arbor: University of Michigan Press.

Taba, H., 1953. "The Moral Beliefs of Sixteen-Year-Olds," Chapter 54, pp. 592–596, in *The Adolescent: A Book of Readings,* J. Seidman (ed.). New York: Dryden Press.

Tannenbaum, A. J., 1959. "A Study of Verbal Stereotypes Associated with Brilliant and Average Students," unpublished Doctor of Philosophy dissertation, Teachers College, Columbia University.

Tanner, J. M., 1955. *Growth at Adolescence.* Springfield, Ill.: Charles C Thomas.

Taschuk, W. A., 1957. "An Analysis of the Self-Concept of Grade Nine Students," *Alberta Journal of Educational Research,* III, No. 2, 94–103.

Taylor, J. A., 1953. "A Personality Scale of Manifest Anxiety," *Journal of Abnormal Social Psychology,* **48,** 285–290.

Taylor, K., von F., 1942. "Reliability and Permanence of Vocational Interests of Adolescents," *Journal of Experimental Education,* **11,** 81–87.

Terman, L. M., 1916. *The Measurement of Intelligence.* Boston: Houghton Mifflin.

———, 1954. *Scientists and Nonscientists in a Group of 800 Gifted Men,* Psychological Monographs, **68,** No. 7, whole No. 378.

———, et al., 1925. *Mental and Physical Traits of a Thousand Gifted Children, Genetic Studies of Genius,* Vol. I. Stanford, Calif.: Stanford University Press.

———, and M. Oden, 1940. "Status of the California Gifted Group at the End of Sixteen Years," National Society for the Study of Education. *Intelligence: Its Nature and Nurture.* Thirty-ninth Yearbook, Part I, pp. 67–89. Bloomington, Ill.: Public School Publishing Company.

———, 1952. "The Development and Adult Status of Gifted Children," pp. 199–210, in *Psychological Studies of Human Development,* R. G. Kuhlen and G. G. Thompson (eds.). New York: Appleton-Century-Crofts.

———, 1959. *The Gifted Group at Mid-Life: Thirty-five Years' Follow-up of the Superior Child. Genetic Studies of Genius,* Vol. 5. Stanford, Calif.: Stanford University Press.

———, et al., 1947. *The Gifted Child Grows Up: Twenty-five Years' Follow-up of a Superior Group. Genetic Studies of Genius,* Vol. 4. Stanford, Calif.: Stanford University Press.

Thompson, G. G., 1949. "Age Trends in Social Values During Adolescent Years," *American Psychologist,* **4,** 250.

Thorndike, R. L., 1947. "The Prediction of Intelligence at College Entrance from Earlier Test," *Journal of Educational Psychology,* **38,** 129–148.

———, 1948. "Growth of Intelligence During Adolescence," *Journal of Genetic Psychology,* **72,** 11–15.

———, and E. Hagen, 1961. *Measurement and Evaluation in Psychology and Education,* 2nd edition. New York: Wiley.

Tiedeman, D. V., 1961. "Decision and Vocational Development: A Paradigm and Its Implications," *Personnel and Guidance Journal,* **40,** 15–21.

———, and R. P. O'Hara, 1962. *Differentiation and Integration in Career*

Development. Harvard Studies in Career Development No. 23. Graduate School of Education, Harvard University. (Mimeographed.)

———, and E. Matthews, 1958. *Position Choices and Careers: Elements of a Theory.* Harvard Studies in Career Development No. 8. Graduate School of Education, Harvard University. (Mimeographed.)

Tillich, P., 1952. *The Courage To Be.* New Haven, Conn.: Yale University Press.

Todd, T. W., 1930. *The Adolescent Lag,* Physical and Mental Adolescent Growth. Proceedings of Conference on Adolescence. Cleveland, Ohio: Brush Foundation, Western Reserve University.

———, 1937. *Atlas of Skeletal Maturation* (Hand). St. Louis: C. V. Mosby, Co.

Torrance, E. P., 1959a. "Highly Intelligent and Highly Creative Children in a Laboratory School" (Explorations in Creative Thinking in the Early School Years, No. 6), *Research Memo* BER–59–7. Minneapolis: Bureau of Educational Research, University of Minnesota.

———, 1959b. "Personality Studies of Highly Creative Children" (Explorations in Creative Thinking in the Early School Years, No. 9), *Research Memo* BER–59–12. Minneapolis: Bureau of Educational Research, University of Minnesota.

———, 1962. *Guiding Creative Talent.* Englewood Cliffs, N.J.: Prentice-Hall.

Trent, R., 1953. "The Correlates of Self-acceptance Among Negro Children," unpublished Doctor of Education dissertation, Teachers College, Columbia University.

Tryon, C. M., 1939. *Evaluation of Adolescent Personality by Adolescents.* Monographs of the Society for Research in Child Development, 4, No. 4.

———, 1944. "The Adolescent Peer Culture," *43rd Yearbook of the National Society for the Study of Education,* Part I, pp. 217–239. University of Chicago Press.

Tyler, L. E., 1951. "The Relationship of Interests to Abilities and Reputation Among First-Grade Children," *Educational and Psychological Measurement,* 11, 255–264.

———, 1955. "The Development of 'Vocational Interests': I. The Organization of Likes and Dislikes in Ten-Year-Old Children," *Journal of Genetic Psychology,* 86, 33–44.

———, 1959. "Toward a Workable Psychology of Individuality," *American Psychologist,* 14, 75–81.

Ullman, C. A., 1952. *Identification of Maladjusted School Children: A Comparison of Three Methods of Screening.* Public Health Monographs, No. 7. Washington, D.C.: Government Printing Office.

United States Bureau of Labor Statistics, 1962. Reviewed under the title "The Grim Prospects for Dropouts" in *New York Herald Tribune,* September 9, 1962.

United States Department of Commerce, Bureau of the Census, Statistical Abstracts of the United States, 1957. Washington, D.C.: the Bureau.

Utton, A. C., 1962. "Recalled Parent-Child Relations as Determinants of Vocational Choice," *Journal of Counseling Psychology*, 9, 49–53.

Waller, W., 1951. *The Family: A Dynamic Interpretation*. Revised by Reuben Hill. New York: Dryden Press.

Wallin, P., 1950. "Cultural Contradictions and Sex Roles: A Repeat Study," *American Sociological Review*, 15, 288–293.

Watson, G. B., 1929. "An Approach to the Study of Worship," *Religious Education*, 24, 849–858.

———, 1957. "Some Personality Differences in Children Related to Strict or Permissive Parental Discipline," *Journal of Psychology*, 44, 227–249.

Wattenberg, W. W., 1947. "Boy Repeaters." Mimeographed report privately distributed by the College of Education, Wayne State University.

———, 1955. *The Adolescent Years*. New York: Harcourt, Brace.

Webb, W. B., 1949. "Occupational Indecision Among College Students," *Occupations*, XVII, 331–332.

Weber, C. A., 1953. "Some Characteristics of College Teachers," *Journal of Educational Research*, 46, 685–692.

Wenkart, A., 1949. *Healthy and Neurotic Love*. New York: The Auxiliary Council to the Association for the Advancement of Psychoanalysis.

Wertheimer, R. R., 1957. "Consistency of Sociometric Status Position in Male and Female High School Students," *Journal of Educational Psychology*, 48, 385–390.

White House Conference on Child Health and Protection, Committee on the Family and Parent Education, 1934. *The Adolescent in the Family. A Study of Personality Development in the Home Environment*. Section III, Education and Training. New York: D. Appleton-Century.

Whyte, W. F., 1943. "A Slum Sex Code," *American Journal of Sociology*, 49, 24–31.

Williams, C. D., 1950. "College Students' Family Problems," *Journal of Home Economics*, 42, 179–181.

Wilson, W. C., 1960. "Extrinsic Religious Values and Prejudice," *Journal of Abnormal and Social Psychology*, 60, 286–288.

Winkler, J. B., 1949. "Age Trends and Sex Differences in the Wishes, Identifications, Activities, and Fears of Children," *Child Development*, 20, 191–200.

Wise, W. M., 1958. *They Come for the Best of Reasons: College Students Today*. Washington, D.C.: American Council on Education.

Wittenberg, R. M., and J. Berg, 1952. "The Stranger in the Group," *American Journal of Orthopsychiatry*, 22, 89–97.

Witty, P. A., 1930. "A Study of One Hundred Gifted Children," *University of Kansas Bulletin of Education*, Vol. II, No. 7. Lawrence, Kansas: Bureau of School Service and Research, University of Kansas.

———, 1947. "Reading Problems in the Secondary School," *School and Society*, 65, 113–116.

——— (ed.), 1951. *The Gifted Child*. Boston: Heath.

Wolf, A., and E. K. Schwartz, 1955. "The Psychoanalysis of Groups: Implications for Education," reprinted from *The International Journal of Social Psychiatry,* autumn, 1955.

Wylie, R. C., 1961. *The Self Concept.* Lincoln: University of Nebraska Press.

Young, P. T., 1937. "Laughing and Weeping, Cheerfulness and Depression: A Study of Moods Among College Students," *Journal of Social Psychology,* **8,** 311–384.

Zazzo, B., 1960. "L'Image de Soi Comparée à L'Image de ses Sembables Chez L'Adolescent" (The Self-concept Compared with the Conception of Peers Among Adolescents), *Enfance,* No. 2, 121–141.

Zeligs, R., 1938. "Tracing Racial Attitudes Through Adolescence," *Sociology and Social Research,* **23,** 45–54.

———, 1948. "Children's Intergroup Attitudes," *Journal of Genetic Psychology,* **72,** 101–110.

———, and G. Hendrickson, 1933. "Racial Attitudes of Two Hundred Sixth-Grade Children," *Sociology and Social Research,* **18,** 26–36.

———, 1934. "Checking the Social Distance Technique Through the Personal Interview," *Sociology and Social Research,* **18,** 420–430.

Zucker, H. J., 1943a. "Affectional Identification and Delinquency," *Archives of Psychology,* No. 286. New York: Archives of Psychology.

———, 1943b. "The Emotional Attachment of Children to Their Parents as Related to Standards of Behavior and Delinquency," *Journal of Psychology,* **15,** 31–40.

Indexes

Author
Index*

Abernethy, E. M., 74, 101
Abraham, W., 135
Abt, L. E., 157
Adelson, J., *see* Douvan E.
Adler, A., 107
Adorno, T. W., 19, 303, 305
Allen, E. A., 328
Allport, F. H., *see* Katz, D.
Allport, F. H., *see* Morse, N. C.
Allport, G. W., 301, 304, 374, 375, 379, 382, 383, 388, 403
Almy, M., 119–120
Alschuler, R. H., 157
Amatora, M., 412
Ames, L. B., 157
Ammons, R. B., 301, 305
Anastasi, A., 190, 191, 204, 243
Anderson, G. L., *see* Anderson, H. H.
Anderson, H. D., *see* Davidson, P. E.
Anderson, H. H., 19, 157, 388
Anderson, J. E., 128, 396

Anderson, L., *see* Gronlund, N. E.
Angelino, H., 204
Antrobus, J. S., 164
Arnold, M., *see* Kuhlen, R. G.
Aserinsky, E., 163
Aub, J. C., *see* Nathanson, I. T.
Ausubel, D. P., 56, 242
Axelrad, S., *see* Ginzberg, E.

Bachrach, P. B., *see* Super, D. E.
Baker, H. V., 116–117
Baldwin, A. L., 19
Balthazar, E. E., *see* Ausubel, D. P.
Bantel, E., 345
Barker, M. E., 348
Bartlett, F., 141
Bath, J. A., 230
Battin, T. C., 268
Bayley, N., 49, 50, 52, 59, 60, 128, 129, 131
Bayley, N., *see also* Jones, M. C.

* The numbers refer to pages in the main text. The full references to authors and their co-authors are listed on pages 411–446.

[449

Subject
Index